D0298137

Money, Money, Money

Ed McBain

MONEY, MONEY, MONEY

VAN BUUREN UITGEVERIJ

BIBLIOTHEEK·BREDA
Centrale Bibliotheek
Molenstraat 6
4811 GS Breda

Oorspronkelijke titel: Money, Money, Money
Oorspronkelijke uitgave: Simon & Schuster, 2001

© 2001 Hui Corporation

© 2003 Nederlandstalige uitgave:
Van Buuren Uitgeverij BV
Postbus 5248
2000 GE Haarlem
E-mail: info@vanbuuren-uitgeverij.nl

Vertaling: Ed van Eeden en Karin van Gerwen
Omslagontwerp: Wil Immink Design
Omslagillustratie: Larry Gilpin/Stone
Opmaak: Nyvonco, Heerhugowaard

ISBN 90 5695 166 1
NUR 331

Alle rechten voorbehouden. Niets uit deze uitgave mag worden verveelvoudigd, opge-
slagen in een geautomatiseerd gegevensbestand, of openbaar gemaakt, in enige vorm
of op enige wijze, hetzij elektronisch, mechanisch, door fotokopieën, opnamen, of
enige andere manier, zonder voorafgaande schriftelijke toestemming van de uitgever.
Voor zover het maken van kopieën uit deze uitgave is toegestaan op grond van artikel
16B Auteurswet 1912, het Besluit van 20 juni 1974, Stbl. 351, zoals gewijzigd bij
Besluit van 23 augustus 1985, Stbl. 471 en artikel 17 Auteurswet 1912, dient men de
daarvoor wettelijk verschuldigde vergoeding te voldoen aan de Stichting Reprorecht
(Postbus 3060, 2130 KB Hoofddorp). Voor het overnemen van gedeelte(n) uit deze
uitgave in bloemlezingen, readers en andere compilatiewerken (artikel 16 Auteurswet
1912) dient men zich tot de uitgever te wenden.

Als altijd – en voor altijd – voor mijn vrouw,
Dragica Dimitrijević-Hunter

1

De twee mannen op de smalle modderstrip droegen allebei witte katoenen broeken en gekreukelde shirts. Ze stonden naast de Piper Warrior III in het helle daglicht. Ze wachtten op Cass en de afgesloten aluminium koffer. Ze gaf het aan de grootste en zag hoe ze naar het korenveld liepen, naar een donkerblauwe Mercedes-Benz die glinsterde in de zon. In de stilte hoorde ze de portieren hard dichtslaan en insecten zoemen in het bos.

Het is 7 december, Pearl Harbor Dag, maar zo voelde het niet, hier in Guenerando in Mexico. Cass stond zwetend in de middaghitte naast het vliegtuig. Ze dacht dat er geld in de aluminium koffer zat. En ze nam aan dat ze het geld in die Benz zaten te tellen. Ze vermoedde dat ze in ruil voor het geld dope terug zou krijgen – cocaïne of heroïne. Niet dat het haar veel kon schelen.

Ze stond bijna veertig minuten in de schaduw van een eucalyptusboom. En eindelijk kwamen de twee mannen uit hun Benz en gaven haar de aluminium koffer terug. De man met de snor grinnikte. Hij gaf haar een grote witte envelop met een elastiek eromheen. De ander keek ernstig, verwachtingsvol toe.

'Openmaken, *por favor*,' zei de man met de snor.

Ze trok het elastiek over haar pols en maakte de envelop open. Er zat een dikke bundel honderddollarbiljetten in.

'Tel het,' zei de ernstige.

Ze telde.

Er zat zo'n tienduizend dollar in.

'Voor mij?' wilde ze weten.

'*Para ti*,' vertelde snorremans.

Alsof ze haar godverdomme een fooi gaven!

'Nou, bedankt,' zei ze. '*Muchas gracias.*'

'*Muchas gracias*,' grinnikte snorremans.

'*Muchas gracias*,' zei de ander en grinnikte ook.

Toen moest ze zelf ook grinniken.

* * *

De Baboquivari bergen liepen in het noorden tot Kitt Peak. Ze vloog er laag overheen. Er zat een antidrugradar in de lucht bij Fort Huachua. Maar ze had het er met andere piloten over gehad die dezelfde vlucht al honderden keren hadden gemaakt en wisten dat er een zogeheten defect van plusminus vier graden zat bij het Kitt Peak Observartorium. Als ze in noordelijke richting door de 'Gringopas' zou vliegen, zoals ze het veiligheidslek noemden, zou ze niet worden gespot. Trouwens, binnen achttien minuten zou ze op de grond in de buurt van Avra Villa staan, dus – zelfs al zou ze op de radar verschijnen – dan hadden de douanevliegtuigen niet genoeg tijd om op te stijgen en haar te traceren.

Ze wist zelfs geen achternaam van de man die haar tweehonderdduizend dollar betaalde om dit karweitje voor hem op te knappen. Een kwart stond al op een bankrekening in East, waar ze een appartement huurde op loopafstand van haar geld. Ze had de man voor het eerst in Eagle Branch, Texas, ontmoet op een van haar tussenstops. Ze vloog lichte lading – kippen in kratten, meloenen, computeronderdelen, sandalen, en wat er verder voorhanden was – heel Mexico door in een eenmotorig vliegtuig dat modern was toen Zapata nog een kind was. Af en toe sprak ze een Texas Ranger, Randolph Biggs, die vaak naar de Rio Grande ging waar hij de douanepatrouilles hielp om de pepervreters voor de heilige oevers tegen te houden. In een barretje had hij haar ooit aan Frank voorgesteld. Grappige vent, geen achternaam. Gewoon Frank. Frank is genoeg, had hij gezegd. Nu vroeg ze zich af hoeveel Randy had gekregen om een goede piloot die risico's wilde nemen aan hem voor te stellen. Het instrumentarium van de Warrior – grote naam voor zo'n klein eenmotorig vliegtuigje – was kinderspel vergeleken bij dat van de Chinook-helikopter die Cass in de Golfoorlog had gevlogen. Op de televisie thuis werd de oorlog voorgesteld als een chirurgische ingreep en niemand, behalve de vijand natuurlijk, leed verliezen. Grote flauwekul natuurlijk. Er vloog daar in het Iraakse luchtruim meer dan waar ze in haar hele verdere leven tussendoor zou willen vliegen. Hier in Arizona was het wat rustiger. En het betaalde beter.

In de diepte zag ze lichten van een klein, rustig woestijnstadje. Wat doet een stoute meid als ik op zo'n mooie plek? vroeg ze zich af. Niets vragen, niets zeggen. De man zei: vlieg vier zendingen voor me van Texas naar Mexico. Je krijgt vijftigduizend per vlucht, dat is tweehonderd in totaal. En ik zei: afgesproken. Dit was de laatste van de vier vluchten. Huurde de Warrior in San Antone, een lekker toestelletje dat makkelijk te besturen is. Later die avond zou ze het vliegtuig op het vliegveld van Phoenix laten staan, zoals ze vooraf geregeld had, en een lijnvlucht naar de oostkust nemen. En ruim voor kerst gezellig in haar appartement zitten.

Daar.

Daar beneden.

Het lichtsignaal.

Ze zette haar vleugellampen aan en ging wat lager vliegen om beter te kunnen zien. Als je laag over Bagdad vloog, wilde je een bom door de schoorsteen van Saddam Hoessein gooien. Helaas waren ze nooit zover gekomen. De oorlog was godverdomme veel te snel voorbij. Ach ja, soms win je, soms verlies je. Toch?

Ze vloog over het terrein en maakte vervolgens een bocht zodat ze tegen de wind in kwam aanvliegen. De koplampen van een auto gingen aan, verlichtten het strand beter. Het was lang en smal. Ze keek op de hoogtemeter, liet het landingsgestel zakken, liet de pedalen los, controleerde de snelheidsmeter. Dit werd een makkie, doof je lampen maar, jongens, wie had ze nodig?

Hier was de strip vlak en egaal, ze voelde de wielen de grond raken, trapte op de remmen en rolde over het zand tot een volledige stop, zo'n twintig meter van de koplampen vandaan. Ze zette de motor uit. In de nacht was het doodstil. Ze pakte meteen de .45 in de broekzak van haar overall stevig vast.

Ze wachtte in de cockpit, in het donker.

Bleef wachten.

In de Golf droeg ze een automatische .45 in een buikholster. Voor het geval ze neergeschoten werd, een redelijke mogelijkheid. Veel onvriendelijke mensen stonden daar beneden te wachten op neergeschoten Amerikaanse piloten. Daar konden zij toch niets aan doen? Een pilote zelfs. Cassandra Jean Ridley, luitenant, U.S. Army, 714-56-32, meer hoefde ze niet te vertellen. Ook niet dat ze bij de 101ste luchtlandingsdivisie vloog. Ze wist niet eens wie er hier op haar wachtten. Ze wist dat ze inmiddels honderdvijftigduizend had en de laatste koffer zou afleveren. Met zoveel geld kon een meisje niet voorzichtig genoeg zijn.

Ze schrok van geklop op het raam.

Ze trok het naar achteren, haar rechterhand stevig om de greep van de browning in haar broekzak. Ze moest plassen. Het eerste wat je straks doet als je op de basis bent, is naar de plee rennen. Piloten konden gewoon hun gulp openritsen en pissen waar ze geland waren.

'Welkom in Arizona,' zei een stem.

Een prettige stem, de spreker was een schim in het donker. Er waren nog twee andere mannen bij. Ze hield haar pistool nog steeds stevig vast. Ze wachtte op dat ene woord waardoor ze zou weten dat deze mannen op de zending wachtten. Hoe ze het ook wilden camoufleren, in welke zin dan ook. Maar tot ze dat woord gehoord had, bleef ze zitten waar ze zat met het pistool in haar hand, haar vinger om de trekker.

'Mooie nacht,' zei een van de mannen.

Leuk geprobeerd, lieverd.

'Niet veel regen gevallen.'

Regen.

Bingo.

'Waar is mijn geld?' wilde ze weten.

'Waar is de koffer?'

Ze maakte de deur open, klom op een vleugel en sprong op de grond. Het pistool bengelde langs haar lichaam.

'Die heb je niet nodig,' zei een van de mannen.

'Tjee, ik hoop van niet.'

Het werd koud in de woestijn. Had ze haar vliegeniersjack maar aan. Een van de mannen hield een klein leren koffertje vast, ongeveer zo groot als een laptop. Hij zette het tegen de deur en klikte het open. Een andere man knipte zijn zaklantaarn aan. Ze zag heel veel Amerikaans geld.

'Honderdvijftigduizend,' zei een man. 'Laatste betaling. Zoals afgesproken.'

'Waar is de koffer?' vroeg een ander.

'Bezwaar als ik het eerst tel?' zei Cass.

'Waarom gaan we niet met z'n allen lekker buiten zitten, tot de douanemensen ons gevonden hebben?' vond de derde man.

'Tel het voor me na,' zei Cass.

'Tel het voor haar na,' zei de eerste man.

Hij had de prettige stem. Hij klonk nu een beetje ongeduldig, maar dat kon haar geen moer schelen. Eén ding dat ze in het leger geleerd had was dat je je mannetje moet staan. Op de grond en in de lucht. Tot nu toe was het enige risico dat deze kerels liepen dat ze hier, in kut-Wallow, Arizona, op haar moesten wachten. Zíj vervoerde de lading, die nog steeds in het vliegtuig zat dat zíj gehuurd had. Dus doen jullie je best maar, dacht ze, wordt maar ongeduldig. Het is wel *mijn* geld waar jullie zo makkelijk over doen.

Degene die het over de douane had gehad haalde het dikke elastiek van een van de bundels en schoof die over zijn pols. Er zat een kleine tatoeage boven op zijn linkerhand. Een of andere vogel, een soort havik, met wijd uitgespreide vleugels en een vis in zijn klauwen. Hij spreidde de biljetten, zodat ze kon zien dat er geen krantenpapier tussen zat. Hij begon te tellen, biljet voor biljet. '…vijf, zes, zeven,' Cass hield het pistool vast en luisterde en keek, '…acht, negen, tien, een duizend. Een, twee, drie, vier…'

En zo ging hij door. Er zaten vijftig biljetten in een pakje, allemaal honderddollarbiljetten. Toen hij alles had nageteld, ging het elastiek er weer omheen en stopte hij het terug in het leren koffertje. Er zaten dertig van die pakketjes in, allemaal ongeveer twee centimeter dik. De man had nog geen kwartier nodig om alles na te tellen. Hij klikte het slot weer dicht en gaf het koffertje aan de eerste man die zijn armen er omheen sloeg en het tegen zijn borst drukte. Net een schoolmeisje met haar boeken. Ze moest ineens

aan Fall River, Massachusetts, denken waar Lizzie Borden was vrij-
gekomen nadat ze haar vader en stiefmoeder had vermoord en
waar, toevallig, Cassandra Jean Ridley de eerste vijftien jaar van
haar leven had gewoond. God, wat vliegt de tijd. Wat doe ik in
godsnaam hier?

'De koffer,' zei hij.

Cass klom het vliegtuig in en pakte de verstopte koffer. Ze hield
hem in haar linkerhand, het pistool losjes in haar rechter. Ze wist
dat ze haar konden neerschieten op het moment dat ze op de
grond zou springen, de koffer vol dope, dat moest er wel inzitten,
mee zouden kunnen gappen en de nacht in zouden kunnen rijden. Met de dope en het geld dat ze zo geduldig voor haar hadden uitgeteld.

Het gebeurde niet.

Ze startte de motor weer. Het kleine leren koffertje met honderdvijftigduizend dollar lag op de stoel naast haar, tienduizend
zat in haar overall. Vanavond ben ik weer terug in de grote, boze
stad, dacht ze. Haar hart bonkte net zo hard als destijds boven de
Iraakse woestijn.

Bij zonsondergang vandaag zou Hanukkah beginnen, 21 december. Will kon het niet veel schelen. Hij was niet eens joods.

Dit was altijd het gevaarlijkst, naar binnen. Oké, naar buiten was
ook niet makkelijk, maar dan kon je door de voordeur naar buiten wandelen, zeggen dat je het toilet of de afvoer had gerepa-
reerd, en mooi weertje vandaag, hè? Als iemand je naar binnen
zag gaan, was dat een heel ander verhaal. Vooral als je dat via een
raam of de brandtrap deed, *dat* was echt moeilijk uit te leggen.

Hij hield het appartement nu bijna een week in de gaten vanaf
het dak aan de overkant. Wist wanneer mevrouw kwam en ging,
had haar een keer naakt gezien, gewoon toeval, hij was geen voy-
eur. Roodharig als een kardinaalvogel was ze. Het tapijt kleurde
bij de gordijnen, mooi om te zien. Dat zag je tegenwoordig niet
vaak meer. Hij bespiedde zijn prooi — hij haatte dat criminele jar-
gon — altijd de laatste week voor hij naar binnen ging. Soms twee

of drie weken. Want het laatste waar hij zin in had was om ooit nog eens achter de tralies te belanden.

Mevrouw trok een kort jasje van vossenbont aan. Waarschijnlijk zat er meer bont aan dan hij dacht. Wat hem meteen aan haar beviel toen hij het appartement een keer doorkeek, was een jas van sabelbont die gewoon op de grond lag. Die was zeker zo'n slordige halve ton waard. Je kon het altijd zien als een vrouw een nieuwe bontjas had, dan stond ze er de hele dag mee voor de spiegel te draaien. Hij bedacht dat het alleen al voor de bontjas de moeite waard was om naar binnen te gaan, en wie weet wat hij nog meer tegen zou komen. Het gebouw stond in South Ealey Street, het gedeelte van Isola dat Silvermine werd genoemd. Er woonde een portier in, waardoor er gewoonlijk verder geen beveiliging was. Mevrouw liep nu naar de voordeur...

'Daar gaan we dan,' zei Will hardop.

Hij had een Texaans accent dat hij na zevenendertig jaar op deze aardbol wel kwijt had mogen zijn. Vooral omdat hij op zijn achttiende de staat verlaten had en er nooit meer terug was geweest, behalve even voor de begrafenis van zijn moeder. Hij was tweedejaars student toen ze overleed. Het zou best kunnen dat hij door haar dood het jaar erop had verknald. Ze was zo jong toen ze overleed en zo. Zijn leven had er wel eens heel anders uit kunnen zien als zij niet was overleden en hij zijn derde jaar met succes doorlopen had. Maar misschien was hij dan ook een inbreker geworden. Dat zou heel goed kunnen.

Will gaf haar tien minuten om te verdwijnen.

Toen sprong hij naar de luchtkoker op het dak van haar gebouw en klom via de brandtrap tot de negende verdieping naar beneden. Hij verwachtte geen inbraakalarm en dat bleek terecht. Hij forceerde het slot op het raam en stond binnen tien seconden in het appartement. Zijn zaklantaarn hoefde niet aan om tien uur 's ochtends. Hier in de woonkamer stond niets interessants, een televisie en een stereoset, maar hij was geen junk, goddank. Hij liep in de slaapkamer meteen naar de ramen om de gordijnen te sluiten, zodat iemand die toevallig naar binnen zou kijken geen grote man van een meter tachtig, zwerverstype, in de slaapkamer van een vrouw alleen zag. Pas toen het helemaal donker was deed hij het licht aan. Het bed was keurig opgemaakt; hij hield van nette mensen. Hij sloeg de sprei terug, haalde de slopen van de twee kussens en liep naar de badkamer. De deur zat op slot. Hij maakte hem open en vond – o, zijn geluksdag! – niet alleen de lange jas van sabelbont, maar ook een minkstola. Mevrouw was echt aan de rol geweest. Ze pasten allebei niet in de slopen, dus gooide hij ze maar even op het bed en liep naar de kleerkast.

Daarin lag alles netjes op stapeltjes. Opgerolde panty's en nylonkousen op een plank, topjes en katoenen panty's op een andere en T-shirts en truien, op kleur of zo gerangschikt, op een derde. Het leek erop dat mevrouw of een verpleegster was of wat deed in het leger. Op de bovenste plank stond een juwelenkistje. Hij maakte het open. Niets van waarde, het gewone, goedkope spul en een grote witte envelop met een dik elastiek eromheen. Hij trok het elastiek eraf en maakte de envelop open. Hij zag een dikke stapel Amerikaanse bankbiljetten. Hij zocht in zijn jaszak naar zijn brillenkoker, schudde zijn bril eruit, zette die op en keek nog een keer in de envelop.

Het waren honderddollarbiljetten.

Hij telde ze pas toen hij veilig thuis was. In zijn appartement op South Twelfth Street, net achter Stemmler Avenue. Het was nu bijna twaalf uur en het sneeuwde buiten. Hij zat in een makkelijke stoel onder een lamp met een lampenkap met ketchupvlekken erop. Hij haalde de witte envelop uit zijn jaszak, trok het elastiek er weer vanaf, haalde de biljetten eruit en ging tellen.

Het bleek vijfentachtighonderd dollar in honderddollarbiljetten te zijn.

Will had niet op zo'n enorme buit gerekend. En het was niet aantrekkelijk om vier dagen voor Kerstmis in dit smerige hok te zitten als een onverwacht rijke patser. Hij haalde vijfhonderd dollar uit de envelop, trok zijn jas aan en liep fluitend naar buiten.

Het sneeuwde inmiddels dikke vlokken toen Cass die middag

rond half drie thuis kwam. Ze liep de woonkamer in, gooide haar jas over de bank, deed de kerstboomlampjes aan en schonk zichzelf een courvoisier-on-the-rocks in. Alleen, in een stoel bij het raam, nipte ze van haar cognac en genoot van de lichtjes in de kerstboom. Bedacht hoe gelukkig ze was met dit appartement, in deze geweldige stad, op dit speciale moment van het jaar. Wat zou ze hierna kopen? Of zou ze tot na de kerst wachten, als het uitverkoop was? Vandaag was het de tweeëntwintigste. Duurde niet lang meer tot het kerst was.

Ze schopte haar schoenen uit, vierhonderd dollar bij Bruno Magli, strekte haar benen uit en realiseerde zich ineens hoe moe ze was. Ze stond op, met haar schoenen in een hand en het glas in haar andere hand, liep naar de slaapkamer, klikte het licht aan en gooide bijna alle cognac over haar gloednieuwe jurk, eenentwintighonderd dollar bij Romeo Gigli. De badkamerdeur stond open. In één oogopslag zag ze dat haar sabel en mink verdwenen waren. Alle kasten stonden open. En de envelop met het geld van die Mexicaanse trip was verdwenen. Ze was razend, iemand was hier geweest, had dingen van haar meegenomen, had aan haar persoonlijke bezittingen gezeten, had ze godverdomme mee durven nemen! Ze was net zo kwaad als lang geleden, toen twee kankerlijers in Basic in haar kluisje piesten, wilde naar het openstaande raam rennen en haar longen uit haar lijf gillen: 'Godvergemese dieven!' Alsof dat wat hielp. Ze dwong zichzelf rustig te worden, kalmeerde. Vervolgens inspecteerde ze de badkamer en de kasten, controleerde of hij nog meer had meegenomen. Het leek van niet. Was niet gevallen voor de Angela Cummins-armband die ze afgelopen week had gekocht en die glinsterend en uitnodigend in het blauwe doosje lag. Had niet gelet op de Hermès-sjaal, of de kasjmier trui, of de gevleugelde pre-Hellenistische Eros uit een antiekwinkel op Jefferson. Stelde zich tevreden – tevreden! – met de sabel, de mink en zo ongeveer vijfentachtighonderd dollar cash. Zoveel was het in ieder geval de laatste keer dat ze het geteld had. Kankerlijer!

Ze tikte kwaad op de kast, sloeg er steeds harder met gesloten vuisten op en gilde: 'Jij godverdommese bastaard!' Obsceniteiten die ze nooit meer had gebruikt sinds de oorlog. Eindelijk kalmeerde ze wat en toetste 911 in.

Will vertelde de blondine dat hij geboren en getogen was in San Antonio, Texas, maar dat hij daar al eeuwen niet geweest was.
'Waar staat Will voor,' wilde ze weten. 'William?'
'Nee, Wilbur.'
'Wilbur Struthers?'
'Wilbur Struthers, van top tot teen, mevrouw!'
Bijna barstte ze in een onbedaarlijke lachbui uit, maar ze wist zich te beheersen. Het lukte haar zelfs om niet te glimlachen, wat hij vast wel gewaardeerd zou hebben. Ze zaten aan een tafeltje in een kroeg die Flanagan's heette, op Twenty-First en Culver. Will had eerst een fles Veuve Cliquot besteld, maar de ober wist niet wat dat was, of wilde het niet weten, zo'n soort bar was het. Toen had hij Jasmine – zo heette ze – gevraagd wat ze wilde drinken en ze had een Harvey Wallbanger besteld en hij een bourbon met water. En nu zaten ze aan hun derde drankje, met hun knieën onder het tafeltje tegen elkaar en hun hoofden boven het tafeltje dicht bij elkaar. Hij bedacht dat als hij dit netjes speelde, zij snel in zijn bed in zijn appartement kon liggen.

Op dit moment vertelde hij haar hoe hij op een vrachtschip aangemonsterd had, nadat hij op de universiteit gestopt was, richting Grote Oceaan. Dat hij in Cambodja zat toen de Rode Khmer daar aan de winnende hand was, dat hij gevangengenomen werd, dat hij daar twee jaar erop had zitten wachten dat ze hem door zijn kop zouden schieten voor hij een gewaagde ontsnappingspoging durfde te ondernemen die hem eerst naar Manilla en vervolgens naar Singapore bracht. Jasmine vond dat hij maar wat zat te zwammen, maar hij zag er als een stoere cowboy uit, met zijn donkerblauwe coltrui die bij zijn lichtblauwe ogen paste. Grijs sportjasje, donkergrijze broek. Zijn haar een door de zon gebleekte bruine kleur, niet echt blond. Mooi krachtig gezicht, mooie sterke handen. Zuidelijk accent, of wat dan ook, niet iets dat zijn cowboyimage schade toebracht. Jammer dat hij nep is, dacht ze. Toch had hij nog niet gevraagd hoeveel hem dit zou gaan kosten, of iets wat daar op neerkomt, wat ze een hoffelijk teken vond. Hij zou het vroeg of laat wel willen weten, maar voorlopig luisterde ze geboeid naar zijn verhaal over een Rode-Khmersoldaat die de loop van zijn pistool in zijn mond stak. Dat gebeurde haar zo ongeveer iedere nacht van de week.

Toen het tijd werd om de rekening te betalen, gaf Will de ober een biljet van honderd dollar en vroeg haar of ze misschien andere plannen had. Als dat niet zo was, zou ze het dan leuk vinden om met hem naar zijn huis te gaan? Misschien kwamen ze een drankwinkel tegen die Veuve Cliquot verkocht, een werkelijk heerlijke champagne, vertelde hij, die ze zouden kunnen opdrinken terwijl ze naar een film keken. Ze dacht nog steeds dat hij onzin uitkraamde, maar vond dit ook een goed moment om duidelijk te maken dat ze vijf flappen per nacht kostte.

Will knipperde met zijn ogen.

'Ik ben een werkend meisje,' zei ze. 'Ik dacht dat je dat wel wist.'

'Het spijt me, mevrouw. Ik wist het echt niet.'

'En wat denk je nou?'

'Ik heb in mijn hele leven nog nooit voor een vrouw hoeven betalen.'

'Er is altijd een eerste keer, cowboy. Zal je dingen laten zien waar je zelfs nog nooit van gedroomd hebt.'

'Ik heb over praktisch alles gedroomd.'

'Betekent dat ja of nee?'

'Waarschijnlijk nee. Het spijt me.'

'Niet meer dan mij,' zei Jasmine en pakte haar tasje. 'Prettige kerstdagen.' Ze sloeg haar jas over haar schouders en liep heupwiegend naar de voordeur en liep rakelings langs de ober die het honderddollarbiljet van Will aan de caissière gaf.

De caissière, Savina Girasole, hield het biljet onder de lamp om de anders onzichtbare polyester streep te controleren. Die veiligheidsstreep lichtte onmiddellijk op, *USA 100 USA 100 USA 100* stond ondersteboven over de hele linkerkant van het biljet. Dus was het echt, dacht Savina. Maar toch voelde het papier – nou, ja, niet *voelde*, het papier *voelde* net zo betrouwbaar als andere biljetten. Maar toch...

Tja... zoals het *eruitzag.*

Dat grappige zinnetje in inkt over het gezicht van Franklin bijvoorbeeld. En zoals het *rook.* Het rook zoetig. Normaal gesproken besnuffelde Savina het geld dat ze in handen kreeg niet, maar dit biljet rook echt gek. Niet als marihuana, helemaal niet zoiets dergelijks. Meer naar goedkoop parfum. Alsof het in een bh tussen de borsten van een meisje had gezeten.

De vent van wie het biljet was, zat nu alleen aan zijn tafeltje, speelde verveeld met zijn drankje. Zag er heel gewoon, heel Amerikaans uit, zo'n achtertuin-met-barbecue-type. Maar dat betekende niet dat hij geen valse honderddollarbiljetten zou kunnen verspreiden. Waarvan er een in haar geldla terecht zou kunnen komen, wat voor meneer O'Brien een reden zou zijn om haar te ontslaan. Ronnie O'Brien was de eigenaar van de zaak, niet ene Flanagan, ook al stond dat aan de voorkant op de muur. Savina wilde haar baan niet kwijt. Dus pakte ze de telefoon die naast het creditcardapparaat stond en drukte het nummer dat ze aan de zijkant van de kassa had geplakt.

'Dus, als ik het goed begrijp,' vroeg een van de rechercheurs aan Cass, 'heeft die knaap alleen twee dure bontjassen meegenomen?'

'Klopt.'

Ze had niets over het vermiste geld gezegd en was dat ook niet van plan.

'Een lange jas van sabelbont...'

'Ja, van Revillon.'

'Hoeveel denkt u dat die waard is, mevrouw?'

'Vijfenveertigduizend dollar.'

'En de mink? Hoeveel is *die* waard?'

'Zesduizend.'

'Verzekerd?'

'Nee.'

'Dat had u wel moeten doen, mevrouw.'

'Ik was het van plan.'

'Staan uw initialen erin?'

'In alle twee.'

'En wat zijn die initialen?'

'CJR.'

'Staan voor?'

'Cassandra Jean Ridley.'

'Wilt u Ridley misschien voor ons spellen?'

'R-I-D-L-E-Y,' spelde ze. 'Hoe groot is de kans dat ik ze terug-krijg?'

Een van de rechercheurs had rood haar, met een witte streep erdoor. De ander was klein. Ze nam aan dat de kans bijzonder klein was.

'We hebben een vrij hoog vindpercentage, toch, Hal?' zei de roodharige.

'Tja, dat gaat wel,' was het antwoord.

Cass wist nu bijna zeker dat ze gelijk had.

'We laten het u weten als we ze gevonden hebben,' zei de rood-harige. 'Hier is mijn kaartje. Ik schrijf het nummer van mijn pie-per op de achterkant voor het geval u nog iets wilt melden.' Op het kaartje stond dat hij rechercheur tweede klasse Cotton Hawes was van het 87ste district.

'Dank u wel,' zei Cass, hoewel ze zich niet kon voorstellen waarover ze hem nog een keer zou moeten bellen.

'We weten hoe u zich voelt,' zei de kleine.

'Oeps,' zei de roodharige en verstijfde midden in een beweging. Pakte een zwarte brillendoos van de grond, vlak naast de kleerkast. 'Stond er bijna bovenop.'

Cass droeg geen bril.

'Dank u wel,' reageerde ze meteen. En pakte de doos aan.

'Prettige kerstdagen,' zei de kleine.

'Bedankt, jullie ook.'

Ze liet hen uit en deed de deur achter hen op slot. Ze waren nog niet weg of ze bekeek het doosje. In duidelijke gouden letters stonden er een naam en adres op:

Eyewear Fashions, Inc.
1137 Stemmler Avenue
(op de hoek van 22nd Street)

Cass liep naar de badkamer voor haar rode vos.

Iets na vieren die middag werd er op zijn deur geklopt. Will ging bij de deur staan en zei: 'Ja?'

'Secret Service,' zei een stem. 'Wilt u de deur even opendoen?'

Secret *wat*? dacht Will.

'Kunt u dat nog een keer zeggen?'

'Geheim agent David A. Horne,' zei de stem. 'Wil u graag een paar vragen stellen, meneer. Gewoon routine.'

Wat voor Will betekende dat hij als de sodemieter via het raam moest verdwijnen. Helaas was er geen brandtrap.

'Momentje, ik moet even wat aantrekken.' Hoewel hij volledig gekleed was. De volgende dertig seconden twijfelde hij of hij de gestolen honderddollarbiljetten nou in het waterreservoir van de wc zou verstoppen of in het vriesvakje van de koelkast. Trouwens twee plekken die onmiddellijk onderzocht zouden worden als ze het met hem over de inbraak op South Ealey wilden hebben. Hij besloot het hoog te spelen.

'Nog even,' zei hij nog een keer en liep naar de deur en maakte die open.

Er stond een lange, magere man in een blauwe parka en een wollen pet met oorkleppen. 'Geheim agent David A. Horne,' herhaalde hij, 'met een e,' en liet een geopend leren mapje zien. Er zat een gouden ster in, zoals de Texas Rangers mee terug naar huis nemen. Will dacht koortsachtig na, misschien stonden er thuis nog arrestatiebevelen tegen hem open. Maar hij kon nergens op komen.

'Goedenavond. Wat kan ik voor u doen?'

'Het is nog steeds middag,' corrigeerde Horne. 'Heet u Wilbur Struthers?'

'Helemaal.'

'Vraag me of ik binnen wil komen,' glimlachte Horne.

'Maar natuurlijk, komt u binnen.'

Hij kreeg het een beetje benauwd, maar hij praatte rustig en beleefd, want je kon tegen politiemensen maar beter beleefd blijven. Zelfs thuis in Texas was Will beleefd tegen de politieagenten, die daar bepaald niet hoffelijk zijn. Maar Horne was van de Secret Service, en hopelijk beschaafder. Hij stapte naar binnen en keek rond alsof hij een of twee medeplichtigen verwachtte.

'U was eerder vandaag in Flanagan's,' zei Horne. Het was geen vraag.

'Klopt.'

Hij moest meteen aan de hoer denken. Er was vast iets met die hoer gebeurd en nou wil de Secret Service me vast over haar ondervragen. Hij hoopte dat het niet iets ernstigs was. Hoopte dat ze niet vermoord of verkracht was.

'U hebt daar wat gedronken,' zei Horne.

'Klopt.'

Zou ze vergiftigd zijn?

'U betaalde met een biljet van honderd dollar,' zei Horne. 'Dit biljet,' en haalde uit de binnenzak van de grote parka een envelop die leek op die enveloppen waar je geld als kerstgeschenk voor je postbode of portier in doet. Maar deze had een grote gouden ster op de voorkant. Horne maakte de envelop open en haalde er een honderddollarbiljet uit. 'Herkent u het?' vroeg hij en hij gaf het aan Will.

'Voor mij lijken alle honderddollarbiljetten op elkaar.'

'Hoe komt u aan dit honderddollarbiljet?' wilde Horne weten.

'Gewonnen met dobbelen.'

'U won honderd dollar met dobbelen.'

'Ja, klopt.'

'Waar? Wat voor dobbelspel?'

'Poker. Op Laramie.'

'Waar op Laramie?'

'Het exacte adres kan ik me niet meer herinneren.'

Ze hadden twee verschillende agenda's, bedacht hij. Die man wil alles weten wat er over dat honderddollarbiljet te weten viel en ik wil er zeker van zijn dat hij niet ontdekt dat ik het gestolen heb.

'Meer hebt u niet gewonnen met dat dobbelen?'

'Alleen die honderd, klopt.'

'En toen bent u het gaan uitgeven. Klopt dat?'

'Klopt.'

Zeg, dacht hij, waarom wil je dit verdomme allemaal weten? Maar wist dat hij dat niet hardop kon zeggen.

Twee verschillende agenda's.

'Voor dit gesprek heb ik met een vrouw gesproken die Jasmine heette,' vertelde Horne.

'O?'

'Kreeg uw naam van haar.'

'Dus?'

'Haalde die door de computer.'

Will zei niets.

'Het lijkt erop dat je wat last hebt gehad in deze stad. Klopt dat, Wilbur?'

'Het is overigens Will.'

'Sorry. Wist ik niet, Will.'

'Geeft niet,' zei Will.

Hij bedacht dat het nog steeds het oudste politietrucje van de wereld was, een verdachte bij zijn of haar voornaam te noemen, waardoor hij in status daalt. Hier ging het tussen *Will* en *Meneer* David Horne.

'Zeven jaar geleden een tankstation overvallen, hebt ervoor in Castleview gezeten. Is dat de enige overval die je ooit gepleegd hebt, Will?'

'De eerste en laatste,' loog Will.

'Dat is prijzenswaardig,' vond Horne. 'Toch, vanwege dit honderddollarbiljet heb ik een huiszoekingsbevel.'

'Een wat?'

'Je hebt me wel gehoord,' zei Horne en hij gaf Will een rechterlijk bevel, ondertekend door een rechter en helemaal onderaan stond de reden: in bovenstaand appartement moet gezocht worden naar geld dat als losgeld...

'Losgeld?' zei Will.

'Losgeld van een ontvoering. Dat staat er. Losgeld, Will.'

'Dat is mijn biljet niet,' zei Will direct. 'Ik heb toch al verteld dat ik het met dobbelen heb gewonnen.'

'Mooi zo, Will, want het serienummer van dit biljet is precies hetzelfde als het serienummer van een biljet dat als losgeld voor een ontvoering is betaald. Begrijp je de implicaties?'

'Ik ben géén ontvoerder.'

'Dat is ook mooi, Will. Want ik heb een huiszoekingsbevel voor andere biljetten die als losgeld zijn gebruikt.' En hij trok zijn blauwe parka uit, waardoor er een donkerblauw pak, wit overhemd en rode das onthuld werden. Het jasje hing strak gespannen over een gespierde borstpartij en brede schouders. De man moest een fitnessfanaat zijn. Hij zette zijn pet met oorkleppen af. Er onder zat een hoofd met heel zwart, heel dik haar.

'Is het de president?' vroeg Will.

'Is de president wat?'

'Degene die ontvoerd werd?'

'Ik moet u waarschuwen dat u niets moet zeggen dat u ten laste kan worden gelegd,' deelde Horne op officiële toon mee.

O, Jezus Christus. Het was de president, dacht Will. Want als het níét de president was, wat deed de Secret Service dan hier? De FBI handelt toch ontvoeringen af? Het enige wat de Secret Service deed was de president van de Verenigde Staten beschermen. En zijn gezin. Dus moest er iemand uit het Witte Huis ontvoerd zijn.

Horne liep nu naar de badkamer. En daar lagen de biljetten in een schoenendoos op een plank boven de sabel en de mink, die hij opgehangen en gestolen had. Ik kan nu à la minute wegrennen, dacht hij en op bezoek gaan bij mijn neef Earl die in Fort Worth woont met een vrouw die Miss Texas is geweest in de

Miss-America-verkiezing. Had bijna gewonnen. Daar een paar weken blijven tot dit hele ontvoeringsgedoe is overgewaaid. Waar hij verdomme niets mee te maken had. Hij had godverdomme alleen maar ingebroken in zo'n kutappartement!

'Nou, nou, wat hebben we hier?' zei Horne.

Hij keek naar de sabel en de mink.

'Volgens het huiszoekingsbevel hoort u naar geld te zoeken.'

'Ze liggen in het volle zicht.'

'In het volle zicht' was een uitdrukking die de politie gebruikt als ze zich iets zonder zoekmachtiging wil toe-eigenen.

'Ze zijn van mijn vriendin.'

'Hoe heet ze?'

'Jasmine. U hebt haar gesproken.'

'Zij vertelde dat u elkaar net had ontmoet.'

'Ja, dat klopt.'

'En dan laat ze haar bont hier?'

'Ze vertrouwt me.'

Horne keek hem eens aan. Maar had het verder niet meer over het bont. Misschien omdat hij genoeg aan zijn hoofd had met de ontvoering van de president. Van hem of van iemand uit zijn gezin. Anders was er geen Secret Service hier. Ik moet hier onmiddellijk vandaan, dacht Will. Horne stond op het punt de schoenendoos te pakken. Rennen of niet? dacht Will. Horne pakte de doos en maakte hem open. Wat ga ik doen? Horne keek erin. Haalde er een witte envelop met een elastiekje er omheen uit. Hij trok het elastiekje van de envelop af. Maakte de envelop open.

'Nou, nou,' zei hij weer.

'Dat is niet in het volle zicht,' zei Will.

'Nu wel!' Hij maakte een waaier van de biljetten. 'Waar heb je deze kleine moedertjes vandaan?'

'Zelfde dobbelspel,' zei Will.

Horne begon te tellen.

'Dit is een hele hoop geld.'

'Ja, er dobbelden veel mensen mee.'

'Het zal in de buurt van de vijf-, zesduizend dollar komen.'

'Het zijn er acht,' vertelde Will.

'Jij won achtduizend dollar met dobbelen?'

'Ik had geluk.'

'Wie deden er mee?'

'Stel mannen die ik nog nooit van mijn leven had gezien.'

'Laat me dit eens even op een rijtje zetten, Will. Jij vraagt van mij dat ik geloof dat een of meerdere van die mannen van jouw dobbelspelletje de ontvoerders kunnen zijn geweest aan wie deze biljetten als losgeld zijn betaald. Klopt dat?'

'Dat geloof ik wel,' zei Will.

Hij wist dat hij in de badkamer stond. Hij wist dat Horne zo dadelijk een pistool en handboeien tevoorschijn ging trekken. Hij zou met kerst in de gevangenis zitten, beschuldigd van een klote-ontvoering die hij nooit gepleegd had.

'Luister nou eens,' probeerde hij nog een keer. 'U hebt echt de verkeerde.'

'Misschien,' zei Horne en keek hem strak aan.

Wills handen beefden. Hij stopte ze in zijn broekzakken, zodat Horne dat niet kon zien. Hij haatte zichzelf dat hij zo godallemachtig bang was, maar hij kon er niets aan doen. Ontvoering was een serieuze zaak.

'Ik zal je wat vertellen,' zei Horne.

Will wachtte.

'Wat ik volgens mij nu moet doen is dit geld in beslag nemen, jou een ontvangstbewijs ervoor geven, de serienummers controleren en daarna weer naar jou gaan.'

Tuurlijk, dacht Will. Secret Service of niet, alle agenten waar ook ter wereld waren hetzelfde en uiteindelijk allemaal corrupt. Voor je het wist zaten die achtduizend in een fonds voor de weduwen van Secret Service-agenten die tijdens hun werk gestorven waren. Hij snapte alleen niet waarom Horne een mogelijke ontvoerder de kans gaf om te vluchten. Hij zag hoe de man pijnlijk precies de serienummers van de biljetten overschreef, het papier onderte-kende en aan hem gaf. Hij keek zoekend rond naar zijn parka, zag die over een stoel hangen en trok hem aan.

'Ik hoef u natuurlijk niet meer te waarschuwen dat u de stad niet mag verlaten.'

'Niet nu u al mijn geld hebt!'

'Tot straks,' zei Horne, zette zijn pet op en wandelde het appartement uit.

Het was tien voor half zes.

En wat moet ik nu doen? vroeg Will zich af.

Godverdomme! Ik ben onschuldig!

Alleen niet voor die inbraak.

Maar Horne had helemaal geen interesse voor een inbraak gehad. Horne wist niet eens dat er een inbraak was geweest! Horne toonde alleen maar interesse voor de honderddollarbiljetten die misschien wel, misschien niet als losgeld in de ontvoeringszaak waren gebruikt die hij onderzocht – maar waarom toch de Secret Service? Hoe dan ook, daar lag de interesse van geheim agent David A. Horne. Het geld. Controleerde de serienummers. Als ze klopten, pakte hij die oude Wilbur hier.

Maar stel dat die nummers *niet* klopten. Want met al die miljoenen appartementen in de stad New York, hoe groot was nou eigenlijk de kans dat ik in het appartement van een roodharige zou inbreken die met succes een ontvoering had afgerond en daar het losgeld had verstopt? Hoe groot was de kans dat zoiets gebeurde? Ik bedoelde *echt*. Duizend tegen een? Miljoen tegen een? Zulke kansen nam ik iedere dag bij de paardenrennen.

Dus de kans zou in mijn voordeel moeten zijn, toch? De serienummers zullen niet kloppen. Horne komt met mijn geld terug. Ik teken het ontvangstbewijs en hij verontschuldigt zich dat hij zoveel van mijn tijd heeft gevraagd.

Hoop ik, dacht hij.

Donderdagavond om vijf voor zes wandelde Cass Eyewear Fashions, Inc. op Stemmler Avenue en Twenty-second Street binnen. Het was een heldere, koude avond. Sterren blonken aan een zwarte hemel en de straten en stoepen glinsterden van de verse sneeuw. Maar Cass dacht niet aan een witte kerst. Ze wilde die man vinden die haar geld en haar bont gestolen had. Dat bont dat haar nu zo lekker warm had kunnen houden. Ze was haar hele leven al een koukleum geweest en het eerste wat ze met het geld van de Mexicaanse klus had gekocht was de sabel. Donder toch op met die mensen die naakt tegen bont protesteerden. Degene die het waagde om verf op haar bont te spuiten, kon maar beter gauw een begrafenisverzekering regelen als hij die nog niet had.

In plaats van de gestolen sabel, droeg ze een kort rood jasje van vossenbont op een spijkerbroek en een groene coltrui. Desondanks had ze het steenkoud. Een van de redenen dat ze Fall River in Massachusetts had verlaten, was dat het daar zo godvergeten koud kon zijn. Dat en haar vader die haar de godganse dag uitschold. Haar moeder was wiskundelerares. Volgens Cass had ze gedacht dat het slim was om met een presbyteriaans, predikant te trouwen en hem twee dochters te schenken van wie de oudste net zo'n heilige als pappa zelf was. De jongste dochter, Cassandra Jean Ridley, zat het tot hier en liep van huis weg. Ging in een commune in New Hampshire wonen, waar het nog kouder was dan op deze straathoek in Isola. Verliet de groep toen hun raadsman op een nacht naakt haar kamer in kwam en per se een kort verhaal uit de *Hustler* wilde voorlezen. Ze had hem met een braadpan haar kamer uit geslagen.

'Hallo,' zei ze tegen de man achter de balie. 'Ik heet Harriet Daniels,' de naam van de vrouw die in Eagle Branch, Texas, het huis runde waar Cass een kamer huurde. 'Ik heb een brillendoos gevonden met jullie naam en adres erop en ik vroeg me af of u me kunt helpen met het vinden van de eigenaar.'

'Tja, nou, dat weet ik niet,' antwoordde de man.

'U bent?'

'Wesley Hand.'

Hij is waarschijnlijk acht- of negenentwintig. Een kleine, ronde man met blauwe ogen en een prettig gezicht, maar een vale teint. Hij keek bezorgd naar het doosje dat ze op de balie legde. Hij zag er ook verbijsterd uit. Waarschijnlijk keek hij altijd zo.

'Kunt u dat voor me doen?' vroeg ze. 'De eigenaar opsporen?'

'Dat kan moeilijk worden. Want behalve als het speciale, niet vaak voorkomende brillen betreft, zijn de meeste...'

'Hebt u niet een machine of zo waar u ze onder of in kan leggen. Zodat u de sterkte kunt bepalen?'

'Jawel, maar...'

'Want het kan een van die *speciale* zijn, snapt u.'

'Tja...'

'Ik zou het geweldig vinden,' zei ze en produceerde, naar ze hoopte, een warme glimlach.

'Ik sluit om zes uur.' En hij keek op de klok.

'O. Nou, hoe lang zou het duren...'

'En daarna moet ik ergens naar toe.'

'Het punt is dat ik ze vanochtend vroeg gevonden heb. Dus die man zal ze zo onderhand wel missen.'

'Uh-huh.'

'Dus als u deze nou in uw machine wilde stoppen en...'

'Nu niet meer,' zei hij en liep al om de balie heen naar een kleine kast. 'Bel me morgen maar.'

'Dank u wel.'

Hij trok zijn jas aan.

'Ik vind het heel aardig van u.' En ze lachte lief.

Kloothommel, dacht ze.

Horne kwam om half elf die avond naar Will. Hij kwam onaangekondigd en toen hij beneden op de zoemer drukte en zei dat hij voor de deur stond, was Will verrast. Hij had nooit verwacht dat hij die honderddollarbiljetten terug zou zien. Deze avond had Horne een kort blauw jasje aan met een nep bontkraag en een wijde donkerbruine corderoy broek en een bruine fedora. In tegenstelling tot vanmiddag zag hij er klaarwakker uit.

'Will, ik moet me verontschuldigen.'

'Waarom?'

'Dit zijn *geen* biljetten van het losgeld.'

'Dat dacht ik al,' zei Will, maar hij voelde zich enorm opgelucht.

'We hebben de serienummers nagekeken, en behalve dat ene biljet, klopt er niet een. Dus... het spijt me dat het ministerie je zoveel ongemak heeft bezorgd...'

'Welk ministerie?'

'Hoezo? Het ministerie van Financiën.' Horne keek verbaasd. 'De Secret Service van de Verenigde Staten van Amerika valt onder het ministerie van Financiën.'

'Dat wist ik niet.'

'Veel mensen weten dat niet. Maar als je me nou dat ontvangst-bewijs geeft dat ik jou heb gegeven...'

'Prima,' zei Will en zocht in zijn portefeuille.

Horne liep met het papier naar de keukentafel, haalde uit zijn koffertje een bundeltje honderddollarbiljetten en gaf dat aan Will.

'Als je ze even wilt natellen.'

'Ach, ik kan het ministerie van Financiën toch wel vertrouwen!'

'Toch,' zei Horne, 'vind ik het prettiger als je ze telt.'

Will zat tegenover hem aan de tafel en begon te tellen. Horne pakte zijn pen en trok een rechte lijn onder de lijst serienummers op het ontvangstbewijs. Direct daaronder schreef hij *Ontvangen* *$8.000, bewijs van ontvangst.*

Het kostte Will misschien anderhalve minuut om die tachtig bil-jetten te tellen. Ze waren er allemaal.

'Als je dit dan nog wilt ondertekenen,' zei Horne en leende hem zijn pen. Schoof het papier over de tafel naar hem toe. Will zette zijn handtekening. Horne vouwde het vel dubbel en stopte het in zijn koffertje.

'Meneer Struthers,' zei hij , en stak zijn hand uit. 'Blijft u alstu-blieft op het rechte pad.'

'Jij ook, David,' zei Will en maakte de deur voor hem open. Horne stapte de gang in. Will deed de deur achter hem dicht en draaide hem op slot. Met zijn oor tegen het hout hoorde hij Hornes voetstappen verdwijnen. De gang uit, de trappen af. Toen liep hij eindelijk grinnikend van de deur weg, kletste met zijn handen op zijn bovenbenen en riep: 'Will Struthers, je bent een verdomde geluksvogel!'

De telefoon van Cass rinkelde vrijdagochtend precies om twee minuten over tien. Vandaag was de eerste dag van Hanukka, de tweeëntwintigste december, drie dagen voor Kerstmis. De man die belde was Wesley Hand.

'De opticien,' meldde hij.

'Ja. Meneer Hand.'

'Ik heb die bril bekeken...'

'En?'

'Ik heb u al verteld dat de meeste in de bekende categorieën vallen. Wat wij plus-een biopters noemen, absoluut het gewone, het gangbare. Ook deze bril. Maar ik herinner me het montuur. Hij wilde per se een mokkabruin montuur, ook al zei ik dat dat niet bij zijn huidskleur paste.'

'Wat had hij dan voor kleur?'

'Ongewassen blond haar, blauwe ogen. Echt, dat mokkabruin was verkeerd. Hij had het donkerblauw moeten nemen.'

'Maar hij wilde per se dat bruin.'

'Ja.'

'En daarom kunt u hem zich nog herinneren?'

'Ja.'

'Hoe heet hij?' wilde ze weten.

'Het ligt hier voor me. Wilbur Struthers.'

'Hebt u er misschien ook een adres bij?'

'Jazeker. Maar denkt u dat ik u dat zo maar mag geven?'

'O ja. Dat weet ik zeker. Wilt u het voorlezen alstublieft?'

'Nou...'

'Alstublieft?'

'Ach, ja,' gaf hij toe en las het adres voor als een krijgsgevangene die onder zware martelingen de locatie van een divisie verklapte.

'Reuze bedankt,' zei Cass.

'Ja?' zei een mannenstem.

'Een bezorging,' zei ze.

'Bezorging van wat?'

'Een bril.'

'Wat?'

'Ik ben van Eyewear Fashions. Iemand heeft uw bril gevonden en vanochtend naar ons gebracht. Zal ik hem naar boven brengen?'

'Fijn, ja, kom maar naar boven. Hé, zeg, geweldig! Het is 2C, op de tweede verdieping.'

De zoemer zoemde. Cass deed de voordeur open en voelde in haar tas de geruststellende kolf van haar browning. Natuurlijk geen lift. Ze liep via de trappen naar de tweede verdieping, trok het pistool uit haar tas terwijl ze de gang inliep en tikte met de loop zachtjes op de deur van appartement 2.

Will maakte de deur open en herkende de roodharige van het appartement waar hij ingebroken had. Nog erger: ze had iets in haar handen dat verdacht veel op een .45 automatic leek. Hij probeerde de deur nog dicht te gooien, maar zij viel er onmiddellijk met haar schouder tegenaan en duwde de deur tegen hem aan. Hij struikelde bijna. Had zich niet gerealiseerd dat ze zo sterk was. In een wip stond ze in zijn appartement, ramde de deur achter zich dicht en richtte de automatic op zijn hoofd.

'Waar is mijn geld?'

'Doe niet zo opgewonden.'

'Mijn geld,' zei ze. 'Mijn bont,' zei ze. 'Jij bent een dief,' zei ze. Ze gebruikte het pistool om haar woorden als het ware te onderstrepen. Daardoor was Will bang dat ze wat emotioneel was en hysterisch de trekker zou kunnen overhalen.

'Doe eens een beetje rustig. Alles is hier, alles. Je hoeft echt niet zo met dat pistool rond te zwaaien.'

Ze was ergens tussen de 1.70 en 1.75. Langer dan ze vanaf een dak aan de overkant had geleken. Een lange, knappe roodharige in een rood jasje van vossenbont, een spijkerbroek en een groene coltrui. Ze zag er al kerstachtig uit, maar het duurde nog drie dagen voor het zover was.

'Haal het,' beval ze.

'Wil je alsjeblieft dat pistool weg doen?' vroeg hij. 'Ik word er bloednerveus van, zoals je daar met dat pistool staat.'

'Haal mijn spullen.'

'Direct.'

'Jij gore oplichter.'

Eigenlijk wilde hij haar vertellen dat ooit een Rode-Khmersoldaat hem met zo'n wapen als zij nu in haar hand had, had bedreigd. Maar in plaats daarvan liep hij naar de badkamer, pakte de sabel en de mink en bracht ze naar haar. Ze stond naast de bank, het pistool nog steeds in haar hand. Hij gooide de spullen op de kussens en ging toen terug om de schoenendoos van de plank te pakken. De schoenendoos waar, dat had hij immers van Horne moeten tellen, achtduizend dollar in honderddollarbiljetten in zat. Hij hoopt maar dat ze goed met dat pistool kon omgaan, want het laatste dat hij wilde, was hier gewond raken.

'Haal het deksel eraf,' zei ze en zwaaide even met haar pistool.

'Het zit er allemaal in. Ik heb het gisteren nog geteld.'

'Dus dat doe je in je vrije tijd, klootzak! Andermans geld tellen!'

'Ik tel het met plezier voor je,' zuchtte hij en pakte de witte envelop uit de doos. 'Of berg je je pistool op en tel je het zelf?'

'Jij telt.'

Hij haalde het elastiek eraf, pakte de biljetten uit de envelop en begon voor de tweede keer in even zoveel dagen het geld te tellen: 'Honderd, tweehonderd, vijfhonderd, zeshonderd, zevenhonderd, achthonderd, negenhonderd, duiz...'

'Stop!' zei ze.

'Wat?'

'Hou er mee op!'

'Waarom? Hoezo?'

'Dat is mijn geld niet,' zei ze.

'Wat bedoel...'

'Dat is mijn geld niet! Wat heb je ermee gedaan?'

'Dame, ik verzeker je...'

'Dat is mijn geld niet! Op mijn geld stonden grappige dingetjes. En het rook zoetig.'

'Dame, *alle soorten geld* ruiken zoet.'

'Waar zijn die dingetjes?'

'Welke dingetjes?'

'Die grappige zinnetjes!' Ze pakte wat biljetten en waaierde ze uit. 'Zie jij er iets op geschreven? Deze biljetten zijn schoon! Ruik dan! Ruik jij wat zoets?'

'Nee, dame, maar...'

'Wat heb je met mijn geld gedaan?'

'Dit *is* jouw geld.'

'Het is mijn geld *niet*! Wat heb je met mijn geld gedaan?'

'Ik zeg het voor de laatste keer: dit *is* jouw geld. In *jouw* envelop. Ze hebben me een ontvangstbewijs met de serienummers erop gegeven. Dat moest ik ondertekenen...'

'Waar heb je het over? Wie?'

'Om het geld terug te krijgen. Ik moest dat ontvangstbewijs tekenen.'

'*Terug* te krijgen? Waar *was* het dan?'

'Op het ministerie.'

'Ministerie? Waar heb je het in godsnaam over?'

'Het ministerie van Financiën. Een agent van de Secret Service nam het geld mee om de serienummers te controleren.'

O, Jezus Christus, dacht ze. Die Mexicanen hebben me vuil geld gegeven. Rustig aan nu, verlies je beheersing niet, bedenk dat je voor hetere vuren hebt gestaan – ooit had ze in een Chinese helikopter over een woestijn tussen de granaten gevlogen. Ze had door verschrikkelijke vuurzeeën gevlogen en was niet in paniek geraakt. Dat zou haar ook nu niet gebeuren – zachtjes en heel rustig vroeg ze: 'Waarom wilden ze de serienummers controleren?'

'Maak je niet bezorgd. Ze klopten niet.'

'Maar waarom wilden ze die controleren?'

'Ze dachten dat het losgeldbiljetten waren.'

Kalm! Sprak ze zichzelf toe. Rustig blijven. Laat hem vertellen. Probeer er achter te komen hoe het zit.

'Wat voor losgeld?'

'Er was een ontvoering,' vertelde hij. 'Het losgeld werd in honderddollarbiljetten betaald. Ze dachten dat het misschien deze biljetten waren.'

'En waarom dachten ze dat?' vroeg ze, nog steeds kalm.

'Door het serienummer van een biljet waarmee ik betaald...'

'Jij hebt met mijn geld betaald?'

'Alleen maar met dat ene biljet. Dat is het enige dat ik uitgegeven heb. En dat serienummer was wel hetzelfde.'

Schiet hem niet neer, zei ze tegen zichzelf. Zorg er voor dat je heel rustig blijft.

'Hetzelfde als wat?' vroeg ze.

'Als het nummer van een losgeldbiljet.'

'Een biljet waar de Secret Service naar zoekt.'

'Ja.'

'Waarom de Secret Service?'

'Geen idee.'

'En je zei dat ze de rest van het geld...'

'Ja. Namen ze mee. Om de serienummers te controleren. En die klopten niet. Dus kreeg ik alles weer terug.'

'Ze brachten dit geld, dat hier op tafel ligt terug?'

'Ja. Jouw geld. In jouw eigen envelop. Hier op tafel.'

Peinzend knikkend staarde ze naar het geld, probeerde iets zinnigs uit de informatie te halen. En weer zei ze: 'Dit is mijn geld niet.'

Will wilde dat ze daarmee zou ophouden, dat herhalen van dezelfde woorden terwijl haar godverdommese geld recht voor haar op de keukentafel lag. Iedereen die het wilde kon het zien. Waarom liet ze het hem niet tellen, en waarom donderde ze daarna niet op, godverdomme, met haar kolere bont en haar kolere pistool?

'Dame. Echt ik verzeker je hopelijk voor de laatste keer dat dit jouw geld is dat het ministerie van Financiën aan me terug heeft gegeven. Ik heb hun een ondertekend ontvangstbewijs met alle serienummers erop gegeven, heb bevestigd dat ik al het geld heb teruggekregen. Dat weet ik want ik heb het afgelopen nacht geteld en het was precies achtduizend dollar. Als ik het nu nog een keer ga tellen, dame, dan weet ik zeker dat ik weer tot achtduizend kom. Want niemand heeft er aangezeten sinds meneer David A. Horne, met een e, het hier heeft gebracht.'

'Je mag het rustig tellen, maar het is mijn geld niet,' hield ze hardnekkig vol.

Wel godverdomme, dacht hij, maar zei niets en begon het geld opnieuw te tellen. Zij keek naar de biljetten, hoe hij ze van de ene in de andere hand nam en telde: 'eenentwintig, tweeëntwintig, drieëntwintig...,' schudde haar hoofd als ze aan het grote mysterie dacht dat hier moest hebben plaatsgevonden, hoewel het misschien zo simpel was dat een worm het kon snappen, 'zevenenvijftig, achtenvijftig, negenenvijftig, zestig', als hij toch nog één keer deze kutbiljetten moest tellen... 'eenenzeventig, tweeënzeventig...' en eindelijk telde hij de tachtigste en laatste, keek haar aan en zei: 'Tevreden?'

Ze gaf geen antwoord. Het elastiek ging om het geld en ze gooide het in haar tas. De witte envelop liet ze op tafel liggen. Toen trok ze de rode vos uit, legde die op tafel, hing de vos en de mink over haar arm...

'Zal ik iets voor je pakken om ze in te doen?'

Ze keek hem aan.

'Een beetje onhandig zo. Ik zal even kijken of ik wat voor je heb.'

Ze vertrouwde hem geen seconde en liep mee naar een slaapkamer met een onopgemaakt bed en stapels vuile was op de grond. Hij deed een kastdeur open, rommelde er wat in en kwam er met een soort jutetas uit tevoorschijn. Zoiets had ze ook in het leger gehad, alleen stonden nu haar naam en rang niet in het zwart op de zijkant gedrukt.

'Bedankt.' Ze vouwde haar bont erin, eerst de vos en dan de mink. De hengsels trok ze stevig aan en bedacht ondertussen of ze hem nou voor die tas moest betalen of niet. En sprak zichzelf vervolgens streng toe: was ze gek aan het worden of zo, deze man was een dief die haar grote, ongewenste moeilijkheden had bezorgd. Ze hing de tas over haar schouders, liep achterwaarts met het pistool in haar hand naar de voordeur en wandelde zonder iets te zeggen naar buiten.

Will vond zich nog steeds een verdomde geluksvogel.

Ze had niet meer naar de vierhonderd dollar en het wisselgeld gevraagd dat hij over had van de vijf die hij gisteren geleend had.

Ze stopte bij een bank om zo snel mogelijk drie van die biljetten in twintigjes, tientjes en vijfjes om te wisselen. En om eigenlijk zo snel mogelijk de biljetten te testen. Ze vroeg zich nog steeds af waarom een Secret Service-agent haar eigen veelgebruikte honderdjes zo nodig moest ruilen voor deze gebruikte, maar toch vrij nieuwe. En ze haalde opgelucht adem toen de kassier ze tegen het licht hield om de veiligheidsstrip te controleren en ze vervolgens zonder een spier te vertrekken wisselde. Het was bijna drie uur toen ze naar buiten liep, maar gisteren was het de kortste dag van het jaar en met die donkere wolken in de lucht schemerde het al. En het was nog steeds verrekte koud. Ze trok dankbaar de sabel dichter om zich heen, een luxueuze warmte; ze voelde zich een Russische tsarina met achtduizend dollar cash in haar tas in een stad in kerstverlichting. Wat wil een mens nog meer?

Misschien kaviaar en champagne, dacht ze.

De twee mannen zaten met hun jassen aan ieder aan een kant van de kerstboom in haar woonkamer. Ze schoten uit het donker tevoorschijn op het moment dat zij de lampen aanknipte. De grootste had een pistool in zijn hand, de loop was op het hoofd van Cass gericht.

'Buenas noches,' zei hij glimlachend. 'Wij komen voor die held.'

Meteen bedacht ze dat het echt een kolerestreek van Wilbur Struthers was om twee Latino's in te huren om geld dat hij nota bene zelf van haar gestolen had, terug te halen. Klootzak. Maar daar stonden ze, glimlachend, een beetje verontschuldigend leek het wel, maar dat kon ze mis hebben. Ze zette de bruine zak met kaviaar neer die ze in Hildy's Market had gekocht en de Dom

Perignon die ze in de drankwinkel op Twenty-six Street had gekocht.

'Wat voor geld?'

'Een miljoen zevenonderdtuizend,' zei de man aan de andere kant van de boom.

'Volgens mij bent u verkeerd.'

'Dat denk iek niet.'

Allebei een zwaar Spaans accent. Toen ging haar een licht op. Die mannen op die smalle modderstrip in Guenerando, Mexico. Alleen droegen ze toen witte katoenen broeken en gekreukelde shirts.

'Ik weet niets van dat geld waar jullie het over hebben.'

'Die held wij jou betaalden voor onderd kilo puur cocaïne,' zei de man met het pistool.

'Daar wil ik niets van weten.'

'Jij bracht die held, wij haven jou die kutcocaïne...'

'Ik wist helemaal niet wat de handel was. En ik weet ook niets van het geld. Ik heb het alleen maar afgeleverd.'

'Dat wij weten.'

'Wij weten dat jij alleen bezorger.'

'Wij willen weten wie jou held bracht.'

'Dat weet ik niet. Hoor eens, als er te weinig geld was, dan spijt me dat voor jullie. Maar dan hadden jullie het zorgvuldiger moeten tellen. En...'

'Wij hoed hetelt hebben.'

'Wij verdomme een uur hetelt hebben.'

'Wij héél hoed hetelt hebben.'

'Niet te weinig held,' zei de man met het pistool. 'Van wie jij hekregen?'

'Ik heb al gezegd dat ik het niet...'

'Naam, *por favor*.'

Het pistool was nu op haar gezicht gericht.

'Hij noemt zich Frank. Maar volgens mij is dat niet zijn echte naam.'

'Frank wie?'

'Ik weet alleen Frank.'

'Waar hebeurde dat?'

'Ik woonde toen in Eagle Branch. Iemand die ik kende stelde ons aan elkaar voor.'

'En *die* heet? Die jou voorstelde?'

'Ik wil niemand in moeilijkheden brengen. Als er te weinig geld was...'

'Er was niet te weinig geld.'

Weer dat pistool op haar gezicht.

'Maar waarom dan...'

'Wij brachten kwaliteitscocaïne. Wij dachten...'

'Ik wil het niet weten.'

'Waar in Eagle Branch?'

'In een kroeg.'

'Zijn naam. Die jou voorstelde.'

Plotseling was ze benieuwd hoeveel Randy Biggs had gekregen voor het introduceren van haar aan de man die haar tweehonderdduizend had betaald voor vier reisjes naar Mexico, om, naar nu bleek – in ieder geval tijdens het laatste – cocaïne te vervoeren.

'Zijn naam?' vroeg de man met het pistool weer.

'Ik zei toch al...'

'Wij willen jou niet doden,' zei de andere man.

'Laat hem dan zijn pistool weg doen.'

'*Su nombre*,' zei de man met het pistool.

En ze wist absoluut zeker dat hij haar zonder pardon neer zou schieten als ze niet de naam van Randolph Biggs gaf. Ze vroeg zich af wat ze Randy verschuldigd was, vroeg zich af wat ze die man die zich Frank noemde en deze twee mannen blijkbaar zo kwaad had gemaakt, verschuldigd was. Ze besloot dat dit niet de Perzische Golf was. Ze had niet gezworen alleen haar naam, rang en nummer te vertellen.

'Hij heet Randolph Biggs.'

2

Rechercheur Steve Carella wilde dat een van die leeuwen het linkerbeen van het slachtoffer níét in het 88ste district had achtergelaten. Daarom kon Vette Ollie Weeks zich nu met de zaak bemoeien. Het grootste deel van het lichaam van het slachtoffer was door drie leeuwinnen, een welp en een dikke patriarch, duidelijk de leider van de groep, verslonden. Ze leken zich totaal niet druk te maken om het gefascineerde publiek van rechercheurs, dierentuinpersoneel en televisiemensen die zich bij het leeuweneiland in de Grover Park-dierentuin stonden te vergapen.

De ene helft van de dierentuin lag in het 87ste district.

De andere helft in het 88ste.

Carella schatte dat ongeveer viervijfde van het lichaam in het 87ste lag. Het overgebleven vijfde, het linkerbeen, lag in het 88ste, waar Vette Ollie – die zag hoe de welp aan het been snuffelde en knaagde – zichzelf liep op te porren.

Het was zaterdagochtend, 23 december, begin van het lange kerstweekend, dat alleen gisteren de eerste hele dag van Hanukkah omsloot. Dat was nu geschiedenis. Carella en Meyer hadden zo'n twintig minuten geleden de melding gekregen, om kwart over zeven. Van de man die op dat moment de leiding had in de dierentuin. Die meldde dat er een vrouw op het leeuweneiland rondliep, die op dat moment door een groep leeuwen aangevallen werd. Leeuwen die die ochtend nog niets te eten hadden gekregen.

Om zeven uur zevenendertig 's ochtends lag er al een dikke laag sneeuw op de paden die naar de hekken leiden en de gracht erachter en het eiland waar de leeuwen en leeuwinnen verbleven. De televisiereporters hadden een zware dag. Nog nooit eerder hadden ze zo'n kans gehad: een groep leeuwen die een vrouw verscheurden die niet gekleed was op een van de koudste dagen van het jaar. De beesten die zich op het vlees en de botten van de vrouw stortten. Ongeveer anderhalve meter verderop, in het 88ste district, knauwde een eenzame leeuw tevreden op het been van het slachtoffer.

Rechercheur Olivier Wendell Weeks ontving de melding tien minuten na Carella en Meyer, toen de welp het been in het 88ste had gesleept. Geen enkele rechercheur was blij met zo'n soort zaak – welke zaak dan ook eigenlijk – die een half uur voor hun dienst eindigde gemeld werd. Vooral niet in een vakantieweekend, als ze boodschappen moesten doen, bomen moesten optuigen en cadeautjes moesten inpakken.

Op een ochtend dat de temperatuur net boven het vriespunt lag, droeg Ollie een sportjasje en een donkere trainingsbroek, een wit shirt, een vieze das, witte sokken, zwarte schoenen en een rode wollen muts. Hij had een uur geleden ontbeten, maar door de drukte op het eiland vroeg hij zich af of de koffieshop van de dierentuin al open zou zijn. Carella en Meyer droegen dikke jassen, handschoenen en warme dassen. Onafhankelijk van elkaar wensten ze vanuit het diepst van hun hart dat Vette Ollie niet door dat been bij deze zaak betrokken zou zijn. En ze vroegen zich onafhankelijk van elkaar af hoe ze het slachtoffer van het eiland af moesten krijgen voor er niets anders meer van haar over was dan afgekloven botten.

De auto van de Rampendienst was net aangekomen en hun officier van dienst overlegde met de assistent-directeur van de dierentuin, William Boyd, die bij de commissaris thuis hoorde dat een van zijn mensen net klaar was met het voederen van de mensapen en toen naar het leeuweneiland ging om honderd kilo paardenvlees verrijkt met vitamines en mineralen af te leveren en toen zag hoe een vrouw op het eiland werd aangevallen. Boyd probeerde de officier duidelijk te maken dat hij met zijn auto en zijn mensen het beste weg kon gaan.

'Ons eigen personeel is capabel genoeg om op het eiland te komen en om te redden wat er nog van de dode vrouw gered kan worden,' zei hij.

De officier vertelde hem dat het zeer riskant voor een 'burger' kon zijn om het lichaam te ontzetten terwijl de leeuwen nog met hun 'eetaanval' bezig waren, zoals hij het noemde. Hoewel de beesten in werkelijkheid rustig en slaperig van hun ontbijt geno-

40

ten. Zijn mensen waren het met hun officier eens. Ze hadden mensen uit liften bevrijd, auto's opengebrand terwijl er nog gewonden in zaten, verbrande lichamen van elektriciteitskabels geplukt, zelfs celsloten opengepeuterd die hoeren vol kauwgom hadden gestopt om niet naar de rechtbank te hoeven. Dit was de eerste keer dat ze met een vrouw te maken hadden die tot op haar botten door een half dozijn leeuwen werd afgekauwd. Toch voelden ze zich experts.

Een van de mannen stelde voor dat ze wellicht het eerst het been zouden kunnen ontzetten, als een soort training. Gooi iets *anders* om te eten naar de welp in het 88ste, lok hem bij het been weg, leg een ladder over de gracht, en trek het been weg terwijl het beest is afgeleid. Volgens de officier was mensenvlees een lekkernij voor deze beesten en zou het niet zo makkelijk zijn om ze met gewoon voedsel weg te lokken. Ollie kreeg steeds meer honger. Carella en Meyer keken naar de groep leeuwen. Op het eiland was de grond rondom het lichaam helemaal omgewoeld, de sneeuw vertrapt en bebloed.

Ollie liep naar de Rampenofficier en zijn mannen die de volgende stap bespraken. De officier heette Ernie Levine. Omdat dit het Hannukkahweekend was, meende Ollie dat het op zijn plaats was om Levine eraan te herinneren dat hij joods was.

'Ha, Ernie. Wat doe jij hier. Geen vakantie en zo?'

Levine kende Ollie nog van vorige ontmoetingen. Zijn begroeting was amper enthousiast te noemen.

'Ha, Ollie.'

'Heb je je Hanukkahpruik al klaargezet?'

'Die hebben we niet in huis,' vertelde Levine.

'De tien kaarsen al aangestoken?'

'Negen,' corrigeerde Levine.

'Wat denk je, zou die vrouw daar koosjer zijn?' vroeg Ollie. 'Want ik heb gehoord dat leeuwen geen varkensvlees eten.'

'Eet jij dit maar.' En Levine greep kort in zijn kruis. Vervolgens liep hij door naar de algemeen directeur van de dierentuin die net in paniek was aangekomen. Hij heette Alfred Hardy. Ergens achter in de dertig, schatte Carella, zo'n lange magere man van wie je eerder verwachtte dat hij accountant of advocaat was dan iemand die een klein stadje bestuurde. Wat de Grover Park-dierentuin in feite was: een klein stadje binnen een enorme stad. Hardy nam de situatie in ogenschouw en deelde Levine meteen mee dat hij wilde dat iedereen verdween zodat zijn mensen een volgens hem simpele reddingsoperatie konden uitvoeren. Levine legde uit dat er niemand meer gered hoefde te worden. Het slachtoffer was inmiddels dood en werd op dit moment opgegeten. Hardy zei dat vijf gezonde leeuwen gered moesten worden. Levine reageerde door te zeggen dat hij dat eerst met zijn inspecteur moest opnemen.

'Prima,' baste Hardy, 'gaat u dat dan maar doen. Ondertussen haal ik mijn leeuwen van dat eiland.' En tegen Boyd: 'Zorg ervoor dat niemand daar naartoe kan. Ik ben bij de nachtverblijven.' En verdween nijdig. Carella vond persoonlijk dat iemand die in paniek aankwam en nijdig verdween zo slecht niet kon zijn. Levine liep naar de auto om contact op te nemen met zijn baas. Ollie haalde zijn schouders op en wandelde naar Carella en Meyer die nog steeds naar de leeuwen keken. Een knappe blondine van Channel Four dook naast Carella op en zei: 'Fascinerend, vindt u niet?'

'Huiveringwekkend,' vond Ollie.

De blondine keek hem aan alsof ze er voor het eerst achter kwam dat een nijlpaard kon praten.

'Ontbijt?' bood Ollie aan.

'Bedankt, ik heb al gegeten.'

'Ik had het niet tegen jou, dame,' grinnikte Ollie. 'Ik had het tegen mijn collega's. De geweldige bloedhonden van het 87ste.'

'We kunnen beter op de lijkschouwer wachten, vind je niet?' zei Carella.

'Maar nu je het vraagt, ik ben rechercheur eerste klas Oliver Wendell Weeks,' meldde Ollie de blondine. 'Wilde je me wat vragen?'

'Waarover?'

'Dat been daar ligt in mijn rechtsgebied.'

'Waarom gaat u er dan niet naar toe en haalt het bij die leeuw weg?'

'Misschien doe ik dat straks wel.'

'Mooi. U haalt dat been, dan interview ik u daarna.'

'Ik speel ook piano.'

'Jammer dat er hier in het park geen piano staat,' vond de blondine en draaide zich naar Carella om: 'Hoe denkt u die vrouw eruit te krijgen?'

'Ik heb al twee weken les,' vertelde Ollie. 'Op het moment studeer ik op "Night and Day".'

Boyd had de taak om ervoor te zorgen dat niemand naar het eiland zou gaan. Maar hij had de vragen van de blondine gehoord en wilde best wat dichter in de buurt van iemand met zulke lange benen, in zo'n kort rokje, hooggehakte schoenen en een bruin leren jasje staan. Dus liep hij naar hen toe en vertelde haar dat het personeel via een tunnel onder de gracht naar het eiland zou gaan...

'Iedere avond worden de leeuwen naar binnen gebracht,' legde hij uit. 'In hokken bij de andere nachtverblijven.'

'Dát is interessant,' vond de blondine.

'Ik kan al vijf liedjes spelen,' zei Ollie.

'Dat is ook interessant,' vond de blondine en keek naar Carella en Meyer die nog steeds naar de leeuwen keken. Het was een steenkoude ochtend, maar ze hadden allebei geen hoed op. Carella had bruin haar dat nu in de wind heen en weer wapperde. Meyer was kaal. Door zijn kale kop zag hij er kouder uit dan hij zich voelde. De twee rechercheurs flankeerden als boekensteunen Vette Ollie, wiens rode muts inmiddels achter op zijn hoofd stond. Overigens dacht Ollie dat hij volgens de laatste mode gekleed was.

'Ik ben Honey Blair,' vertelde de blondine aan Carella. 'Ik werk bij het nieuws van vijf uur.'

'Hallo, Honey,' zei Ollie. 'Ik werk in het 88ste district.'

Honey vond dat de twee grote rechercheurs een mooi plaatje

vormden zoals ze daar naar de vraatzuchtige leeuwen keken. Alle twee lang en breedgeschouderd, de kale zag er betrouwbaar en serieus uit, de ander was verdomd sexy op een manier die ze niet helemaal onder woorden kon brengen, want zo knap was hij niet. Misschien door zijn ogen die wat scheef stonden, waardoor hij iets Chinees over zich had. Maar hij was zeker geen oosterling. Misschien iets in zijn blik. Donker en broeierig. Alsof het hem persoonlijk pijn deed dat die vrouw daar aan stukken werd gescheurd.

'Ben je nieuw hier?' wilde ze weten.

'Nieuw? Ik?' zei hij lachend en schudde zijn hoofd.

Die lach raakte haar.

'Mag ik een foto van je nemen?'

'Tuurlijk,' zei Ollie.

'Jij en je partner,' vond Honey. 'Terwijl jullie naar de leeuwen kijken.'

'Denk het niet, bedankt,' zei Carella.

'Waarom niet?'

'Vind ik niet professioneel.'

'Kan toch een mooi plaatje worden,' probeerde Honey en verzond een verblindende glimlach.

Meyer trok zijn wenkbrauwen op.

'Nee, bedankt,' herhaalde Carella.

'Denk er eens over,' zei ze en liep naar haar cameraploeg, een spannend kort rokje boven lange benen. Ollie keek haar na. Meyer ook. Carella liep naar Levine die met zijn inspecteur telefoneerde.

'We zullen nu gauw dat eiland op moeten,' hoorde hij Levine zeggen. 'Voordat het nieuws van vijf uur bekend maakt dat we mensen door wilde dieren als kerstdiner laten opeten.' Hij luisterde en zei toen: 'Meent u dat?' Hij luisterde weer. 'Ik weet niet of ze dat hier pikken.' Hij luisterde, knikte en zei: 'Oké baas, als u het zegt.' Hij hing op en zei tegen Carella: 'Ik citeer: "Als een gevaarlijk beest een menselijk leven bedreigt, vernietig het dan." Punt. Einde citaat.'

'Dus wat wil hij?'

'Scherpschutters.'

'Zal meneer Hardy niet leuk vinden.'

'Heb ik de inspecteur ook verteld.'

'Laat mij maar even met hem praten. Bel jij SWAT, zeg dat we genoeg scherpschutters nodig hebben om vijf gezonde leeuwen indien nodig te vellen.'

Meyer kwam naar de auto toe.

'Wat gaat er gebeuren?'

'De leeuwen afslachten,' zei Carella.

'Ik heb ze van dat eiland af voordat uw scherpschutters hier zijn,' zei Hardy. 'Wat heeft het voor zin om die beesten te vermoorden? Die vrouw is al dood. Trouwens, ze zijn niet ontsnapt en op roof-tocht gegaan. Die vrouw is op de een of andere manier zelf op het eiland gekomen. Dit zijn roofdieren. Vleeseters. Het is hun *natuur* om haar aan te vallen en te verslinden.'

'Meneer, ik vertel u in grote lijnen wat onze plannen zijn.' Carella keek op zijn horloge. 'Binnen ongeveer twaalf minuten is hier een SWAT-team. Dat zal zich vanaf dat moment met de dieren bezig houden.'

'En ondertussen kan ik ze al van het eiland af hebben. U hebt uw plannen, ik de mijne.'

'Wat hebt u voor plannen, meneer Hardy?'

'Mijn dierenartsen zullen de beesten verdoven en naar hun kooi-en brengen.'

De kooien lagen in een bunkerachtig gebouw, een trap en een tunnel onder de gracht waren de verbinding met het eiland. Inmiddels was er veel dierentuinpersoneel bij de nachtverblijven. En dierentuinbeschermers van verschillende niveaus; mensen van het ministerie, curatoren, dierenbeschermers en de drie dieren-artsen die de leeuwen wilden verdoven.

Hardy vertelde Carella en Meyer – en Ollie die erbij was komen staan – dat het een eenvoudige operatie zou worden. De artsen zouden verdovingsgeweren of blaaspijpjes gebruiken om de die-ren te verdoven. Tussen de kooien in de bunker liepen paden voor de oppassers. Valdeuren stonden open waardoor de dieren van de kleinere kooien tussen de paden naar grotere hokken konden. De achterkant van iedere kooi was een muur van 1,80 meter, de voorkant was van staaldraadgaas. De werkruimte van de oppassers was dieper in het gebouw. Die had verbindingsdeuren naar alle hokken en kooien. De verdoofde dieren zouden via de trap en de tunnel van het eiland afgehaald en langs de paden naar de grotere hokken gebracht worden.

Hoewel Carella tegen Hardy had gezegd dat de scherpschutters er binnen twaalf minuten zouden zijn, nam hij de tijd om met zijn mensen de procedures door te nemen om de dieren te verdoven en ze veilig naar hun kooien over te brengen. Zouden ze een blaaspijltje gebruiken of een geweerpijltje? Een dissociatief verdovingsmiddel, een tranquillizer, een niet-verdovend kalmeringsmiddel of een drug?

'Zelfs kleinere katachtigen dan die hier buiten zijn veel te gevaarlijk om zonder verdoving te benaderen,' legde Hardy uit. 'Die welp die het vrouwenbeen heeft weggesleept weegt minstens tweehonderd kilo. Inclusief staart zal hij zo'n drie meter lang zijn en is minimaal negentig centimeter hoog. Als je een net over een roofdier van die omvang gooit, vraag je om moeilijkheden.'

Ze overlegden of ze ketamine hydrochloride zouden gebruiken, een dissociatief verdovingsmiddel dat meestal intramusculair werd toegediend in doses tussen de honderd en tweehonderd milligram/milliliter. Voor een dosis die snel effect moest opleveren, was een groot pijltje nodig en een krachtig werpmechanisme. Een van de oppassers voerde aan dat dan de kans dat het beest gewond raakte, vergroot werd. Een ander vond ketamine HCl een pijnlijke injectie. Een dierenarts meldde dat de beesten stuiptrekkingen van de drug konden krijgen. Met nog drie minuten over besloten ze toch de drug te gebruiken, en in plaats van de blaaspijp – die een hogere kans op een goede injectie bood – een verdovingsgeweer te gebruiken – dat weliswaar een traumatischer uitwerking had, maar noodzakelijk was omdat het om ketamine HCl ging.

Zeven minuten voor negen, terwijl Carella zich verbeeldde dat hij de sirenes van het aanstormende SWAT-team al hoorde, liep Hardy's eigen team door de stalen valdeuren naar de trap, de tunnel en valdeuren die zachtjes geopend werden naar de jungleachtige omgeving waar de welp op het vrouwenbeen lag te knauwen. Als het beest al hoorde dat de deuren opengingen, liet hij het niet merken. Hij was nog steeds bezig met dat bot – veel meer was er inmiddels niet meer over van het vrouwenbeen – toen het eerste pijltje zijn voorhoofd raakte. De artsen richtten op het voorste of dissociatieve gedeelte van de hersenen. Maar zoals vaker gebeurde met pijltjes uit verdovingsgeweren, was het effect onvoldoende. Freddie, zo heette de welp, keek van zijn bot op en zag de drie artsen achter wat begroeiing in zijn leeuwenkuil staan...

'Rustig, Freddie,' fluisterde er een.

...rekte zich uit en viel ze aan.

Ze renden naar de valdeuren, met de welp achter hen aan, vlogen de tunnel onder de gracht in, de trap op langs de kooien. Hardy realiseerde zich te laat dat de welp los was. Hij ramde op een knop waardoor de valdeuren achter de dierenartsen dichtgingen – maar de leeuw was al binnen. De deuren vielen ratelend dicht. Iedereen was ineens in een lange smalle ruimte met een welp die zojuist voor het eerst mensenvlees had geproefd.

De toegangsdeur naar de oppassersruimte zat aan de andere kant. Tussen die deur en de welp stonden vier oppassers, drie dierenartsen, twee dierenbeschermers, twee curatoren, een assistentdirecteur, een directeur, drie rechercheurs en een patrijs in een perenboom.

Een van die rechercheurs was Steve Carella.

De welp rende recht op hem af.

Misschien vanwege zijn glimlach.

Maar Carella glimlachte niet. Hij was in feite doodsbang, met uitpuilende ogen en open mond zag hij de welp door de lucht naar zich toespringen. Hij hief afwerend zijn handen. Tweehonderd en nog wat kilo dierlijke kracht gooide hem op zijn

47

rug op de grond. Vastgehouden door enorme poten keek Carella omhoog naar een kop zo groot als een strandbal, geelbruine vacht, gele ogen, een openstaande bek en tanden. Zijn gebrul trilde door iedere zenuw van het lichaam van Carella. Hij draaide net zijn hoofd weg toen het beest naar zijn gezicht hapte.

Een schot.

Het raakte de welp precies tussen de ogen.

Hij viel boven op Carella als een enorm haardkleed in een kamer.

Vette Ollie Weeks kwam grinnikend aangeschommeld met een negen millimeter Glock in zijn hand.

Hij sloeg een jaspand naar achteren, stak zijn pistool weg en zei: 'Ik heb er een van je tegoed, Steverino.'

Ondanks heftige tegenwerpingen van Alfred Hardy maakte het SWAT-team korte metten met de vier andere leeuwen. Honey Blair maakte mooie plaatjes van scherpschutters aan het werk, die hun automatische wapens richtten op de leeuwen die vredig op de vrouw kauwden, onbewust van het feit dat ze binnen luttele seconden jachtbuit zouden zijn. Ze mocht van Hardy geen foto's van de karkassen, dierlijk of menselijk, maken en moest ten slotte van het terrein af. Ze liep naar twee dokters die Carella op wonden en kneuzingen, veroorzaakt bij een vechtpartij, zoals ze volhielden, onderzochten.

'Ik ben niet toegetakeld,' bleef Carella maar herhalen. 'Ik ben bijna opgegeten, maar niet toegetakeld.'

'Klinkt goed,' zei Honey lachend. 'Hier, mijn kaartje. Als je ooit over politiewerk of televisieprogramma's wilt praten, bel me dan. Of alleen een cappuccino, mm? Ciao, bambino.'

Carella keek haar na.

Hij keek naar haar kaartje.

En gooide het in de prullenbak naast het hek waar hij tegen aanhing.

De dokters waren bang dat de leeuw die hem toegetakeld had, hersenletsel had veroorzaakt.

Wat Carella bijzonder dwarszat bij de dode vrouw – of wat van haar over was, wat niet veel was – was dat ze naakt was.

'Een vrouw loopt hartje winter poedelnaakt in de dierentuin,' zei hij.

'Lijkt inderdaad wat eigenaardig,' gaf Meyer toe.

'Lijkt er zelfs op dat ze niet geïdentificeerd wil worden.'

Dit was de slechtste tijd van het jaar voor zelfmoorden. Vrouw verloor haar man, haar baan, haar verstand, haar gouden horloge – ze droeg er geen, had hij gezien. Of een leeuw moest het hebben verslonden – en besloot dan maar aan alles een eind te maken. Beschaamd over haar voornemen kleedde ze zich helemaal uit, liep in haar blote kont door de dierentuin, recht naar het leeuweneiland.

Wat hem ook dwarszat was dat nou net Ollie Weeks zijn leven had gered. Ooit redde Bert Kling een Puertoricaanse koerier bij een gevecht met een honkbalknuppel. De man heette José Herrera en hij vertelde Kling dat in sommige culturen – Aziatische of Noord-Amerikaanse indianen, dat wist hij niet meer zeker – als iemand je leven redde, je voor altijd verantwoordelijk voor het leven van die persoon was. En als Carella iets niet wilde, dan was het dat hij voor altijd verantwoordelijk zou zijn voor het leven van Ollie Weeks.

'Denk je dat iemand haar voor de leeuwen kan hebben *gegooid?*' vroeg hij aan Meyer.

'Dat is een goede, nieuwe mogelijkheid.'

Carl Blaney haatte het om een lichaam in stukken te moeten onderzoeken. Als hij slager had willen worden, zou hij geen medicijnen gestudeerd hebben. Dit was helemaal walgelijk. Compleet afgekloven. Losse lichaamsdelen in een zaak kwamen meestal doordat het slachtoffer door een auto of metro was overreden. Soms kreeg je losse armen en benen omdat iemand zijn vermoorde slachtoffer kwijt moest, het lichaam in stukken zaagde en in een kofferbak dumpte. Dit lichaam scheen echter door leeuwen te zijn aangevallen. Alsof deze stad een Afrikaanse savanne was!

Van het linkerbeen van het slachtoffer was niet veel meer over dan een paar botten. Al het weefsel en spieren waren verdwenen. Dijbeen, scheenbeen en knieschijf waren compleet afgekloven. Doorgekloven. Het rechterbeen was in eenzelfde staat, de botten waren opengebroken en het merg was er uitgezogen. De rechterborst van de vrouw was compleet verdwenen, haar linkerborst was tot op de borstkast opgevreten. Haar rechterarm zat nog aan haar lichaam, maar de hand, inclusief de botjes, was weg en van de pols tot de elleboog waren het weefsel en de spieren verdwenen waardoor de ellepijp en het spaakbeen bloot lagen.

Hart, lever, alvleesklier en maag – alle smakelijke onderdelen – waren weg. Hij bestudeerde haar hoofd en gezicht, dat gedeeltelijk opgegeten was, neus en oren waren weg, evenals de lippen en de ogen. En toen zag hij...

Maar hoe kon dat?

Hij zag een minieme ronde perforatie in de schedel, net boven wat ooit haar haargrens was geweest.

Zo, met het blote oog, leek het erg op een klein kaliber schotwond.

Om half drie zaterdagmiddag ging de telefoon op het bureau van Carella over. Hij pakte de hoorn.

'Carella.'

'Met Blaney.'

'Hallo, Carl.'

'Zeg, over die dode vrouw die door leeuwen is opgegeten?' Blaney praatte alsof hij het zelf nog steeds niet kon geloven. 'Ik heb een mooie duimafdruk en twee vingerafdrukken gevonden. Ik neem aan dat jullie niet veel van haar...'

'Tot op heden niets.'

'Dat vraag ik, want... ik heb iets interessants gevonden.'

'Wat, Carl?'

'Ik heb een kleine perforatie in de linkerbovenkant van de schedel gevonden. Eerst dacht ik aan een schotwond, maar...'

'*Waar* dacht je aan?'

'Maar dat was het niet.'

'Wat was het wel?'

'Een ijspriemwond. Iemand heeft haar met een ijspriem gestoken.'

Hij wachtte tot Carella dit verwerkt had.

'Hij is tot voorbij de linker cerebrale hersensteel gekomen. Maar het echt interessante is dat zo'n wond bijna nooit onmiddellijk tot de dood leidt. Zware hersenbeschadigingen wel, ik heb slachtoffers meegemaakt die nog tot vijf dagen na de aanslag geleefd hebben.'

'Ik weet niet zeker of ik wel goed begrijp wat je allemaal zegt, Carl.'

'Ik probeer je duidelijk te maken dat er gevallen bekend zijn van slachtoffers die zelf ver weggelopen zijn van de plaats delict. Uiteindelijk volgen inwendige of oppervlakkige bloedingen, compressie van de hersenen en ten slotte de dood. Maar *voor* die tijd...'

'Voor die tijd had ze naar de dierentuin kunnen lopen, bedoel je dat?'

'Ja. Of iemand heeft haar daar naartoe gebracht vanaf de plaats delict. Hoe dan ook, ik durf met zekerheid te zeggen dat ze eerst gestoken is. Met een ijspriem.'

'Wanneer krijg ik de foto's?'

'Zijn onderweg.'

Carella kreeg de foto's van een bezorgdienst om zeventien over drie. Een half uur later meldde AFIS – automatisch vingerafdruk-identificatiesysteem – dat er een naam was gevonden: Cassandra Jean Ridley, luitenant in het Amerikaanse leger.

3

In het telefoonboek stond een C.J. Ridley op South Ealey Street in Silvermine. Carella en Ollie gingen er meteen op af. Ze hadden van tevoren gebeld en een paar technici van het Mobiele Misdaad Team wachtte hen beneden op. Het was een ovaal gebouw van rode bakstenen en twaalf verdiepingen. Ze stelden zichzelf aan de portier voor en vroegen naar de conciërge, Peter Dooley, die hen meteen meenam naar appartement 9c en binnenliet.

Carella en Ollie bleven met Dooley in de gang terwijl de technici aan het werk gingen. De conciërge was een lange, breedgeschouderde man met een wilde bos zwart haar en priemende blauwe ogen. Hij had een blauwe corduroy broek, een blauwe sweater en een rood shirt aan. Hij vertelde dat de vrouw alleen woonde, in november hier was komen wonen, vervolgens een tijdje niet gezien was en begin december terug was. Volgens hem had ze geld, want hij had bontjassen en zo gezien. Snappen jullie wel?

'Wanneer hebt u haar voor het laatst gezien?' vroeg Carella.

'De laatste paar dagen liep ze in en uit. Kerstinkopen, vermoed ik. Gaat het over dezelfde zaak als die andere?'

Carella en Ollie keken elkaar verbaasd aan.

'Er waren hier pas rechercheurs van het 87ste,' vertelde Dooley.

'O? Wanneer was dat precies?'

'Eergisteren. Donderdag.'

'En wat bedoelt u met die andere zaak?'

'De inbraak. Er kwam een patrouillewagen met twee agenten langs.'

'Nee, daar heeft dit niets mee te maken.'

'Ik dacht... nou ja... mevrouw Ridley en zo...'

'Wat bedoelt u nou?'

'Die inbraak was in haar appartement. Ik moest van haar direct de volgende dag het slot vervangen.'

'Begrijp ik het goed?' vroeg Carella.

'Hier is ingebroken?' vroeg Ollie.

'Op donderdag, ja. Ik heb het slot pas gisteren vervangen.'

'Omdat er in dit appartement was ingebroken?' vroeg Ollie.

'Ja. Ik stond buiten met de portier te praten toen jullie rechercheurs langskwamen. Een roodharige en de ander een beetje klein met zwart krullerig haar. Portier belt naar boven, mevrouw Ridley zegt dat hij hen omhoog kan sturen.'

'Weet u hun namen?'

'Ik hoopte dat u nu wist wie ik bedoelde.'

Carella had zijn telefoon al bij de hand.

'Zijn er nog andere mensen voor de dame langs geweest, de afgelopen dagen?' wilde Ollie weten.

'Niet dat ik gezien heb. Maar ik heb het meestal vrij druk op kantoor.'

'Bert?' zei Carella. 'Steve hier. Kun je bij Berovingen nagaan of Willis en Hawes afgelopen donderdag naar een inbraak hier op South Ealey zijn geroepen?' Hij luisterde. 'Appartement 9c. Oké.' En tegen Ollie : 'Kling. Gaat het even na.'

'Hebt u afgelopen nacht of vanochtend vroeg iemand met mevrouw Ridley úít het gebouw zien komen?' vroeg Ollie de conciërge.

'Ik ga om zes uur naar huis. Jullie hebben geluk gehad dat ik er nog was.'

'Weet u welke portier gisterenavond dienst had?'

'Dezelfde als nu.'

'Kunt u hem hierheen sturen, alstublieft?'

'Tuurlijk.' Dooley liep naar de lift.

'Ja,' zei Carella in de hoorn. 'Dacht ik al. Is een van tweeën er? Wil je die even aan de lijn geven?' En tegen Ollie: 'Willis en Hawes waren hier donderdag rond een uur of vier. Hij haalt Willis nu.'

Ze wachtten.

Het was vreemd stil in het appartement.

'Hal, hoi, Steve hier. Bert vertelt me net dat je een inbraak hebt gedaan hier op 321 South Ealey afgelopen donderdag. Kun je me daar wat meer over vertellen?' Hij luisterde. 'Nee, ik heb een moord. Ja. De dame werd met een ijspriem gestoken en bij de leeuwen in de dierentuin gegooid. Nee, ik ben bloedserieus. Kun je me de achtergrondgegevens geven?' Hij luisterde. 'Een sabel van vijfenveertigduizend. Een mink van zes. Initialen in allebei, CJR. Is dat alles? Oké, prima. Bedankt!' Hij drukte op de END-knop, klikte het kapje dicht en keek Ollie aan. 'Heb je alles gehoord?'

'Alles.'

Inmiddels was Dooley terug met een man in een blauw uniform met gouden biezen en een blauwe pet met een zwarte klep. Ollie vond hem Latijns-Amerikaans, maar Dooley introduceerde hem als Muhammad Hassid, wat betekende dat hij net uit de Sahara kwam en probeerde om samen met anderen het dichtstbijzijnde overheidsgebouw op te blazen. Ollie vroeg hem of hij gisterenavond iemand samen met mevrouw Ridley had zien vertrekken.

'Nee, meneer. Niemand.'

'Hoe laat ging u hier weg?' vroeg Ollie.

'Kwart voor twaalf werd ik afgelost,' vertelde Hassid.

'Wie loste u af?'

'Manuel Escovar.'

'We willen diens adres en telefoonnummer,' zei Carella tegen Dooley.

'Heb ik op kantoor. Heeft u ons verder nog nodig?'

'Nu niet,' zei Ollie, 'maar voor we weggaan, komen we nog even bij u langs.'

'Succes, mannen,' zei Dooley.

'Dank u, heren,' zei Hassid.

De technici hadden een dik anderhalf uur nodig om de ruimte op haren, vezels en vingerafdrukken uit te kammen. De lampen waren aan toen Carella en Ollie eindelijk naar binnen mochten.

'Hebben een paar mooie gevonden,' zei een van de technici. 'Hoe dringend is het?'

'Het gaat verdomme om moord,' zei Ollie. 'Hoe bedoel je, hoe dringend is het?'

'Want wat ik kan doen...'

'Godverdomme! De dame is door leeuwen in stukken gescheurd!'

'Ik kan de afdrukken voor jullie door de computer halen, wilde ik net zeggen. Het bespaart wat tijd,' zei hij onverstoorbaar. 'Ik bel wel als ik zover ben.'

'Dat zou fijn zijn,' vond Carella.

'Ik heet Murphy, hier, mijn kaartje. Waarschijnlijk vanavond laat, anders morgenochtend.'

'Nou zeg, dat zou *heel* fijn zijn,' vond Ollie.

Murphy keek hem eens aan.

'Spreek je nog wel,' zei hij tegen Carella en liep hoofdschuddend naar buiten.

Het appartement had een kleine slaapkamer, een ruime woonkamer en een praktische keuken. Ze begonnen in de slaapkamer, daar hoopten ze het meest over de vrouw te ontdekken.

Er hingen drie kledingstukken van bont in de kast: een enkellange sabel, een mink stola en een rood vossenjasje. In alledrie stonden de initialen CJR.

Ollie keek Carella aan.

'Zei jij niet...?'

'Dat was wat Willis vertelde.'

'Wat doen die dingen dan hier?'

'Misschien had ze alles dubbel.'

'Misschien heeft mijn tante ballen,' zei Ollie.

Er hingen ook nog twee wollen jassen en een bruin leren kort vliegeniersjack. Op het jack zaten op beide schouders een zilveren balk en op borsthoogte aan de linkerkant was in diamantvorm een naam gestikt: Lt. C.J. Ridley. Aan broekhangertjes hingen twee spijkerbroeken en drie sportbroeken. Verder hingen er jurken, rokken en makkelijke sweaters.

In haar dressoir lag de kleding klaar voor inspectie, opgerolde panty's en onderbroekjes in een la, topjes en katoenen ondergoed daar onder, T-shirts en sweaters in de onderste. Alles heel precies opgeborgen.

In het laatje van haar nachtkastje aan de linkerkant van het bed

55

vonden ze een koektrommel met bloemendessin. In de trommel vonden ze foto's, luchtpostbrieven en een klein ringendoosje met een dunne gouden trouwring erin. De brieven waren van een kapitein Mark William Ridley – het adres van de afzender gaf aan dat hij bij de Amerikaanse luchtmacht in Duitsland was gelegerd – aan mevrouw Cassandra Jean Ridley in Eagle Branch, Texas.

'Waarschijnlijk haar man,' dacht Ollie. 'Is daar in Duitsland om de een of andere reden vermoord en die brieven zijn van de aalmoezenier of weet-ik-wie, die vertelt dat hij dood is en dat ze de trouwring mee terugsturen.'

'Wat romantisch,' vond Carella.

'We moeten ze lezen.'

'Er ís er helemaal geen oorlog in Duitsland.'

'Dat is dan de enige plaats waar er geen is.'

Ze maakten een van de brieven open.

De datum was 13 november van dit jaar en was van de broer van de dode vrouw. Hij schreef dat hij een Lieve-John-brief van zijn vrouw uit Montana had gekregen en dat hij zijn trouwring naar Cassandra Jean stuurde om te verkopen of zo, want dat kreeg hijzelf niet over zijn hart, maar hij kon het ding ook niet meer zien.

'Ook heel romantisch,' vond Ollie.

De brief ging door over de baan die zijn zus voor begin december had. Het leek hem prima, 'zolang je maar niets vliegt dat je in moeilijkheden kan brengen'.

'Kan haar in gruwelijk veel moeilijkheden hebben gebracht,' zei Carella.

'Laten we deze nog lezen, doen we de rest later.'

Op het bureau in de woonkamer stond een afsprakenkalender voor het huidige jaar. Ze bladerden direct door naar de week van 3 december. Iemand, waarschijnlijk Cassandra Jean Ridley, had *Mexico* in het kader van zondag de derde gekrabbeld. Een inktpijl liep langs de kaders van de volgende vier dagen en wees naar het kader van 7 december, Pearl Harbor Dag, waar in hetzelfde handschrift *Einde Mexico* stond. In het kader van 8 december stond *Oostkust*.

In de bovenste la aan de rechterkant van de ruimte onder het bureau waar je je voeten kon zetten, vonden ze een chequeboekje van Chase, ook een van Midlands en een spaarbankboekje van een bank die First People heette. Van een andere bank, de Banque Française, vonden ze in een klein rood doosje een kluissleuteltje.

Tegen de rechterkant van de la, achter in de hoek, lag een stapeltje honderddollarbiljetten met een elastiek erom.

Het waren er tachtig.

Achtduizend dollar cash.

Ze zouden graag in het kluisje van de Banque Française een kijkje nemen, maar het was de zondag voor Kerstmis en dan waren de banken 's middags dicht. Zelfs een dwangbevel kreeg de bank niet eerder open dan dinsdagochtend, de 26ste.

Dan maar naar Manuel Escovar.

De straten van Little Santo Domingo waren hel verlicht toen ze daar rond acht uur 's avonds reden. Lijnen witte lampen hingen boven de straten en rode en groene lampjes dansten voor de ramen aan de voorkant van de huizen. Spandoeken wensten de wereld FELIZ NAVIDAD. Overal op straat boden met lampjes versierde handkarren last-minute cadeautjes aan. Van Louis Vuitton-handtassen en Hermès-shawls tot Rolex-horloges. Kersttijd was big business, en het aftellen was in alle ernst begonnen.

'En al die troep is van een vrachtwagen gevallen,' legde Ollie uit.

Ze vonden Escovar in een kleine kroeg bij Swift Street waar hij met zijn maten nog een paar biertjes dronk voor hij om elf uur naar zijn werk moest. Nerveus vertelde hij dat zijn dienst om middernacht begon tot acht uur 's ochtends. Alles meer dan twee bier zou gevaarlijk zijn, vertelde hij, maar hij verzekerde hun dat twee juist prima was. Ollie vermoedde dat meneer Escovar geen groene kaart had. Hij vermoedde dat de man niet de kleinste moeilijkheden met de wet wenste. Daarom trilden zijn handen zo toen hij glimlachend uitlegde dat hij een vriendelijk mannetje met een klein snorretje was dat een paar biertjes met zijn vrienden dronk. Donder toch op, dacht Ollie. Instinctief voelde hij dat Escovar wat te verbergen had, al was het alleen maar omdat het zo'n verrekte Latino was.

'Op 321 South Ealey woont een vrouw,' zei Ollie. 'Ze heet Cassandra Jean Ridley. Kent u die naam?'

'Mevrouw Ridley, jazeker,' knikte Escovar meteen. 'Appartement 9c'

'Klopt. Hebt u haar afgelopen nacht of vanochtend vroeg het gebouw zien verlaten?'

Escovar moest hier over nadenken. Omdat hij wil gaan liegen, dacht Ollie. Persoonlijk had hij nog nooit een Latino ontmoet die je een direct antwoord gaf. Aan de andere kant had hij ook nog nooit een jood, Chinees, Pool, Ier of spaghettivreter ontmoet, die je recht in je ogen keek en een duidelijk ja of nee liet horen. Ollie was een volbloed fanaticus. Hij wist dat praktisch iedereen die hij via zijn werk ontmoette de mindere was van rechercheur 1ste klas Oliver Wendell Weeks. Zo lagen de zaken nou eenmaal, mensen, geloof het of niet. En anders had je pech.

Escovars drinkmaten waren van de bar naar een tafeltje verhuisd, maar hielden hen zeer geïnteresseerd in de gaten. Ollie keek even hun kant op en ze draaiden meteen allemaal hun hoofd weg. Hij vermoedde dat zij ook geen groene kaart hadden. Escovar dacht nog na.

'Neem gerust alle tijd,' zei Ollie in zijn wereldberoemde W.C. Fields-imitatie.

Escovar deed het letterlijk, de stomme klote-Latino. De rechercheurs wachtten.

'Het kan best 's ochtends vroeg geweest zijn,' hielp Carella. 'Misschien rond een uur of vier, vijf.'

'Ik robeer denken.'

Probeer verdomme een klein beetje Engels te praten, dacht Ollie.

'Ze kan wat verward geweest zijn,' zei Carella.

Ja, want ze hadden waarschijnlijk net daarvoor een ijspriem in haar hoofd gestoken, dacht Ollie.

'Ik dacht dat ze dronken was,' zei Escovar.

En eindelijk kwam het verhaal: mevrouw Ridley die rond half vijf 's ochtends uit de lift stapte samen met twee vrouwen – hij noemt ze 'vroowen' – aan iedere kant van haar een. Allebei hielden ze een arm van haar vast om haar te ondersteunen, dacht hij.

'Kunt u die vrouwen beschrijven?' vroeg Carella.

'Krote vroowen. Heel lang.'

'Blank? Zwart? Latino?'

'Blank.'

'Haarkleur? Blond? Zwart? Rood?'

'Twee blondjes.'

Blondjes. Dacht Ollie. Jezus Christus.

'Mager? Dik?'

'Ze gadden gassen aan.'

Ollie snapte niet wat dat in godsvredesnaam met de vraag te maken had.

'Zelfs dan kun je zeggen of iemand mager of vet is,' zei hij. 'Kijk maar naar mij. Ben ik mager of vet?'

Escovar aarzelde.

'Kom op, mij heb je er niet mee, hoor. Ik weet dat ik vet ben.'

'Als u get zegt,' zei Escovar slim.

'Ik vind het zelfs leuk om vet te zijn. Het betekent dat ik goed eet.'

'Oké.'

'Dus: waren die twee nou mager of vet?'

'Ze zagen koed uit,' zei Escovar.

'Wat bedoel je met goed? Grote tieten? Hadden ze *tetas grandes, amigo?*'

Escovar grinnikte.

'Grote *tetas*, hè,' grinnikte Ollie mee.

'In ieder geval kroter dan die van hun vriendien,' zei Escovar nog steeds grinnikend.

'Waarom denk jij dat ze hun vriendin was?' vroeg Ollie, niet meer grinnikend.

Escovar nu ook niet meer.

'Waarom zei je dat mevrouw Ridley hun vriendin was?'

Escovar keek hem nietszeggend aan.

'Geef antwoord, Pancho!'

'Ik heet Manuel,' zei Escovar.

'Geef godverdomme antwoord.'

'Rustig aan, Ollie,' waarschuwde Carella.

'Let maar niet op hem,' zei Ollie en wees met zijn duim naar Carella. 'Hij is alleen maar de Goede Agent. Ik ben de *Slechte* Agent, Pancho, snap je dat? En ik wil zo meteen je groene kaart zien.'

'Ik geb groene kaart.'

'O, ik geloof je ook wel.'

'Ik geb get thuis.'

'Ik geloof best dat-ie daar is. Waarom dacht jij dat het vriendinnen van mevrouw Ridley waren?'

'Zij vertellen dat.'

'O? Wanneer? Toen ze haar uit die kutlift sleepten? Stonden ze toen even stil en vertelden ze jou dat ze alledrie goede vriendinnen waren? Bedoel je dat?'

'Sí, dat was toen.'

'Je liegt, Pancho.'

'Dat was toen.'

'Weet je zeker dat ze het niet zeiden toen ze binnenkwamen?'

Escovar keek nog eens naar Carella.

'Hem hoef je niet aan te kijken, hij zal je niet helpen. Wat deden ze? Gaven ze je geld om hen stiekem naar boven te laten gaan? Zonder de zoemer te gebruiken?'

Escovar werd doodsbleek.

'Zo is het gegaan, hè, Pancho?'

'Ze gadden champagne,' vertelde Escovar. 'Zij vertellen ies gaar verjardag. Zij vertellen zij koede vriendiennen, zij willen verrassing.'

'Hoeveel heb je gekregen?'

'Tien dollar.'

'Om hen binnen te laten, hè?'

'Zij vertellen zij vriendiennen.'

'Mooie vriendinnen. Staken een ijspriem in haar hoofd. Wat had ze aan, Pancho?'

'Al verteld. Gassen.'

'Mevrouw Ridley. Wat had die aan toen ze haar naar buiten sleepten? Ze was toch niet bloot, hè?'

'Bloot? Nee. Een krijs pak. Gas, rok, een pak.'

'Had ze schoenen aan?' vroeg Carella.

'Schoenen?' Escovar keek hem verwilderd aan. 'Natuurlijk, señor. Gaar twee vriendiennen gielden gaar vast en iek deed straatdeur open. Iek denk zij dronken. Iek denk champagne. Iek...'

Hij had gezien dat ze naar een zwarte Lincoln Town Car liepen die vlak naast de Koreaanse nagelstudio geparkeerd stond. De twee vrouwen gingen met mevrouw Ridley op de achterbank zitten. Rond vijf uur, kwart over vijf reed de auto weg.

'Zat er een chauffeur achter het stuur?'

'Iek denk ja.'

'Heb je toevallig op het nummerbord gelet?' vroeg Carella.

'Sorry, señor.'

Nou ja, het was ook eigenlijk nog te vroeg voor kerstcadeaus.

Of misschien toch niet.

Om negen uur die avond, toen Carella op de afdeling nog even keek of er telefoontjes waren geweest en om zich uit te klokken, lag er een briefje dat ene rechercheur John Murphy had gebeld om te melden dat hij de afdrukken uit het Ridley-appartement door de computer had gehaald en twee namen had gevonden. Luitenant Cassandra Jean Ridley uit het Amerikaanse leger en ene Wilbur Colley Struthers die zeven jaar geleden hier, in deze stad, een inbraak had gepleegd. Struthers had het grootste deel van zijn straftijd in Castleview uitgezeten, voor hij twee jaar geleden voorwaardelijk vrij kwam. Zijn laatst bekende adres was 1117 South Twelfth...

'Hier in het 87ste!' meldde Murphy. 'Is dat nou geen mazzel?'

Carella dacht dat hij wel eens gelijk kon hebben.

* * *

61

Met drie andere rechercheurs ging hij er naar toe. Het ging immers om een veroordeelde wiens vingerafdrukken in het hele appartement van het slachtoffer waren aangetroffen. Het gebouw op South Twelfth was een flat zonder portier. Onder een bel stond W. Struthers. Carella drukte op alle bellen. Tegen de eerste stem uit de intercom zei hij: 'Politie. Kunt u op de zoemer drukken?'

'Wat?' zei de stem.

'Rechercheur Carella, 87ste district. Wilt u alstublieft op de zoemer drukken?'

'Wat is er aan de hand?'

'We moeten naar het dak. De zoemer, meneer.'

'Maar wat is er aan de hand?'

'Een springer,' zei Carella.

Hawes schudde zijn hoofd, onderdrukte een lachje. Even later zoemde de zoemer.

'Dank u wel, meneer,' zei Carella tegen de stem en de vier rechercheurs gingen naar binnen. Hawes nog steeds hoofdschuddend en glimlachend. Carella legde zijn oor tegen het hout van de deur van 2c. Meyer stond aan de rechterkant achter hem. Brown stond links van de deur. Het was tien uur zaterdagavond, de avond voor Kerstmis. Door het hele gebouw klonken geluiden. Radio's, televisies, wc's die doorgetrokken werden, mensen die achter dichte deuren praatten, het was een kleine stad binnen de muren van dit gebouw. Ze hadden geen gerechtelijk bevel. Ze hadden niet eens met een rechter contact gezocht, want ze wisten zeker dat Struthers' vingerafdrukken alleen geen gegronde reden voor een arrestatie waren. Ze moesten maar hopen dat de man hier binnen niet door het raam verdween op het moment dat ze op de deur klopten en zich als agenten bekend moesten maken. Net als de meeste andere agenten beschouwden ze inbrekers, zelfs veroordeelde inbrekers, niet als bijzonder gevaarlijk. De 'Inbrekers-Zijn-Heren'-mythe leefde nog steeds. Hoewel een verschrikte inbreker net zo gewelddadig kon worden als iedere andere dief in de wereld.

Ze hoorden muziek achter de deur, uit een radio, stereomeubel of televisie. Dat kon Carella niet horen. Kerstmuziek. Hij bleef luisteren. Hoorde alleen maar muziek.

Hij keek de anderen aan, haalde zijn schouders op.

Niemand zei wat.

Ze stonden daar allemaal met getrokken wapens, de loop naar het plafond. Meyer Meyer, kaal, met blauwe ogen en dik, keek geduldig en oplettend en eerlijk gezegd ook een beetje verveeld. Cotton Hawes stond er onverzettelijk, lang, roodharig en met een witte streep boven zijn linkeroor, een herinnering van een aanvaller wiens naam hij allang vergeten was. Hij moest nog steeds glimlachen over de onzin die Carella bij de voordeur had verkocht. Arthur Brown leek nog het meest op een donkere, dreigende Shermantank. Bewaker van het recht. Wachtte op een bevel om door de schoorsteen binnen te komen of om naar huis te gaan.

Carella haalde nog een keer zijn schouders op en klopte op de deur.

Het bleef doodstil, alleen de muziek ging door. En dan: 'Ja?' Een mannenstem.

'Politie,' zei Carella, wat maakte het ook uit.

'Shit, wat is er nu weer!'

Ze hoorden voetstappen naar de deur komen, een sleutel die werd omgedraaid, het slot piepte, een ketting werd weggehaald. De deur ging wijdopen. De man in de deuropening week naar achteren toen hij vier mannen met pistolen voor zijn neus zag staan. Hij was ongeveer 1,80 op blote voeten, schatte Carella en hij had een spijkerbroek en een bruine wollen trui aan. De mouwen waren tot boven de ellebogen opgetrokken. Hij had asblond haar en blauwe ogen, nu wijdopen van angst of verbijstering of van allebei. Op de televisie was een kerstspecial.

'Jezus Christus! Niet schieten!' Hij stak zijn handen omhoog. De rechercheurs voelden zich een beetje overbodig.

'Mogen we binnenkomen?' vroeg Carella.

'Maar natuurlijk, kom binnen,' zei de man, nog steeds met zijn handen in de lucht.

'Uw naam is Struthers?' vroeg Brown.

'Ja, klopt.'

'Wilbur Struthers?'

'Maar jullie mogen me Will noemen. Gaat het weer over die ontvoering?'

'Welke ontvoering,' wilde Carella direct weten.

De rechercheurs gingen met getrokken pistolen zo staan dat Will in hun midden stond. Niemand zou zijn pistool nu holsteren, niet nu ze het woord ontvoering gehoord hadden, wat een federaal misdrijf was dat met de dood bestraft kon worden.

'Was het nou de president die ontvoerd was?' vroeg Will en Carella dacht: O jesses, een gek. Maar ook hij holsterde zijn pistool niet.

'Kent u een Cassandra Jean Ridley?'

Hij zag een flits van herkenning in zijn ogen.

'Kent u haar?'

'Ik heb haar ontmoet. Maar ik ken haar niet, heren. Ik kan niet zeggen dat ik haar ken. Sorry, agenten, maar het is mijn ervaring dat als ergens vuurwapens meedoen, er altijd een afgaat, door de verwarring of door iets anders. Maakt niet uit. Dus, als jullie het niet erg vinden, zou ik het fijn vinden als...'

'Hoe kwamen uw vingerafdrukken in haar appartement?' vroeg Carella.

'Ze heeft haar spullen en haar geld allang weer terug.'

De rechercheurs keken elkaar eens aan.

'Wat voor spullen? Wat voor geld?' vroeg Carella.

'Ik heb het haar gisteren teruggegeven.'

'Wát zegt u?'

'Hij zegt dat hij daar heeft ingebroken,' vertelde Brown.

'Klopt dat?'

'Nee, nee. We hadden een misverstand,' zei Struthers.

'Wat voor misverstand?'

'Twee van haar bontgevallen kwamen in mijn bezit, dat is alles. En wat cashgeld. Maar ik heb haar gisteren alles teruggegeven. Agenten, als u denkt dat ik gewapend en gevaarlijk ben, waarom fouilleert u me dan niet? Dan kan ik mijn handen weer naar beneden doen.'

Hawes fouilleerde hem, nog steeds glimlachend. Hij vond het op de een of andere manier allemaal erg grappig. Hij knikte naar de anderen dat Struthers schoon was. Ze holsterden hun pistool, behalve Brown die in een buurt was opgegroeid waar mensen soms wapens in hun kont verstopten. Struthers deed zijn handen naar beneden. Hij leek opgelucht.

'Wanneer gisteren?' vroeg Carella.

Struthers keek hem peinzend aan.

'Bracht je haar spullen terug?' legde Carella uit.

'O. Die kwam ze halen. Rond half elf 's ochtends.'

'Hoe heeft ze je gevonden?'

'Ik vermoed door mijn bril.'

Carella dacht nog steeds dat de man niet spoorde. Hawes glimlachte nog steeds. Brown had nog steeds zijn pistool in zijn hand. Meyer vroeg zich af wat die man bedoelde met ontvoering.

'Hoezo ontvoering?' vroeg hij.

'Wat bedoel je, door je bril?' vroeg Carella.

'Ik vermoed dat ze me via mijn bril opgespoord heeft. Ze zei dat ze mijn bril kwam terug brengen.'

'Waar had ze die gevonden?'

'Geen idee.'

'Hoezo ontvoering?' vroeg Meyer weer.

'Die man van de Secret Service zei dat er een ontvoering was geweest.'

Straks vertelt hij nog dat hij zijn instructies van de CIA krijgt, dacht Carella. Via zijn radio- en televisieapparaat.

'Zei hij dat de president ontvoerd was?'

'Nee. Dat was mijn conclusie.'

'Jij dacht dat de president ontvoerd was?'

'Ja, waarom anders de Secret Service?'

Tja, waarom? dacht Carella.

Hawes glimlachte nog steeds. Knikte met zijn hoofd en glimlachte. Dit beloofde uiteindelijk een gezellige, amusante avond te worden. Meyer bedacht dat als de Secret Service hier echt geweest was, er dan misschien een echte ontvoering in het Witte Huis was geweest. Brown ging steeds meer op de lijn van Carella zitten: die man was gek. Maar hij hield zijn pistool in zijn hand, gewoon voor het geval dat.

'Wanneer was de Secret Service hier?' vroeg Meyer.

'Eergisteren. Rond een uur of vier 's middags. En 's avonds kwam hij weer terug. Rond tien uur, half elf.'

'Wie was dat? Hebt u een naam?'

'Jazeker. Geheim agent David A. Horne. Met een e.'

'Heeft hij zich geïdentificeerd?'

'Liet zijn penning zien.'

'Hoe zag die eruit?'

'Kent u die gouden ster die de Texas Rangers dragen? Daar leek-ie heel veel op.'

'En hij zei dat hij van de Secret Service was?'

'Ja, meneer. Van het ministerie van Financiën van Amerika.'

'Wat kwam hij hier doen?'

'Hij zei dat het serienummer van een honderddollarbiljet dat ik eerder die dag had uitgegeven, overeenkwam met een die als losgeld bij die ontvoering was gebruikt. Waardoor ik dacht dat het de president zou kunnen zijn, met de Secret Service en zo.'

'Natuurlijk,' vond Carella.

'Hij nam de rest van het geld mee,' vertelde Struthers.

'De rest van welk geld?' vroeg Hawes.

'Het geld van dat misverstand tussen mij en dat Ridleymens.'

'Het geld dat je gestolen had,' zei Brown en onderstreepte dat met zijn handen.

Struthers keek naar het pistool.

'Ik beken geen enkele inbraak,' verklaarde hij. 'Of wat dan ook.'

'Als wat?' vroeg Carella.

'Wat dan ook.'

'Misschien kun je ons vertellen hoe jouw vingerafdrukken in haar appartement kwamen?' zei Brown.

'Ik heb haar gordijnen er afgehaald,' vertelde Struthers.

Carella probeerde zich te herinneren of hij gordijnen in het appartement van de dode vrouw had gezien.

'Omdat ik voor haar zou schilderen,' zei Struthers. 'Daarom dacht ik ook dat het bont daar weg moest. Zodat er geen verf op zou kunnen komen.' Hij keek of de rechercheurs hem wel geloofden. 'Dat was het misverstand. Ik dacht dat het bont weg moest, maar zij wilde dat niet.'

'En het geld dan?' wilde Brown weten.

'Dat ook.'

'Je wilde geen verf op haar geld knoeien. Klopt dat?'

'Ja. Het was gewoon een groot misverstand. Ze wist niet dat ik het verplaatst had, snappen jullie.'

'Misschien dacht ze dat je met groene verf zou schilderen.'

'Huh?'

'De kleur van geld.'

'Nee, nee…'

'En dan maakt het niet uit als je erop knoeit.'

'Nee. Het was beige.'

'Wat natuurlijk wel wat uitmaakt.'

'Ja.'

'Dus voordat je de gordijnen er afhaalde en overal je vingerafdrukken achterliet, verplaatste jij het bont en het geld.'

'Eh, ja…'

'Man, wat een shitverhaal,' vond Brown.

'Gaat het soms over achtduizend cash?' vroeg Carella.

'Ze heeft het geld terug. En ik heb haar niet vermoord.'

Hebbes! dacht Carella.

'Wie heeft gezegd dat ze dood was?'

'Televisie,' zei Struthers.

Ze keken hem allemaal aan.

'Ik zag jou en een vette agent vanochtend vroeg op de televisie. In de dierentuin? Waar de een of andere vrouw aan de leeuwen is gevoerd. Dat was zij, hè? En daar gaat dit allemaal over, toch?'

Ze kenden de man alleen als Frank Holt. En die wachtte nu in de andere kamer terwijl zij de cocaïne proefden en testten. Hij kon ze honderd kilo verkopen, opgedeeld in tienkilopakketten. Hij ging er een komma negen miljoen voor krijgen, dus ze wilden er zeker van zijn dat het goed spul was. Als het iets anders was dan hij beloofde, doodden ze hem. En dat wist hij, hij was niet gek.

Ze zaten in een appartement op de tweede verdieping op Decatur en Eight. Tigo en Wiggy waren in de tweede slaapkamer. De man die zichzelf Frank noemde wachtte in iets dat de woonkamer moest voorstellen, kletste wat met een derde man die Thomas heette en een 9mm uzi vasthield. Een radio speelde rapmuziek. Frank was de enige blanke in het appartement. Thomas en hij praatten over films die ze hadden gezien. Thomas vertelde dat hij niet in die vuurgevechten geloofde in die zogenaamde actiefilms. Want al die afketsende kogels en ontploffingen en muziekeffecten als zing-zang-zing waren allemaal kul. De meeste vuurgevechten duurden trouwens geen anderhalf uur. Je schoot iemand neer, die was dood of die schoot jou neer zodat jij dood was. Frank gaf hem gelijk, hoewel hijzelf nog nooit in een vuurgevecht verwikkeld was geraakt. Dat vertelde hij Thomas op dit moment.

'Heb jij nog nooit iemand neergeschoten?'

'Nooit.'

'Shit, man,' zei hij, hij kon het niet geloven. 'Waar kom jij vandaan? Van Mars of zo?'

'Ik heb nog nooit de kans gehad.'

'Hoelang doe je dit soort werk al?'

'Bijna acht jaar.'

'En je hebt nog nooit de kans gehad?'

'De meeste mensen met wie ik te maken heb zijn niet geïnteresseerd in mensen vermoorden. We zijn handelaars, heel simpel.'

'Dan moet ik je iets over Wiggy vertellen. Dat is niet zo'n simpele handelaar, man.'

'Hij ziet er als een doorsnee handelaar uit.'

'Hij is niet zo doorsnee. Weet je hoeveel mensen hij al heeft vermoord?'

'Misschien wil ik dat niet weten,' zei Frank.

'Hij heet Wiggy omdat zijn achternaam Wiggins is. Hij schiet erop los als de dingen niet gaan zoals hij wil. Hij is zo opgefokt omdat hij dag en nacht onder de dope zit. Hij is iemand die shit dealt, maar niet gelooft dat shit shit is, snap je wat ik bedoel? Hij gelooft dat het goed voor je is. Ik weet niet hoeveel je hem wilt verkopen...'

'Honderd.'

'Wiggy heeft dat er persoonlijk binnen een week doorheen gesnoven.'

'Je overdrijft.'

'Klopt. Maar die man houdt echt van zijn cocaïne. En als hij onder de dope zit, wauw, dan schiet hij erop los, dan kun je hem maar beter het eerst raken, anders schiet hij je kapot. Hij schoot al...'

'Ik wil het niet weten. Echt niet.'

'...twaalf nikkers kapot, afgelopen jaar,' zei Thomas en haalde zijn schouders op. 'Het leek hier wel de Nikker-van-de-Maand-club.'

Frank voelde zich nooit op zijn gemak als zwarten – vooral zwarten die Thomas heetten – zichzelf nikker gingen noemen waar hij bij was. Want die familiariteit kon zich net zo goed tegen hem keren. En hij had inderdaad nog nooit iemand neergeschoten, maar hij hield ook niet van situaties die makkelijk op een vuurgevecht konden uitlopen. Hij had zelf een Walther P-38. En voelde zich een nazi in een oorlogsfilm. Ze hadden hem zijn pistool niet afgenomen toen hij hier kwam. Misschien omdat ze wisten dat hij gek moest zijn om het op een schietpartij te laten aankomen. Hij zou het trouwens zo afgegeven hebben, want hij hoefde niet bang te zijn dat zijn cocaïne niet aan de kwaliteitseisen zou voldoen.

Het spul dat Frank verkocht kwam uit Bolivia en werd in Colombia bewerkt voor ongeveer vierduizend per kilo. Dat was voor zo'n vierhonderdduizend dollar kweek- en bewerkingskosten. De Mexicanen van wie hij het in Guenerando had gekocht, hadden er zelf waarschijnlijk zo'n achthonderdduizend dollar voor betaald en vroegen hem een miljoen zeven. Hijzelf ging het zo verkopen voor negentienduizend dollar per key – een miljoen negen dollar. Zo werkte deze handel. Een piramide waar iedereen winst maakte, van onder tot boven. Achthonderdduizend in Colombia, een miljoen zeven dollar in Guenerando en nu een miljoen negen dollar in New York.

Maar Frank streefde iets veel hogers na dan wie dan ook van deze kolerelijers kon bevatten.

En hij had een duidelijke voorsprong.

Wiggy had de coke geproefd en Tigo ook, maar proeven betekende niet zoveel. Want slecht spul kon de verfijnste smaakpapillen bedotten. Er was maar één manier om zeker van je zaak te zijn. Een serie van drie testjes die Wiggy de GEG noemde, Getest En Goed.

De eerste test kwam regelrecht uit de kraan.

Open de kraan, vul een glas er half mee, schep een lepeltje shit uit de plastic zak en gooi dat erbij. Als het meteen uit elkaar valt is het pure cocaïnehydrochloride. Blijft het klonteren, dan was de dope gemengd met suiker.

De tweede van de GEG-test was Clorox.

Doe er een beetje van in een glazen potje, gooi er een lepeltje poeder bij en kijk. Krijg je een witte sliert door het poeder, dan, lieverd, is het cocaïne. Wordt het roodachtig, dan is het spul met iets synthetisch versneden en moest er iemand vermoord worden.

De laatste was de beste, cobalt thiocyanaat.

Dit druppel je op de cocaïne, ook bekend onder namen als White Leash, White Lady, Lady of soms heel banaal Girl, en nog een miljoen andere koosnaampjes om de kinderen voor de gek te houden. Kleurt het poeder blauw, dan heb je cocaïne. Hoe helderder het blauw, hoe beter de Girl. Dat zeggen ze, man. Hoe helderder het blauw.

Franks spul lichtte op als neon.

Wiggy had geleerd iedere blanke in het universum te wantrou-

wen. Hij keek Tigo aan en zei verbaasd: 'Hallo, die vent is eerlijk!'
Maar ook Wiggy streefde iets veel hogers na.
Zichzelf.
En ook hij had een duidelijke voorsprong.

4

Ollie Weeks had zijn zus gebeld om te vertellen dat hij misschien met Kerstmis niet kon komen, want hij zat met een door een leeuw afgekloven been. En toen zei zij: 'Je zou een andere baan moeten gaan zoeken.' Typisch zo'n klote-opmerking van Isabelle Weeks, het kreng!

En om alles nog erger te maken lag hier een dode vent opgevouwen in een vuilnisbak met een schotwond in zijn achterhoofd. De klassieke maffiamoord, behalve dan dat de bendes hier in het 88ste zwart of Latino waren. Ollie herinnerde zich nog de tijd dat de maffia in dit deel van de stad de lakens uitdeelde en dat de negers en Latino's al het voetenwerk opknapten. En de spaghettivreters het geld binnen haalden. Dat was veranderd. De spaghettivreters hadden eigenlijk Spaans moeten leren, of het zogenoemde zwarte Engels, zodat je kon zeggen: 'I done gone sell some dope to school chillun.'

Ollie gebruikte graag het woord 'neger', omdat hij wist dat het 'mensen met een gekleurde huid' zoals ze soms graag genoemd wilden worden, razend maakte. 'Blacks' was een andere favoriet. Ze moesten godverdomme eens een keuze maken! Net zoals die spanjolen, wat hij hen trouwens *niet* in hun gezicht durfde te zeggen. Dan sneden ze hem in plakjes en serveerden hem gefrituurd. Maar ze waren het er niet over eens of ze zich nou 'Latijns-Amerikaans' wilden laten noemen, of 'Latino's' wat klonk als een clubje tangodansers. Volgens Ollie konden ze zich beter 'Amerikaan' noemen. En geen Puertoricaanse of Dominicaanse vlag aan hun autoantennes hangen. En niet zoals de spaghettivreters in de Columbus Parade meelopen. Of de Ieren in hun St. Patrick's Parade, dronken worden en op straat kotsen. Terwijl de politie overuren maakte. Ollie haatte al dat opgefokte nationalisme voor landen die niet bij de Verenigde Staten van Amerika hoorden. Als ze dan zoveel van Santo Domingo of San Juan of Islamabad of Jeruzalem of Dublin of Calcutta hielden, nou prima, maar laten ze dan teruggaan in plaats van dode lichamen in vuilnisbakken te gooien. Ollie haatte alles en iedereen, behalve voedsel.

Ze hadden het lijk met de voeten naar beneden in de vuilnisbak gepropt, zijn knieën waren gebogen. Dat was aardig van hen. Want nu kon hij de dode recht in de ogen kijken. De man leek op zo'n beeld dat je in een van die elitaire, intellectuele, quasi kunstmusea in de binnenstad kon vinden. Ollie wist nog dat je vroeger over de avenues kon slenteren en een pittoresk landschap in olieverf voor vijfentwintig dollar kon kopen. Tegenwoordig had je met een dode man in een vuilnisbak te maken die eruitzag of hij nog leefde en poseerde – volgens een artistiek concept – met een schotwond in zijn achterhoofd.

De politiearts was gekomen en alweer gegaan en had in zijn oneindige wijsheid verteld dat de man in de vuilnisbak inderdaad dood was en dat de vermoedelijke doodsoorzaak...

'Vermoedelijke,' had hij echt gezegd.

...een schotwond in het hoofd was.

Met hulp van mensen van de Rampendienst – die tien minuten geleden arriveerden en nu ijverig de straat veegden, alsof het iets verrassends zou kunnen opleveren over het lichaam in de vuilnisbak – tilde Ollie hem eruit en legde hem languit op straat. Hij was zich zeer bewust van het feit dat er binnen zo'n tien minuten een ambulance zou zijn om het lichaam naar het mortuarium te brengen waar ze hem zouden opensnijden om er zeker van te zijn dat hij niet *voordat* hij doodgeschoten werd vergiftigd was. Een zeer belangrijke mogelijkheid binnen het politiewerk, waar niets was wat het leek, o ja, lieverd. Soms *dacht* Ollie zelfs als W.C. Fields.

De dode man had een portefeuille bij zich met veel identificatiepapieren. Een rijbewijs op naam van Jerome L. Hoskins (hopelijk geen relatie met de ziekte, hoopte Ollie) met het adres 327 Front Street in Calm's Point – shit, dan moest hij naar een gedeelte van de stad waar hij liever niet kwam. Een American Express-kaart op naam van Jerome L. Hoskins, en MasterCard en Visa-kaart op dezelfde naam. Hij vond een MetTrans-abonnement voor de metro en de buslijnen in deze grote stad en een ziekenfondskaart van MediPlan waarvan het hoofdkantoor in Omaha, Nebraska, stond. Waar dat ook moge wezen. Er zat zevenhonderd dollar in honderddollarbiljetten in, drie twintigjes en acht dollar. Een klein kaartje vermeldde dat in geval van nood Clara Hoskins op hetzelfde adres in Calm's Point gewaarschuwd moest worden, op nummer 722-1314. Geweldig! Er was niets leukers dan dit nieuws aan de moeder, vrouw of zus te mogen vertellen!

In zijn rechterbroekzak zat wat wisselgeld met een huissleutel, een brievenbussleutel en een autosleutel met de grote gouden L van Lexus. Zo'n luxe auto kon op drugs wijzen, hoewel tegenwoordig een Range Rover gewilder was. Zoveel verschil was er dus niet tussen een drugsdealer in de grote stad en een Hollywoodproducer. De drugsverdenking werd serieuzer door een wapenvergunning in een van de vakjes. Aan de andere kant: wie was er tegenwoordig niet drugsverdacht?

De vergunning was voor een Walther P-38. Misschien een wat ouderwets wapen voor een drugsdealer, maar de man kon ook best een diamanthandelaar zijn geweest op zoek naar een lekker zwart moppie en toen per vergissing met de vriendin van een negerbendeleider, High Five of zo, aan het flirten zijn geslagen. Het wapen zat in een schouderholster onder zijn handgemaakte jasje. Hij had geen jas. Ach ja, als je van plan was om een man in zijn achterhoofd te schieten, hoefde je hem ook niet op het koude buitenweer te kleden.

Tja, Ollie was bang dat hij nu met die Clara Hoskins contact moest opnemen, wie ze dan ook mocht wezen, om te kijken of ze thuis was en dan helemaal naar Calm's Point moest rijden om haar het slechte nieuws te vertellen. O ja. Hij gaf een van de technici zijn kaartje en vroeg of hij hem wilde bellen als er bruikbare vingerafdrukken gevonden werden. Kleine Kans Ministerie. Hij vroeg hun ook om op een vleeswagen van St. Mary Boniface te letten, die er ieder moment kon zijn. Hij kon zien dat de techneuten niet van dikke mensen hielden. Ze konden barsten. Hij hield niet van idioten die op straat in afval wroetten en deden alsof ze de meest waardevolle dingen vonden terwijl het gewoon vieze troep was.

'Gelukkig kerstfeest,' wenste hij hun toe.

'U ook,' zei een van de technici.

U, dikke neus, dacht Ollie en liep glimlachend weg.

Het was nu 24 december, zondagochtend, drie minuten voor half elf – de dag voor Kerstmis, als Ollie het goed had, o ja.

Zijn klotige zuster zat waarschijnlijk in de kerk.

In Carella's telefoonboek stond onder 'Bureaus voor Wetshandhaving' een nummer van het Amerikaanse ministerie van Financiën op 427 High Street, in de binnenstad, vlakbij waar ooit het oude hoofdbureau van politie stond. Een bandje deelde mee dat het kantoor gesloten was en pas dinsdagochtend 26 december weer bereikbaar zou zijn.

Op goed geluk, hopend dat geheim agent David A. Horne in een van de vijf telefoonboeken van de stad stond, begon Carella te zoeken in het Isola-deel en vond pagina's vol met de achternaam Horne, maar geen David A. Horne. Hoe dan ook, hij begon te bellen. Bij zijn twaalfde poging had hij beet.

'David Horne, alstublieft,' zei hij.

'Wie is dit?'

'Rechercheur Steve Carella, 87ste district.'

'Ik ben David Horne.'

'Meneer Horne, we onderzoeken een moord, een vrouw Cassandra Jean Ridley...'

'Ja?'

'...die we kunnen hebben koppelen met een man Wilbur Struthers...'

'Ja?'

'Zat drie en een derde in Castleview voor een inbraak...'

'Ja. Ik ken de man. Ik heb hem over verdachte honderddollarbiljetten ondervraagd.'

'In verband met een ontvoering,' knikte Carella.

Het werd stil op de lijn.

'Kunt u me vertellen wie de ontvoerde was?'

'Nee, ik ben bang dat dat geheime informatie is,' zei Horne.

'Zelfs niet tegen een collega wetshandhaving?'

'Ben bang van niet.'

'Het gaat om een moordzaak.'

'Dat hebt u gezegd.'

'O. Kunt u me dan tenminste vertellen hoe het ging?'

'Hoe wat ging?'

'De ondervraging.'

'Ik heb achtduizend dollar in honderddollarbiljetten geconfisqueerd, heb hun serienummers vergeleken met die op onze lijst en ze bleken niet te kloppen. Ik heb dezelfde dag nog de biljetten aan meneer Struthers teruggegeven. Einde verhaal.'

'Wat is dat voor lijst? Waar u de biljetten mee vergeleken hebt?'

'Ik ben bang dat dat ook geheim is.'

'Wie is er ontvoerd, meneer Horne. Kunt u me dat wel vertellen?'

'Geheim.'

'Als ik u de biljetten laat zien die we in het appartement van het slachtoffer hebben gevonden, kunt u me dan vertellen of het dezelfde zijn die u met uw mysterieuze lijst vergeleken hebt?'

'Bespeur ik wat sarcasme in uw stem, rechercheur Coppola?'

'Het is Carella.'

'O. Neem me niet kwalijk. Maar het is de dag voor kerst, weet u...'

'Natuurlijk weet ik dat.'

'En ik zit hier thuis bij mijn gezin. Als u...'

'Tjonge, ik zit op kantoor,' zei Carella.

'Heel bewonderenswaardig, echt waar. Maar belt u me dinsdag. Dan kunnen we wellicht verder praten.'

'Meneer Horne. Het slachtoffer zal nooit meer praten.'

'Dat is heel jammer. Maar ik weet zeker dat onze twee zaken niets met elkaar te maken hebben.'

'Waarom werden de serienummers van haar geld vergeleken met nummers van biljetten van het losgeld? Want dat zei u toch?'

'Ik heb nooit zoiets gezegd.'

'Dan heeft Struthers het me verteld.'

'Een man met een strafblad.'

Carella kon hem zijn schouders bijna horen ophalen.

'Volgens mij vertelde hij de waarheid,' zei Carella.

'Wie weet.'

'Meneer Horne, ik probeer uit te zoeken wie...'

'Het is overigens geheim agent Horne.'

'O. Neem me niet kwalijk. Maar iemand heeft gisteren een vrouw voor de leeuwen gegooid...'

'Is dat bij wijze van spreken, rechercheur?'

'Helaas niet. We proberen uit te zoeken wie dat deed. Hoe weinig u ons misschien ook kunt vertellen...'

'Ik heb u niets te vertellen. Onze zaak is, zoals ik al heb gezegd, geheim. Los van die biljetten die we vergeleken hebben, hebben we niets met de dood van die vrouw te maken.'

'Hoe weet u dat?'

'Ik weet zeker dat ze niets met elkaar te maken hebben.'

'Waarom hebt u ze dan vergeleken?'

'Rechercheur...'

'Doet u nou niet zo boos,' zei Carella.

Hij wilde eigenlijk zeggen: doe niet zo kloterig boos, oké, meneer geheim agent Horne?

'Ik kan die serienummers dagvaarden.'

'U zult nooit een gerechtelijk bevel krijgen.'

'Waarom niet?'

'Rechercheur,' zei Horne en pauzeerde even. 'Laat dit met rust, oké? Laat dit aan ons over.'

'Tuurlijk,' zei Carella en hing op.

Natuurlijk ging hij dit niet met rust laten!

Clara Hoskins bleek de vrouw van Jerome te zijn. Ollie had haar aan de telefoon verteld dat hij het een en ander onderzocht...

Eigenlijk mompelde hij de woorden 'identificatieprocedure' zo dat ze onverstaanbaar waren, een handigheidje dat de nieuwsgierigheid van mevrouw Hoskins aanwakkerde.

'*Wat* onderzoekt u?'

'Routinezaken. Beter om het daar persoonlijk over te hebben. Kan ik bij u langskomen, mevrouw Hoskins?'

'Eh, ja hoor. Maar neemt u wel uw identiteitskaart mee.'

Het kostte hem een half uur om van Calm's Point in het noorden van de stad over de brug naar een buurt te rijden die nog maar pas gered was van het stedelijk verval. Hillside Commons stond vol kleine huisjes die in de jaren zestig en zeventig bewoond werden door weggelopen hippies, begin jaren tachtig door geëmigreerde Latino's, Koreanen in de jaren negentig en nu – in het geweldige nieuwe millennium – door carrièremakende yuppen die uitkeken op de torens in de verte, achter de rivier Dix. Volgens Ollie konden al die ex-immigranten heel goed naar de wijk direct naast Hillside Heights verhuisd zijn. Daar waren nog steeds straatbendes, dopehandelaren, hoeren en al die andere attracties waar ze aan gewend waren. Niet dat hij wat van die kloterige, streberige yuppen moest hebben. Maar als iemand nog niet eens de normale klotetaal kon spreken, verdiende hij het ook niet om in een goede buurt te wonen.

Clara Hoskins kon de taal héél netjes spreken.

Ze deed de deur niet open totdat Ollie zijn identiteitskaart en penning had laten zien. En vervolgens moest ze twee sloten opendraaien en een veiligheidsketting verwijderen voor de deur open kon. Een blondine van begin veertig schatte Ollie, in een getailleerde grijze lange broek en een rode trui met een kleine kerstmanbroche boven haar linkerborst. 1,68, 1,70 meter, dacht hij. Een knappe vrouw, behalve dan die achterdochtige ogen en die frons. Ze bracht hem naar de woonkamer waar een kerstboom, compleet met lampjes, in een hoek stond. Het hele huis rook trouwens naar dennengroen. Het enige dat nog ontbrak was een open haardvuur, maar dit was de stad en daar mocht alleen op kolen gestookt worden en zelfs dat niet overal.

'Mevrouw Hoskins,' begon hij en besloot maar direct met de deur in huis te vallen. 'Ik ben bang dat ik slecht nieuws voor u heb.'

'O, Jezus.'

'Uw man is dood, mevrouw. Het spijt me dat ik u dat zo bruut moet vertellen.'

'O, Jezus.'

Ze reageerden allemaal anders. Sommigen barstten in tranen uit, sommigen zwalkten als dronkelappen door de kamer, sommigen keken alsof ze door een trein waren aangereden, sommigen konden tien, vijftien minuten niets zeggen, sommigen ontkenden het, zeiden dat je het fout moest hebben, dat het allemaal een afschuwelijke grap was. Van alles, maakte niet uit, als ze maar niet hoefden te aanvaarden dat Vadertje Dood aan de deur was geweest, geklopt had en iemand thuis had gevonden. Clara Hoskins stond hem daar gewoon aan te staren.

'Wat is er gebeurd?' wilde ze dan weten.

'Hij is vermoord.'

'Bent u een rechercheur van Moordzaken?'

'Nee, mevrouw, zo werken wij niet. De districtsrechercheur die als eerste na de oproep...'

Hij corrigeerde zichzelf.

'De rechercheur die aan de oproep gehoor gegeven heeft, zit tot het eind op het onderzoek, mevrouw, zo werken we hier in de stad.'

'Waar is het gebeurd?'

'In een wijk die Diamondback heet, mevrouw.'

'Dat is een zwarte buurt, hè?'

'Grotendeels, mevrouw. En Latijns-Amerikaans.'

'Wat had Jerry daar te zoeken?'

'Ik hoopte dat u me daarbij zou kunnen helpen.'

'Diamondback,' zei ze hoofdschuddend.

'Bent u aan het bakken, mevrouw, ruik ik dat goed?'

'O mijn god. Dank u wel.' Ze rende de keuken in. Hij zag hoe ze de ovendeur optrok en er een rokende cake uithaalde. 'Gelukkig, net op tijd,' zei ze en zette hem op het aanrecht. 'Iedere kerst bak ik er een.'

'Wat is het, mevrouw?'

'Een appeltaart.'

'Ik durf te wedden dat hij heerlijk is.'

Maar ze bood hem geen stukje aan.

In plaats daarvan barstte ze in snikken uit. Soms deden appeltaarten dat mensen aan. Of misschien had ze zich net gerealiseerd dat haar man dood was. Hoe dan ook, als ze hem niet iets te eten aanbood kon ze de pot op.

'Mevrouw, was u niet bezorgd toen uw man vannacht niet thuiskwam?'

'Hij is vaak weg.'

'Verwachtte u hem thuis?'

'Niet per se.'

'O. Heeft hij misschien gebeld dat hij niet thuiskwam?'

'Nee. Maar dat deed hij nooit. Ik maakte me niet bezorgd om hem. Hij liep in en uit.'

'Wat doet hij voor werk, mevrouw?'

'Hij verkoopt boeken.'

'Hij werkt in een boekwinkel?'

'Nee, hij is vertegenwoordiger. Voor Wadsworth en Dodds. De uitgevers. Zijn rayon bestrijkt praktisch de hele noordoostkant. Hij reist helemaal naar het noorden, naar Maine, tot helemaal naar het zuiden, naar Washington D.C. Hij is veel weg.'

Ollie probeerde zich te herinneren of hij boekwinkels in Diamondback kende. Hij wist er niet een.

'Moet hij ook wel eens in Diamondback zijn?' vroeg hij.

'Ik weet niet waar hij allemaal moet zijn.' Ze trok een Kleenex uit een doos. 'Ziet u niet dat ik huil? Hebt u dan helemaal geen gevoel?'

'Het spijt me, mevrouw, maar ik probeer te achterhalen wie hem vermoord kan hebben. Uw man had toch niets met drugs te maken, hè?'

'Wat!'

'Ik vroeg...'

'Ik heb het gehoord. Hoe durft u!'

'Mevrouw Hoskins, ik stel gewoon een vraag. Uw man is in een vuilnisbak in Diamon...'

'Een vuilnisbak!'

'Ja, mevrouw, met een schotwond in zijn achter...'

'Een schotwond!'

'Ja, mevrouw. En dat klinkt wat raar voor een man die boeken verkoopt, vindt u niet? Wist u dat hij een wapen had?'

'Een wapen!'

'Ja, mevrouw. Een Walther P-38. In een holster aan zijn rechterkant. Was hij linkshandig, mevrouw?'

'Ja. Maar ik moet zeggen, rechercheur Weeks, dat dit me allemaal vreselijk van streek maakt.' Ze trok een nieuwe tissue uit de doos en snoot haar neus erin. Ollie hoopte dat ze niet de taart zou ondersnotteren. Ze had hem nog steeds geen stukje aangeboden. 'Ik snap niet wat mijn man in Diamondback te zoeken had. Of waarom hij een wapen had. Of waarom iemand hem zou willen vermoorden. Het is gewoon allemaal niet te geloven,' zei ze en snoot haar neus weer.

'Tja, eh. Het spijt mij ook vreselijk dat het is gebeurd, mevrouw. En dat ik het u moest komen vertellen.'

Hij dacht aan een lekker stuk van haar appeltaart.

Hij dacht ook aan haar lekkere kont, waar hij wel eens in zou willen knijpen.

'Uw man had een vergunning voor het wapen.'

'Een vergunning!'

Ze had de slechte gewoonte om de sleutelwoorden van de zinnen die hij zei naar hem terug te schreeuwen. Alsof hij doof was. Elke keer dat ze dat deed, kromp hij ineen. De keuken rook nog helemaal naar de oven. Hij had zin om die cake met twee handen op de grond te smijten.

'U weet zeker dat hij niets met drugs had?'

'Nee. Niet zeker. Ik zou het toch moeten weten als hij in de drugs zat, toch? Hij was vaak twee, drie weken weg. Ik weet alleen dat hij banken overviel met zijn godvergeten P-zesender...'

'Acht, mevrouw.'

'Maakt niet uit. En heroïne in zijn aderen spoot. Hoe moet ik verdomme weten wat hij uitvrat als hij hier niet was? Nou ligt hij in een vuilnisbak. Hoe moet ik verdomme weten wat hij daar deed of wie hij was?'

'Dat is het punt, mevrouw.'

'Ik zie uw punt niet.'

'Nou, dat het niet lijkt te kloppen.'

'Dat klopt.' En ze barstte weer in tranen uit.

Hij wilde haar in zijn armen nemen en troosten. Hij wilde wel onder die rode, strakke trui tasten.

'Ik had graag wat piano voor u willen spelen,' zei hij.

Ze keek hem aan.

Ze had grote, verdrietige, natte ogen.

'Als troost,' legde hij uit.

'Dank u. Dat is heel aardig.'

'Ik speel piano.'

'Dat had ik niet gedacht.'

'Het spijt me allemaal. Hier is mijn kaartje. Belt u me rustig als u nog iets bedenkt.'

'Wat zou ik nog moeten bedenken?'

'Alles wat ons helpt de moordenaar van uw man te vinden.'

Ze barstte weer in tranen uit.

'Waar moet ik zijn... om op te eisen... om... om... waar is hij nou? Zijn lichaam?'

'In het mortuarium van St. Mary,' vertelde Ollie. 'U kunt het stoffelijk overschot...'

'Stoffelijk overschot!'

'Ja, mevrouw, zijn lichaam, mevrouw. Weet u misschien of hij daar een zwart vriendinnetje had zitten?'

'Een wat?'

'Lijkt me niet,' zei hij. 'Belt u me als u nog iets bedenkt. Ik kan 'Night and Day' spelen als u dat mooi vindt.'

Ze huilde naast de kerstboom toen hij naar buiten liep. Hij kon die klote-appeltaart tot op straat ruiken.

De gangen van het gerechtsgebouw waren deze kerstavond, die ook nog eens een zondag was, vol met rechters die probeerden hun zaken voor drie uur afgehandeld te hebben. De meeste zakkenrollers, winkeldieven en inbrekers hadden het gisteren al voor gezien gehouden, om zes uur toen ook de winkels dichtgingen. De meeste rechters waren rond dezelfde tijd klaar. Christelijke rechters wilden naar huis en gezin om aan de kerstfestiviteiten te kunnen beginnen, andersdenkende rechters wilden weg om van hun vakantie te kunnen genieten. Maar een paar zielenpieten bemanden de rechtszalen. Het hele gerechtsgebouw leek een marmeren mausoleum.

Abe Feinstein was de rechter die Carella's aanvraag voor een huiszoekingsbevel onder ogen kreeg. Hij was drieënzestig en was al drieëntwintig jaar strafrechter, was op veertigjarige leeftijd benoemd, wat relatief jong voor zo'n post is. Hij las de ondertekende, beëdigde verklaring en keek vervolgens over zijn bril en zijn bureau heen en vroeg verbijsterd: 'U wilt een huiszoekingsbevel om de kantoren van het ministerie van *Financiën* te kunnen doorzoeken?'

'Ja, edelachtbare.'

'Omdat – als ik het goed gelezen heb – u een lijst met serienummers wilt bestuderen...'

'Ja, mijnheeer.'

'...van honderddollarbiljetten waarvan u denkt dat ze als *losgeld* in een ontvoering zijn gebruikt?'

Hij klonk nog steeds verbijsterd.

'Ja, edelachtbare,' zei Carella.

'En om welke ontvoering zou het gaan, rechercheur?'

'Weet ik niet, meneer. Daar wil ik achter komen.'

'Ik moet ergens iets missen,' zei Feinstein hoofdschuddend.

'Edelachtbare, geheim agent David A. Horne confisqueerde achtduizend dollar in honderddollar...'

'Moment, stop eens even. Waar staat dat in de verklaring?'

'Paragraaf drie, edelachtbare.'

'Op persoonlijke kennis en overtuiging,' citeert Feinstein, 'en feiten die me verstrekt zijn door...'

'Precies, edelachtbare. Door een ex-veroordeelde, Wilbur

Struthers, die het verdachte geld gestolen heeft uit het appartement van een vrouw die inmiddels overleden is, slachtoffer van een moordaanslag. Dat staat allemaal in paragraaf drie, edelachtbare.'

'Door leeuwen opgegeten, staat dat er echt?'

'Ja, meneer. Gisteren in de Grover Park-dierentuin. Maar dat was niet de doodsoorzaak. De vrouw is eerst met een ijspriem gestoken.'

'Dat zie ik hier staan, ja.'

'In haar hoofd, edelachtbare.'

'Ja. En u denkt dat haar moord in verband kan staan met die ontvoering waar u het over heeft?'

'Ja, edelachtbare, inderdaad.'

'Maar u weet niets over die ontvoering?'

'Alleen wat Struthers me heeft verteld.'

'Is die betrouwbaar?'

'Zo betrouwbaar als een dief kan zijn, edelachtbare.'

'Hebt u contact met de Secret Service opgenomen?'

'Ik heb persoonlijk met geheim agent Horne gesproken, edelachtbare.'

'En wat had hij te vertellen?'

'Hij adviseerde me de zaak te laten rusten.'

'Enig idee waarom hij dat suggereerde?'

'Hij vertelde dat de zaak geheim was, meneer.'

'Aha. En u wilt een huiszoekingsbevel om een inbreuk op die geheimhouding te kunnen maken. Zie ik dat goed?'

'Er is een vrouw vermoord, edelachtbare. Een ijspriem...'

'Ik heb geen idee waar die ontvoeringszaak over gaat – en u ook niet volgens mij. Wat betekent dat u geen aannemelijke reden hebt, rechercheur. Als de Secret Service deze zaak als geheim heeft geclassificeerd, dan ga ik u geen toestemming geven om vertrouwelijke documenten te mogen inzien. Volg Hornes advies op, rechercheur. Laat het rusten. Aanvraag afgewezen.'

'Dank u, edelachtbare,' zei Carella.

'Prettige kerstdagen,' zei Feinstein.

84

* * *

Ollie Weeks belde 's middags om vier uur het kantoor van Wadsworth en Dodds. Hij kreeg een bandje aan de lijn dat vertelde dat het kantoor wegens vakantie gesloten was en niet voor dinsdagochtend 26 december te bereiken was.

Hij bedacht dat hij waarschijnlijk de enige mens in deze klotestad was die werkte, dus ging hij naar huis.

5

Dus dit is er van de familie terechtgekomen, dacht Carella.

Dit is er van deze familie terechtgekomen op deze kerst in het nieuwe millennium.

Ik en Teddy zijn er nog steeds, godzijdank, en de tweeling, weer godzijdank, hoewel hij het niet leuk vond dat ze gingen puberen. Voor hij het in de gaten zou hebben, zou Mark de *Penthouse* lezen en April afspraakjes hebben met oudere mannen en zouden Teddy en hij in een rolstoel in een verpleeghuis zitten. Veertig jaar, dacht hij. Jezus Christus. Waarom ging het allemaal zo snel?

Zijn zuster Angela was er natuurlijk ook, met haar eigen tweeling – het zat in de familie – en hun oudere zuster. Tess was nu acht, de tweeling vier. Alledrie nog ver weg van de puberteit. Angela had de tweeling de namen Cynthia en Melinda gegeven en hen vervolgens Cindy en Mindy genoemd, alsof ze een tapdanskoppel in Las Vegas waren. Schaam je, zusje, hoewel hun vader erop had gestaan dat ze Cynthia en Melinda werden genoemd, zoals oorspronkelijk de bedoeling was geweest. Een nobele gedachte.

Tommy was er deze kerst niet bij. De vader van de jonge meisjes was god-mag-weten-waar op deze heldere koude middag terwijl iedereen ging dineren, of lunchen, of hoe het dan ook mocht heten om twee uur 's middags. Tommy Giordano was er vandaag niet omdat hij en Angela gescheiden waren – niet omdat hij erop stond dat zijn dochters bij hun volledige naam genoemd werden. Tommy Giordano was betrapt op een liefdesaffaire, had nog steeds een liefdesaffaire, maar de dame in kwestie was geen dame, hoewel ze wel vaak zo genoemd werd. Tommy Giordano had een liefdesaffaire met cocaïne. Hij had psychiatrische hulp gezocht, had medische programma's geprobeerd, had alles geprobeerd waar hij en de familie op hadden kunnen komen, maar was steeds weer door de knieën gegaan en niets had gewerkt. Het huwelijk was gestrand toen Angela het allemaal niet meer aankon. Tommy snoof nog steeds Devil's Dandruff, *waar* hij dan ook mocht uithangen – de laatste keer dat ze iets van hem hoorden was uit Santa Fe, New Mexico.

In plaats van Tommy was er vandaag een assistent-districtsprocureur, Henry Lowell. Hij had zijn tweede graad op Duke gehaald, zijn rechtengraad op Harvard en een handvol cursussen op Oxford University gevolgd, op die manier werd de kiesdistrictenstoelendans volgehouden. Lowell zat nu bijna vijf jaar bij de districtsprocureur. In die periode was hij goed voor achtendertig veroordelingen, een indrukwekkende lijst, waaronder vier moordzaken. In feite was de enige moordzaak die hij verloren had, de zaak die hij had aangespannen tegen de man die Carella's vader had vermoord.

Misschien mocht Carella hem daarom niet heel erg.

Tja.

Carella kon niet begrijpen waarom zijn zuster met deze kloothommel sliep en hem iedere vakantie meesleepte naar het huis van zijn moeder. Carella kon dat echt niet begrijpen, maar misschien was hij gewoon ouderwets. Misschien vond hij dat het echte leven in de grote, slechte stad niet hetzelfde was als een Griekse tragedie waarin je met de moordenaar van je vader kon slapen of je eigen kinderen op kon eten. En de moordenaar werd uiteindelijk neergeschoten door Carella zelf of misschien door Brown, die op dat moment naast hem had gestaan en op hetzelfde moment gevuurd had...

Of misschien zij allebei...

Gegeven dat oude koeien oude koeien moeten blijven...

Gerechtigheid gezegevierd had...

Oog om oog en zo...

Gegeven dat alles...

Zou Angela werkelijk overwegen die man te trouwen?

Maar nog erger dan haar ontrouw...

Hoe kon zijn moeder zo snel vergeten?

De tweede indringer aan tafel was Luigi Fontero uit Milaan, Italië. Henry Lowell zat aan de rechterkant van Angela en Luigi Fontero zat aan de rechterkant van Louise Carella – de rechterkant van Carella's *moeder*! Hij was niet de 'Luigi' uit de een of andere oude televisieserie, een fruithandelaar of wat dan ook, een man die gebroken Engels sprak op de manier zoals immigranten rond de eeuwwisseling spraken, hoewel de serie in de jaren vijftig speelde volgens Carella. Hij had maar af en toe een herhaling op het *Nick at Nite*-kanaal gezien of op een van die honderdnegenennegentig andere kanalen die als vliegen op de stroop afkwamen.

Deze Luigi was een meubelfabrikant. *Deze* Luigi maakte meubels die door de bekendste Europese ontwerpers ontworpen waren. *Deze* Luigi sprak vloeiend Engels met een miniem accent. *Deze* Luigi droeg handgemaakte pakken uit Rome en handgemaakte schoenen uit Florence. *Deze* Luigi hield zijn moeders hand vast. Als dit zo'n Griekse tragedie was, dan zou Carella de hand van *deze* Luigi bij zijn pols hebben afgehouwen.

'Wat voor weer was het in Milaan toen je wegging?' vroeg Lowell vriendelijk.

'In Milaan is het in deze tijd altijd hetzelfde,' antwoordde Fontero vriendelijk. 'Miezerig en koud. Net als Parijs.'

Twee oude makkers keuvelen verder over het weer.

Carella zou ze alle twee graag vermoorden.

'Zouden wij niet eens een keer naar Parijs kunnen?' vroeg April zuchtend aan haar moeder.

Teddy zuchtte terug. *Ja, volgend weekend, lieverd.*

'Echt waar?' zei April met wijdopen ogen.

Leek op haar moeder, zwart haar en bruine ogen. Groeide als kool, een constante babbelaarster – nou ja, ook wat dat betreft precies haar moeder. Behalve dan dat Teddy het alleen maar met haar handen en ogen kon. Doof geboren had ze nog nooit een menselijke stem gehoord, nog nooit wat voor geluid dan ook gehoord. Bijna iedereen aan deze tafel kende gebarentaal, sommigen perfect, sommigen wat minder. Behalve de indringers natuurlijk. Die keken naar Teddy's handen alsof ze Sanskriet in de lucht schreef.

April had lippenstift op. Nog geen dertien en al lippenstift.

Teddy bezwoer Carella dat het wel goed zat. Carella wilde niet accepteren dat zijn dochter ouder werd. Hij wilde niet geloven dat zijn zuster zou trouwen met de man die de moordenaar van hun vader had laten lopen. Hij wilde er niet aan dat zijn moeder het met een Italiaanse gigolo had aangelegd, zo snel na de dood van zijn vader. De vorige kerst barstte ze nog iedere keer in tranen uit als ze zijn vaders naam hoorde. Nu zat ze openlijk hand in hand met een man die godverdomme wel een jonge Marcello Mastroianni leek.

Misschien heb ik te veel wijn gedronken, dacht Carella.

'Ik ben gek op Italiaanse meubels,' zei Angela.

Prima, zus, dacht Carella. Inpakken en kietelen.

'Ja, het is prachtig,' zei Angela.

In alle bescheidenheid, dacht Carella.

'De lampen ook,' zei Angela.

Samenspannende schijnheiligen, dacht Carella.

'Hoe heet je bedrijf?' vroeg Lowell.

'Mobili Fontero.'

'Mag ik alsjeblieft nog wat lasagne?' vroeg Mark.

Het gesprek verstomde en laaide weer op, aan de tafel waren de vertrouwde stemmen te horen, en natuurlijk die van de onbekwame districtsassistent en de schitterende, handgemaakte meubelman uit Milaan. Carella's moeder had de afgelopen twee maanden een dieet gevolgd. Nu wist hij waarom. Haar haar zat anders. Nu wist hij waarom. Hij vroeg zich af hoe lang ze elkaar kenden. Vroeg zich af hoe ze elkaar ontmoet hadden. Vroeg zich af...

'Hoe hebben jullie twee elkaar eigenlijk ontmoet?' vroeg Lowell.

Jullie twee. Alsof ze tieners waren. Zijn moeder was drieënzestig. Fontero was minstens zevenenzestig. Jullie twee.

'Vertel jij het maar, Luigi,' zei zijn moeder en klopte op zijn hand.

Keek als een schoolmeisje. Het begrafeniseten was nog niet eens koud geworden op tafel. Hij moest aan zijn korte verblijf op de universiteit denken, herinnerde zich dat hij een bebaarde Claudius speelde met Sara Gelb als Gertrude, een meisje met wie hij later nog naar bed was gegaan – als je dat tenminste zo kon noemen – op de achterbank van zijn vaders auto.

Hij miste zijn vader zo ontzettend.

Luigi had het over Louises beste vriendin...

Hij had het over Carella's moeder. Louise. Louise Carella. Luigi en Louise. En, natuurlijk, Luigi is Louis in het Italiaans, Carella's tweede naam. Louis en Louise, o, wat *snoezig*!

...Louises beste vriendin Kate, die hiernaast woonde en op de een of andere manier Luigi's broer in Florence (Luigi zei Firenze) kende. Die broer had geopperd dat Luigi op zijn zakenreis naar Amerika er even langs zou gaan om de groeten te doen. Wat hij gedaan had, de eerste keer had hij een taxi genomen...

'En dat was een foutje,' zei Louise Carella, zei zijn moeder, met rollende ogen. 'Luigi had er geen idee van hoeveel het zou kosten, helemaal hiernaar toe, naar Riverhead.'

'Je had van tevoren een bedrag kunnen afspreken,' vond Angela.

'Tja, thuis waarschuwen ze steeds voor de taxichauffeurs in deze stad, maar eerlijk gezegd was ik hier nog nooit afgezet.'

'Hoe vaak kom je hier?' vroeg Lowell.

'Drie, vier keer per jaar. Om mijn producten hier te verkopen. Maar ik vind dit ook een geweldige stad.' Hij lachte. Prachtige witte tanden. Marcello Mastroianni-tanden. 'En nu heb ik helemaal een reden om nog vaker te komen,' zei hij en streelde Louises hand, streelde Carella's moeders hand.

'Om een lang verhaal kort te maken,' zei zijn moeder, zei Louise, 'ik zat bij Katie koffie te drinken toen die taxi stopte en Luigi uitstapte...'

'Dat was in oktober,' zei Luigi.

'Hij had een donkere jas met een zwarte bontkraag aan...'

Net een Russische diplomaat, dacht Carella.

'Geen hoed,' zei Louise.

Carella zag dat hij dik zwart haar had, die Luigi.

'Hij liep het pad op en belde aan,' zei Louise. 'Katie verwachtte hem natuurlijk, maar pas later. Hij stelde zichzelf voor...'

'Ik was algauw vergeten dat ik er was om de vriendin van mijn broer de groeten te doen,' zei Luigi en liefkoosde haar hand weer, Carella's moeders hand, die van Louise.

'We gingen met z'n drieën dineren,' vertelde Louise.

'Ik vroeg Katie mee uit beleefdheid,' vertelde Luigi.

Een baard, dacht Carella.

'En zo hebben we elkaar ontmoet,' zei Louise.

'Ik was er de volgende maand alweer.'

'Voor Thanksgiving.'

'We belden iedere dag.'

'We kennen elkaar vanaf 15 oktober,' zei Louise.

Geboortedag van grote mannen, dacht Carella, maar zei niets.

'Vandaag eenenzeventig dagen,' zei Luigi.

Maar wie telt er nou? dacht Carella.

Hij keek ineens recht in de ogen van zijn zuster.

Die stonden waarschuwend.

Et tu, brute? dacht hij.

Hij had ook Caesar gespeeld. En was met Portia na het premièrebal naar bed geweest. Een jaar en zeven maanden op de universiteit en hij had het met maar twee meiden gedaan, de grote Lothario. Hoe is hij in vredesnaam zo snel veertig geworden? Hij bedacht ineens dat hij, sinds hij Teddy ontmoette, nooit meer met een andere vrouw naar bed was geweest. En ook nooit meer van plan was geweest. En ook nooit meer een andere vrouw begeerd had. Hij vroeg zich af met hoeveel vrouwen *signore* Marcello naar bed was geweest, *signore* Cassanova. Zou hij al met Carella's moeder naar bed zijn geweest, Louise met haar elegante nieuwe kleren en haar slanke figuur en haar modieuze nieuwe kapsel? Hij vroeg zich af of zijn moeder al vergeten was dat er ooit een aardige, verliefde man bestond die Anthony Carella heette, die doodgeschoten werd tijdens een overval in zijn bakkerij. Vroeg zich af of vroeger of later iedereen die gestorven was vergeten zou zijn en bedacht verbaasd dat Shakespeare niet vergeten was. Ik was Claudius, ik was Caesar.

91

Hij schonk zichzelf nog een glas wijn in.

Deze keer schoten de ogen van zijn vrouw een waarschuwing over de tafel heen.

Hij lachte naar haar en hief zijn glas in een stille toost.

Zij zuchtte en keek weg.

Ze zei niets tegen hem tot ze zeker wist dat de kinderen sliepen. Carella lag toen al in bed. Ze ging op de bedrand zitten en het bedlampje was aan op het tafeltje, haar vingers en ogen vertelden hem wat haar dwarszat.

Je drinkt te veel, zei ze.

'Kom op, zeg,' zei hij, 'een paar glazen wijn, waar maak je je druk over?'

Het begon in november toen Danny Gimp vermoord werd...

'Danny was een informant,' zei hij.

Hij was je vriend.

'Ik zag hem nooit als een vriend.'

Hij was in het ziekenhuis.

'Dat was heel lang geleden.'

Hij kwam toen jij neergeschoten was. En nou is hij dood. En je hebt nooit om hem moeten huilen.

'Zo belangrijk was hij niet voor me,' zei Carella.

Betekende je vader veel voor je?

Carella keek haar aan.

Om hem heb je ook niet gehuild.

'Ik heb gehuild,' zei Carella.

Nee! riepen haar handen. Haar ogen bliksemden. Hij realiseerde zich dat ze ontzettend kwaad was.

'Ik huilde van binnen,' zei hij.

Waarom ben je nog steeds zo kwaad op Henry?

'O, Jezus Christus, is het al Henry?' zei Carella.

Jouw zuster gaat met hem trouwen! zei Teddy. *Jij hebt niet het recht haar zich daar schuldig over te laten voelen! Ze houdt van hem!*

'Liefde!' zei Carella.

Is dat opeens een vies woord?

'Hij verloor de zaak!'

Dacht je dat hij dat leuk vond?

'Hij liet de man die mijn vader vermoordde...'

Steve, zei ze en legde haar arm op zijn arm. Sonny Cole is dood. Je hebt hem gedood, Steve. Hij is dood. Laat het los, lieverd. Laat het rusten.

'Het lijkt wel of iedereen dat de laatste tijd tegen me zegt,' zei hij hoofdschuddend.

En wat bedoel je daarmee?

'Niets,' zei hij, 'laat maar zitten.'

Jij hebt nog nooit gezegd: niets, laat maar zitten.

Haar handen bleven rustig, het werd opeens stil in de kamer. Ze keek hem lang en strak aan.

Steve? zei ze ten slotte. Hou je nog van me?

'Ik aanbid je,' zei hij.

Wat is er dan aan de hand? Is het je werk?

Hij schudde zijn hoofd.

Nou?

'Nee. Welnee. Ik hou van mijn werk.'

Toen haalde ze diep adem.

En in de stilte van de nacht vroeg ze waarom hij die dag zoveel gedronken had in het huis van zijn moeder, en eerst zei hij dat hij helemaal niet zoveel gedronken had, maar een of twee glazen wijn, en toen gaf hij toe dat het minstens een hele fles moest zijn geweest, maar het was Kerstmis, godverdomme, ze hoefde niet tegen hem te praten alsof hij een *alcoholist* was, hij was Tommy Giordano niet die in Santa Fe of zo zijn leven zat te versnuiven. Toen gaf hij toe dat hij kwaad was omdat zijn zus zelfs maar durfde te *overwegen* om met de man te trouwen die Sonny Cole uit die rechtszaal had laten lopen...

'Maakt niet uit dat ik hem ten slotte heb neergeschoten, dacht je soms dat ik dat *leuk* vond?' vroeg hij. 'Een man neerschieten? Dacht je soms dat ik agent was geworden om mensen op straat dood te mogen schieten, twintig meter van het huis vandaan waar mijn vrouw en kinderen liggen te slapen, dacht je dat ik dat *leuk* vond?'

Ik denk dat het werk je even te veel wordt, zei ze, en hij zei: Doe niet zo idioot, en zij zei: Ik denk dat het werk je even te veel wordt, lieverd, je bent niet meer jezelf sinds je vader doodgeschoten werd, je bent niet meer de man met wie ik trouwde, en ze huilde op zijn schouder. Hij zei: Kom op, er is niets veranderd. Ik hou van mijn werk. En ik heb om mijn vader gehuild, je hebt er geen idee van hoeveel ik gehuild heb. Ik heb ook om Danny gehuild, hij was een vriend, dat weet ik best, hij stierf praktisch in mijn armen! Jezus, Teddy, denk je dat ik niet om mensen geef, denk je dat ik geen gevoel heb?

En opeens huilde hij weer – of misschien voor de eerste keer.

Ze maakte zich los uit zijn armen.

Ze zat rechtop.

Luister naar me, zei ze.

Hij knikte. Zijn neus liep. Tranen biggelden over zijn wangen.

Als het het werk is, zei ze, *wil ik dat je daar weggaat.*

Hij schudde zijn hoofd. Nee. Bleef schudden. Nee.

Ik wil mijn man niet aan zijn werk kwijtraken.

Tranen bleven over zijn wangen stromen.

Ik wil niet dat je op een dag je revolver in je mond steekt.

Hij bleef maar grienen.

Uiteindelijk deed ze het licht uit en ging ook naar bed, nam hem in haar armen.

Net voor hij in slaap viel bedacht hij dat hij pas twee dagen geleden een vrouw had gezien die als een vleeshomp in stukken was gescheurd.

Dromen van suikerwerk dansten door Ollies hoofd, toch was Kerstmis al bijna voorbij. Ook dromen van rosbief. En zoete jam. En beboterde sperziebonen. En grote stukken appeltaart met vanille-ijs. En Golden Delicious-appeltjes, en Bartlett-peren, en Baci-chocolaatjes met een soort wenskoekjesboodschap, iets als *de ziel van een vrouw is als de kus van een engel.* Hij lag alleen in bed en dacht aan al die lekkere dingen die zijn zuster vandaag bij het kerstdiner opgediend zou hebben. En hij vergat totaal de twee verschillende

– dat dacht hij tenminste – zaken die hij onderzocht. Hij voelde zich ineens uitgehongerd en liep naar de koelkast.

Hij maakte voor zichzelf een grote Genuaanse salami-roggebroodsandwich met boter en mosterd en schonk een glas volle melk in en zette dit alles op de piano die hij huurde.

Het was bijna middernacht.

Hij ging zitten en begon 'Night and Day' te spelen.

Ergens in het gebouw gilde iemand 'Hou godverdomme op, klootzak!'

U kunt de pot op, dacht Ollie en speelde verder.

Hij moest toegeven dat hij nog geen jazzkoning was, maar morgen kwam er weer dag.

Walter Wiggings, beter bekend als Wiggy, kwam graag in een bar op St. Sebastian's en Boyle omdat daar erg vaak blanke hoeren zaten. Wiggy had vanavond zin in een blanke hoer. Niet een van die Puertoricaanse hoeren die blank *leken* omdat ze van Spaanse en niet van Afrikaanse afkomst waren. Wat hij vanavond wilde was een echte blanke hoer.

Net als andere zwarte kinderen die in Amerika opgroeiden had Wiggy basketball op het schoolplein gespeeld, was bij een straatbende gegaan toen hij dertien was, had een twaalfjarig aspirantlid ervan overtuigd dat aan een Johnson lebberen iets anders dan seks was, had twee andere zwarte kinderen van concurrerende bendes vermoord toen hij zestien was, besloot op zijn achttiende dat dat bendegedoe voor de gekken op deze wereld was, werd verliefd op de cocaïne toen hij voor een Colombiaanse drugsdealer werkte, wiens handel hij later over zou nemen, nadat hij de man met een semi-automatische Desert Eagle, die hij van een zwarte wapenhandelaar gekocht had, neerschoot.

Als volwassen man in Amerika – Wiggy was net drieëntwintig – verdiende hij jaarlijks meer dan de baas van General Motors, maar woonde hij nog steeds in Diamondback, het bijna exclusief zwarte stadsdeel, ging met zwarte vrouwen uit, en ging naar een zwarte kapper die wist hoe hij zijn haar moest knippen, en droeg dure kleding uit een winkel op Concord Av. omdat de zwarte eigenaar wist wat een zwarte man het beste stond. Hij at graag biefstuk en aardappels, maar hield ook van grutten en gebakken kip. Hij keek graag naar televisieshows en films met een zwarte cast. Hij las niet veel, maar wat hij las waren meestal misdaadboeken, niet die van blanke schrijvers, want hij vond dat die geen bal van zwarte dieven wisten en zouden dat ook niet moeten proberen. In feite wantrouwde Wiggy *alle* blanken, omdat de mannen dachten dat hij een crimineel was – wat hij overigens was – en de vrouwen dachten dat hij een verkrachter was, wat hij overigens *niet* was, en ook *nooit* geweest was. Hij wantrouwde vooral agenten, omdat hij te vaak door hen in elkaar was geslagen als hij alleen verscheen en omdat hij tegenwoordig veel te veel aan hen betaalde om de andere kant op te kijken als hij zaken deed. Als je een paar dozijn agenten in je zak had zitten, nam je vertrouwen in het rechtssysteem niet toe.

Meestal meed Wiggy de blanke stadswijken omdat hij zich daar bespottelijk voelde, gadegeslagen, verdacht, nooit met het respect behandeld waar hij in zijn eigen gebied recht op had. Hierdoor werd zijn wereldje bepaald door de *afwezigheid* van blanken. En daarom wilde hij graag met blanke hoeren naar bed. Net zoals zoveel blanke kerels naar de buitenwijken kwamen voor zwarte hoeren, omdat die meiden buiten hun horizon woonden, om het zo maar eens te zeggen. De Startlight Bar had vaak blanke hoeren en daarom was hij ook niet verbaasd toen rond kwart over twaalf in de kerstnacht dat langbenige blondje alleen binnen kwam lopen en vlak naast hem aan de bar kwam zitten, en haar benen zo over elkaar sloeg dat hij een royale blik er tussen kon werpen. Dit kleine meisje was zeker weten te koop. Maar als ze Puertoricaanse was, hoefde hij haar niet. Want volgens hem was ze dan niet blank, maar gewoon Latijns-Amerikaans.

Amerika was een eigenaardige plek.

'Vrolijk kerstfeest,' zei hij.

'Vrolijk kerstfeest,' zei zij en draaide zich lachend naar hem toe.

'Vrolijk kerstfeest, juffrouw,' zei de zwarte barkeeper. 'Iets drinken?'

'Een Tanqueray-martini, graag,' zei ze. 'Met ijs.'

'Nog een whisky, meneer Wiggings?' vroeg de barkeeper.

'Nee, John. Ik denk dat ik eens probeer wat de dame drinkt,' zei Wiggy en draaide zijn stoel om haar recht aan te kunnen kijken. 'Wat bestelde je net, juffrouw?'

'Een Tanqueray-martini.'

'Klinkt goed,' zei Wiggy.

'Is het ook,' zei ze lachend.

In zijn hele leven had hij nog nooit martini gedronken. Hij wist ook niet wat Tanqueray was. Maar hij had een heleboel James Bondfilms gezien.

'Geroerd of geschud?' vroeg hij.

Hij hield er niet van dat Bond het met zwarte vrouwen deed. Maar deze vrouw leek heel blank. Maar als dat zo was, wat zocht ze dan midden in de nacht met Kerstmis in een zwarte bar?

'Ik vind geschud beter,' zei ze, nog steeds lachend.

'Schudden, hè?' zei hij. 'Vind je beter?'

'O, ja,' zei ze, ' veel beter.'

'Nou, John,' zei hij, 'schudt het dan ook maar voor mij.'

'Twee martini's, ze komen eraan, meneer Wiggings,' zei de barkeeper.

'Zo,' zei Wiggy tegen het blondje, 'hoe was jouw kerst?'

'Heel gezellig, dank je wel,' zei ze. 'En de jouwe?'

'Ben bij mijn mama geweest,' zei hij, wat klopte. Zijn mama wist niet dat hij in drugs dealde. Ze dacht dat hij een succesvol handelaar was. Er was maar één persoon in zijn familie die wist waarin hij handelde, zijn nicht Ashley, die een van zijn runners was. Het kind verdiende meer geld dan Wiggy's vader die postbode was. 'En jij?'

'Uh-huh,' zei ze, maar het viel hem op dat ze niet vertelde met wie ze wat die dag gedaan had.

'Heeft de kerstman aan je gedacht?'

'O ja,' zei ze.

97

'Twee martini's met ijs,' zei John.

'Bedankt,' zei Wiggy en hief zijn glas naar het blondje. 'Proost,' zei hij, 'Vrolijk kerstfeest.'

'Vrolijk kerstfeest,' zei ze en ze toostte met haar glas tegen het zijne.

Wiggy proefde het drankje.

'Mmm,' zei hij, 'lekker.'

'Zei ik toch?'

'Klopt.'

Geen spoor van een Spaans accent, maar veel van deze derde generatie Latijns-Amerikanen spraken net zo goed Engels als hij. Het laatste waar hij behoefte aan had was een wip met een meid die zes ziektes had die ze in San Juan had opgepikt.

'Walter Wiggins,' zei hij, en zette zijn glas neer, en stak zijn rechterhand uit. Ze pakte hem met haar eigen hand; die was koud van het drankje dat ze had vastgehouden.

'Sheryl,' zei ze.

'Leuk kennis met je te maken, Sheryl.'

Klonk niet als een Spaanse naam voorzover hij wist, misschien was ze toch blank. Of misschien joods, dat was nog beter. Als je een van die joodse mokkels in bed kreeg, schreeuwden ze de hele klerebuurt bij elkaar.

'Woon je hier in Diamondback?' vroeg hij.

Er woonde hier een handjevol Latijns-Amerikanen, misschien was zij er toch een van. Hij zou John graag even apart willen nemen, hem vragen wie dat blondje met die lange benen en die grote tieten was. Een Spaanse arbeidster of een import.

'Nee, ik ben de hele dag bij een vriendin geweest.'

'Woont die hier?'

'Nee, haar moeder.'

'Is ze zwart?'

'Nee.'

'Spaans?'

Hij keek haar neutraal aan.

'Blank,' zei ze. 'Net als ik.'

'En waar woon je?'

'Bij mijn vriendin. We zijn kamergenoten.'

'En waar is dat?'

'In de binnenstad. Hastings and Palm. Vlak bij de Triangle.'

'Mooie buurt,' zei hij. 'En wat doe je hier?'

'Zei ik al. De moeder van mijn vriendin had ons voor de kerst uitgenodigd.'

'Een blanke vrouw die hier woont?'

'Bij het park.' zei ze. 'Wat heb jij eigenlijk?'

'Ik dacht dat je Puertoricaanse was.'

'Nee. Maar maakt dat wat uit, dan?'

'Helemaal niet.'

'Wat is dit voor geklooi?' vroeg ze. 'Ik bedoel, waar maak jij je zo druk over, ben jij soms zo kloteblank?'

Opeens vond hij haar aardig.

'Drink nog wat,' zei hij.

'O, ben ik opeens blank genoeg voor je?'

'Je bent blank genoeg, lieverd,' zei hij en legde zijn hand op haar dij. Ze keek hem recht aan.

'Nog een Tanqueray,' zei ze tegen de barkeeper.

'En u, meneer Wiggins?'

'Ik doe met de dame mee,' zei Willy en aaide over haar dij. Ze bleef hem recht aankijken. Ze wiebelde nu met haar voet. Ze had enorme tieten in een laag uitgesneden zwarte jurk.

'En wat doe je hier in de Starlight?' vroeg hij.

'Wat doe jij hier in de Starlight?'

'Hoop een prachtige blondine uit de binnenstad, uit Hastings and Palm te ontmoeten,' zei hij. 'Vlak bij de Triangle.'

'En je hebt haar ontmoet,' zei Sheryl en legde haar hand op zijn hand op haar dij. Haar hand was niet koud meer.

'Daar lijkt het wel op,' zei Wiggy.

Sheryl keek op haar horloge. 'Over vijf minuten pikt mijn vriendin me op. We hebben een auto en een chauffeur. Wil je mee naar de binnenstad, lieverd?'

'Eerst onze drankjes opdrinken,' zei Wiggy.

* * *

De limo was een zwarte Lincoln Town Car, de chauffeur zwart.
Op de achterbank zat nog een blondje, in net zo'n zwarte jurk als
die van Sheryl, net zulke hooggehakte schoenen als zij, dezelfde
zwarte jas, een klein zwart bontje om haar nek. Het was warm in
de auto en het rook er naar duur parfum. 'Hoi,' zei het andere
blondje en stak haar hand uit. 'Ik ben Toni.' Wiggy ging op de
stoel naast haar zitten en pakte haar hand. 'Hoi, lieverd,' zei ze en
leunde langs hem heen om Sheryl op haar wang te zoenen. Hij
voelde haar borsten tegen zijn arm. Haar jurk was hoog opge-
kropen. Het portier aan Sheryls kant sloeg dicht. Ze kwam dichter
bij hem zitten. De brother stapte ook in, ging makkelijk achter het
stuur zitten.

'We gaan naar huis,' zei Toni tegen hem en het getinte glas achter de chauffeur gleed onmiddellijk omhoog.

'Sorry, dames,' zei Wiggy, 'maar hoeveel gaat me dit kosten?'

'Een miljoen, negenhonderdduizend dollar,' zei Toni.

Hij keek haar verbijsterd aan.

Ze had een AK-47 op haar schoot.

6

De kantoren van Wadsworth and Dodds lagen in een zijstraat van Headley Square, in de buurt van het Municipal Theatre en de Briley kunstacademie. Toen Ollie langs het kleine parkje voor de academie liep en daarna over het plein zelf, blies een straffe wind bijna zijn hoed van zijn hoofd. Hij moest hem met beide handen vastgrijpen, vervloekte de wind en God – die ook op zijn lijst van mensen, plaatsen, dingen en bovennatuurlijke toestanden die hij haatte stond – en liep vervolgens door naar het gebouw waarin de uitgeverij zat. De wind floot onder de dakpannen van het oude gebouw door toen hij het trappetje naar de voordeur beklom en het voorportaal betrad terwijl hij ondertussen de sneeuw van zijn schoenen stampte. Hij keek op de lijst die er hing – Wadsworth and Dodds zaten op de vierde verdieping van het zes verdiepingen hoge gebouw – en wandelde naar de wachtende lift, het chique traliewerk van de deur kon rechtstreeks uit een spionagefilm die in Wenen speelde, komen.

'Woosh!' zei hij tegen de liftjongen en nam zijn hoed af toen hij zag dat er al een dame in de lift stond. Het gebaar werd opgemerkt. De vrouw, een verzorgde vrouw van achter in de vijftig, dacht Ollie, met nog geweldige benen en *poitrines*, o ja, lachte bijna onmerkbaar. Ze zou er wel hard aan moeten werken. Binnenkort moest hij toch ook eens naar een sporthal gaan om een paar kilo kwijt te raken, maar niet te vlug. Misschien nadat hij zijn vijf liedjes had geleerd. Zijn volgende les was morgenavond, hij kon bijna niet wachten.

Wadsworth and Dodds bemande de hele vierde verdieping van het gebouw. Ollie keek een keer naar de receptioniste achter haar bureau en vond dat zij de aerobicslessen die die vrouw uit de lift ongetwijfeld volgde, ook heel goed zou kunnen gebruiken. Ollie had een pesthekel aan dikke mensen. Hij vond hen onsmakelijk en zwak, terwijl hij zijn eigen buikomvang perfect vond passen bij zijn lengte en beenderstructuur. Als Vette Ollie Weeks in een spiegel keek, zag hij een indrukwekkende man, wiens aanwezigheid de onderwereldfiguren angst inboezemde.

'Kan ik u helpen, meneer?' vroeg de dikke dame achter het bureau.

Ollie trok zijn insigne.

'Rechercheur Weeks,' zei hij en wees erop. 'Ik wilde graag met iemand spreken die hier de zaak leidt.'

'Dan moet u meneer Halloway, onze uitgever, hebben.'

'Prima,' zei Ollie en klapte het insigne dicht. 'Kunt u hem alstublieft laten weten dat ik er ben?'

De dikke dame pakte haar telefoon, drukte op een knop op haar bureau, luisterde en zei: 'Een rechercheur Weeks voor u, meneer,' luisterde weer, zei: 'Ja, meneer,' keek naar Ollie en vroeg: 'Mag ik u vragen waarover het gaat, meneer?'

'Nee,' zei Ollie.

De dikke dame keek verbaasd. 'Uh,' zei ze in de hoorn, 'hij wil het niet vertellen, meneer. Ja, meneer... ja, meneer.' Ze hing op, glimlachte naar Ollie en zei: 'Hij komt zo snel mogelijk, meneer. Wilt u zolang niet even gaan zitten?'

'Bedankt,' zei Ollie en begon door de ruimte te ijsberen.

Ingelijste posters van Wadsworth and Dodds-boeken hingen aan de muren. Het logo van de firma was een herkenbare open hand, met een zilveren globe en felle lichtstralen in de palm, en vingers die zich er voorzichtig omheen sloten. Ollie kende geen van de titels.

Achter zich, hoorde hij een zoemer op het bureau van de dikke dame.

'Meneer Weeks?' zei ze. 'Hij kan u nu ontvangen. Aan het eind van de gang, deur aan de rechterkant.'

Ollie knikte.

De gang naar Halloways kantoor was ook behangen met ingelijste posters van boeken waar Ollie nog nooit van gehoord had. Op de dichte walnoten deur aan de rechterkant, aan het eind van de gang, stond niets. Hij klopte, hoorde een mannenstem 'komt u binnen' zeggen, draaide aan de koperen deurknop en ging naar binnen. Hij stond in een hoekkantoor met langs twee muren boekenkasten van de vloer tot het plafond. In de andere twee muren zaten ramen rondom een walnoten bureau dat bij de deur paste. Een witharige man van begin vijftig, schatte Ollie, zat achter het bureau. Hij stond op op het moment dat Ollie binnenkwam. Stak zijn hand uit en zei: 'Richard Halloway, aangenaam kennis te maken.'

Ollie pakte de hand.

'Rechercheur Oliver Weeks,' zei hij, 'achtentachtigste district.'

'Gaat u toch zitten,' zei Halloway en wees op een bruinleren stoel versierd met koperen knopen. Ollie zonk in de stoel.

'Hoe kan ik u helpen.'

'Een van uw vertegenwoordigers is op kerstavond vermoord,' begon Ollie. 'Hij heet...'

'Wat?'

'Ja, meneer. Hij heet Jerome Hoskins. Uit wat zijn vrouw...'

'O, mijn god!' zei Halloway.

'Uit wat zijn vrouw me vertelde, begrijp ik dat hij boeken in uw noordoostelijke rayon verkocht.'

'Ja. Ja, dat klopt. Neemt u me niet kwalijk, ik... sorry.'

Nu schudde hij met zijn hoofd, liet zien hoe geschokt hij was. Klein, witharig mannetje in een grijs flanellen pak en een vlinderdasje met rode stippen op een zwarte ondergrond, schudde zijn hoofd, keek verschrikt en was ineens zo droevig dat het wat komisch op Ollie overkwam. Maar aan de andere kant had hij nog nooit eerder een boekenuitgever ontmoet.

'Viel Diamondback ook in zijn rayon?'

'Ja, klopt.'

'Veel boekwinkels daar, volgens mij.'

'Niet veel. Maar genoeg. We zijn een klein bedrijf, de laatste familie-uitgeverij in deze stad eigenlijk. We proberen constant onze markt te vergroten.'

'Verkoopt u uw boeken ook contant, meneer Halloway?'

'Sorry, die vraag begrijp ik niet.'

'Hoskins had zevenhonderd dollar en wat kleingeld in zijn portemonnee. Een boel contant geld om mee rond te lopen.'

'Ik heb geen idee waarom hij zou...'

'Enig idee waarom hij een revolver bij zich had?'

'Diamondback is een gevaarlijke buurt...'

'U hoeft me niets te vertellen.'

'Misschien vond hij dat hij bescherming nodig had.'

'Hebben al uw verkopers revolvers?'

'Niet dat ik weet. Eigenlijk wist ik tot op dit moment niet eens dat Jerry er een had.'

'Hoeveel verkopers hebt u in dienst?'

'Inclusief Jerry vijf. Ik zei al dat we een klein bedrijf zijn.'

'Leeft meneer Wadsworth nog? Of meneer Dodds?'

'Allebei overleden. Christine Dodds is momenteel de enige aandeelhouder. De kleindochter van Henry Dodds.'

'En u? Bent u lid van de familie?'

'Ik? Nee. Nee. Waarom dacht u dat?'

'Nou, u bent toch de uitgever en zo...'

'Ach, dat is maar een titel,' zei Halloway luchtig. 'Net als president of vice-president of senior-uitgever.'

'Toch een belangrijke titel, hè?'

'Tja... ja.'

'Wie zijn de overige vier vertegenwoordigers? Ik zal met ze moeten spreken.'

'Jerry was de enige die vanuit hier werkte, weet u. Vanuit deze stad.'

'Waar zitten de anderen?'

'Illinois, Minnesota, Texas en Californië.'

'Kunt u me hun namen en telefoonnummers geven?'

'Natuurlijk.'

'En de namen, adressen en telefoonnummers van de boekwinkels die meneer Hoskins in Diamondback bezocht heeft.'

'Ik zal Charmaine vragen om ze voor u op te stellen.'

Charmaine, dacht Ollie. Een slanke geestesverschijning die een ton woog! Hij zag hoe Halloway de hoorn pakte, op een knop drukte en de receptioniste vertelde wat hij nodig had. Hij vertelde het op efficiënte, gedecideerde toon. Toen hij de hoorn neer-

104

legde scheen hij zich ineens te realiseren dat Ollie hem scherp in de gaten had gehouden. Hij glimlachte. 'Ze zal ze voor u klaar hebben liggen als u weggaat.'

'Bedankt. En dan zou ik nu graag willen weten wat u weet over Jerry Hoskins.'

'Vraag me maar wat u wilt weten.'

'Nou,' zei Ollie, 'volgens mij wil ik graag weten hoe een vertegenwoordiger in boeken in contact komt met types die een man in zijn achterhoofd schieten en hem vervolgens in een vuilnisbak proppen.'

'Goeie god!' zei Halloway.

Ollie wist niet dat er nog mensen op deze planeet leefden die nog 'goeie god' zeiden. Weer had hij het gevoel dat Richard Halloways verdriet en verbazing niet echt waren.

'De meeste bendes in Diamondback handelen in drugs,' zei hij en lette op de ogen van Halloway. Geen reactie. 'Hoskins zat toch niet in de drugshandel, hè?'

'Voorzover ik weet niet.'

'Wie zou het kunnen weten?'

'Sorry?'

'Of hij in de drugshandel zat. Of er op een andere manier bij betrokken was.'

'Ik kan me niet voorstellen dat Jerry…'

'Wie zou zich het kunnen voorstellen, meneer Halloway?'

'Ik neem aan dat onze verkoopleider hem het beste heeft gekend.'

'Hoe heet hij?'

'Het is een vrouw.'

'Oké,' zei Ollie.

'Ik zal vragen of ze hier naartoe komt.'

Carella en Meyer gingen op de zesentwintigste om tien uur naar de Banque Française met een gerechtelijk bevel om het kluisje van Cassandra Jean Ridley open te maken. De manager van de bank was een Fransman uit Lyon, Pascal Prouteau. Met een charmant

accent vertelde hij dat hij in de krant over de dood van mademoi-
selle 'Reed-ley' gelezen had en dat het hem erg speet. 'Het was
zo'n lieve vrouw,' zei hij. ''et is 'eel erg wat er met 'aar gebeurd
is.'

'Wanneer heeft ze hier een kluis geopend, kunt u ons dat vertellen?' vroeg Meyer.

'Oui, *messieurs*. Ik 'eb de aantekeningen 'ier,' zei Prouteau. 'Dat
was zestien november.'

'En hoe vaak is ze vanaf die tijd in de kluis geweest?'

Prouteau keek op de lijst waarop dat werd afgetekend.

'Ze was 'ier 'eel vaak,' zei hij verbaasd en gaf de lijst aan Carella.
Hij en Meyer bekeken die samen. 'Hier willen we graag een kopie
van,' zei Meyer.

'*Mais oui, certainement.*'

'Laten we eens in die kluis kijken,' zei Carella.

Wat ze in de kluis vonden was zesennegentigduizend dollar in
honderddollarbiljetten.

En een vel papier vol getallen.

Ook hier wilden ze van Prouteau graag een kopie van hebben.

Ze wisten dat de dame zich had beziggehouden met het witwassen van geld, nog voordat ze de getallen met haar twee chequeboekjes en haar spaarbankboekje vergeleken hadden.

De handgeschreven aantekeningen uit haar kluisje zagen er zo
uit:

Storting: 16 november	**$ 50.000**
Actuele balans	$ 50.000
Opgenomen:	
20 *november*	$ 6.500
21 *november*	$ 9.000
22 *november*	$ 7.000
24 *november*	$ 5.430

'Ik mis een dag,' zei Meyer.

'Thanksgiving,' zei Carella.

25 *november*	$ 6.070
27 *november*	$ 8.000
28 *november*	$ 4.000
Actuele saldo	$ 4.000

De volgende storting was bijna twee weken later.

'Volgens haar kalender ging ze op 8 december naar East,' zei Carella.

Storting: 11 december	$ 150.000
Actuele balans	$ 154.000
Opgenomen:	
12 *december*	$ 4.000
13 *december*	$ 9.000
14 *december*	$ 7.500
15 *december*	$ 7.500
18 *december*	$ 8.300
19 *december*	$ 9.400
20 *december*	$ 8.600
21 *december*	$ 3.700
Actuele saldo	$ 96.000

Op de identieke data dat ze geld had opgenomen uit haar kluisje, waren er corresponderende stortingen op haar twee rekeningen of op haar spaarbankboekje. Bij iedere storting ging het om een bedrag onder de tienduizend dollar, het maximumbedrag dat gestort mocht worden volgens een dertig jaar oude federale wet. Alles boven dat bedrag moest gemeld worden aan de Internal Revenu Service op een zogenoemd CTR, acroniem voor Currency Transaction Report. Het leek erop dat Cassandra Jean Ridley betrokken was bij het witwassen van geld, maar op een relatief kleine schaal. Smurfen, zoals dat werd genoemd.

Om voor witwassen vervolgd te kunnen worden moest iemand de herkomst of de eigenaar van het illegale geld zodanig verbergen dat het legaal leek. Legaal verdiend geld weghouden om er geen belasting over te hoeven betalen, werd ook witwassen genoemd. Het Amerikaanse ministerie van Financiën erkende verontrust een verklaring van het ministerie van Buitenlandse Zaken dat er minstens vierhonderd miljard dollar jaarlijks in de wereld werd witgewassen. Er werd beweerd dat vijftig tot honderd miljard hiervan alleen van drugsgelden uit Amerika kwam.

Als de geldstortingen van Cassandra Jean Ridley noodzakelijk waren omdat het drugsgeld was, dan was ze ook op dat gebied een kleintje. Volgens de bewijzen waar ze nu over beschikten had ze zo'n tweehonderdduizend dollar in het legale circuit ingebracht en had daarna via verschillende financiële transacties de mogelijke criminele herkomst verbloemd. In het politiejargon heette dat 'plaatsen' en 'uitzetten'. Maar drugsverkopen op de straat werden meestal in vijf- of tiendollarbiljetten betaald. En de zesennegentigduizend dollar die ze in haar kluisje hadden gevonden waren in honderddollarbiljetten. Het was daardoor bijna zeker dat ze niet de straat op was geweest om zakjes coke aan kinderen te verkopen.

In haar chequeboekjes vonden ze dat er in de weken voor haar moord diverse grote bedragen aan warenhuizen in de hele stad waren overgeschreven. De dame had het geld laten rollen en het grof uitgegeven. Het enige bedrag waar ze geen verklaring voor hadden was achtduizend dollar in honderddollarbiljetten dat ze in de bovenste la van haar bureau hadden gevonden – vermoedelijk geld dat bij een ontvoering, die de aandacht van de Secret Service had getrokken, was betaald.

Ze wisten nog een paar meer dingen van Cassandra Jean Ridley.

Ze was pilote in het Amerikaanse leger geweest.

Ze had in Eagle Branch, Texas, gewoond.

Dit laatste zou later niet zo belangrijk zijn geweest, ware het niet dat Ollie Weeks op datzelfde moment met de verkoopleider van Jerome Hoskins op de uitgeverij van Wadworth and Dodds had gesproken.

Karen Andersen was een slanke brunette in een donkergrijs pak met witte strepen en brede revers. Ze had een stevige handdruk en een uitnodigende glimlach. Ollie vroeg zich direct af of ze misschien zwarte netkousen en een kousenband onder haar lange broek aan had. Halloway vertelde haar waarom Ollie er was – ze leek net zo ontzet over het nieuws van de moord op Hoskins – en liet hen toen alleen in zijn kantoor terwijl hij naar een bijeenkomst in de vergaderzaal van de uitgeverij ging. Karen vroeg of Ollie een kop koffie wilde. Het was bijna twaalf uur; hij kreeg honger. Vroeg zich af of het aanbod ook een croissant, of een donut of desnoods een stukje toast inhield. In ieder geval zei hij ja en keek Karens kont na toen ze naar een harmonicadeur liep waarachter een klein keukentje verborgen was. Een koffiezetapparaat stond al startklaar. Ze drukte op een knopje. Een rood lichtje ging branden. Karen liep naar een stoel recht tegenover hem. Ze sloeg haar lange benen over elkaar. Hij wenste dat ze een rok aan had gehad. Ze drukte haar vingers tegen elkaar. Lange, slanke vingers, de nagels gelakt in een kleur die bij haar lippenstift paste. Het pittige aroma van doordruppelende koffie zette Ollies speekselklieren aan het werk.

'Zo,' begon ze, 'wat wilt u precies weten?'

'Wat deed hij in Diamondback?' wilde Ollie weten.

'Boeken verkopen, neem ik aan.'

'Op kerstavond om één uur 's nachts?'

Karen keek hem aan.

'Dat is de voorlopige mening van de lijkschouwer. De tijd van zijn overlijden. De tijd dat iemand met een 9mm pistool in zijn achterhoofd schoot.'

'Ik heb geen flauw idee wat hij daar op dat moment deed.'

'Aan hoeveel boekwinkels verkocht hij?' vroeg Ollie. 'In Diamondback?'

'Vier. We proberen onze markt daar uit te breiden.'

'Wat voor soort boeken verkoopt u?'

'Vooral non-fictie. We hebben een bescheiden fictielijst, maar niets interessants.'

'Boeken die een negerpubliek zouden interesseren?'

'Een wat?'

'Negerpubliek.'

'U zei neger.'

'Klopt.'

'Sommige.'

'Wat voor sommige?'

'O, een paar van onze boeken.'

'Had Hoskins op wat voor manier dan ook problemen?'

'Problemen?'

'Uitzuigers. Trage betalers. Maakt niet uit. Mentale crisis?'

'Niet dat ik weet. We zijn een eenvoudig bedrijf. Ik zei al dat we onze markt proberen uit te breiden. Niet alleen in Diamondback, maar in de hele Verenigde Staten. De koffie is klaar.' Ze stond op, liep naar het keukentje en schonk voor hen beiden koffie in. 'Suiker?' vroeg ze, 'room?'

'Allebei.'

Hij hoopte dat ze hem iets te eten gaf. Zijn ogen gleden over het aanrecht, maar zag alleen maar een open pak kristalsuiker staan. Ze knielde voor een minikoelkastje onder het aanrecht, pakte een flesje room. Ze schepte suiker in zijn kopje...

'Twee lepeltjes graag,' zei hij.

...schonk er room bij en nam het mee naar hun stoelen. Ze rook naar een duur parfum. Hij vroeg zich af waarom ze in vredesnaam boeken verkocht voor zo'n klein uitgeverijtje als Wadsworth and Dodds.

'Vijf vertegenwoordigers,' zei Ollie. 'Dat vertelde meneer Halloway me. Charmaine zoekt hun namen en telefoonnummers voor me op.'

'Waarom?'

'Ik wil ze spreken. Wie weet wat ze me over hem kunnen vertellen.'

'Volgens mij kennen ze hem niet zo goed. Ze zien elkaar niet vaak, behalve dan op de verkoopvergaderingen.'

'Toch een paar telefoontjes waard,' zei Ollie schouderophalend.

'Ik zal even vragen hoe ver ze ermee is,' zei Karen.

Ze pakte de hoorn op Halloways bureau en drukte op een knop

op het toestel. 'Hoi,' zei ze, 'met Karen. Heb je de gegevens voor rechercheur Weeks al?' Ze luisterde, knikte, hing op en zei: 'Ze brengt ze zo meteen.' Ze sloeg haar armen over elkaar en keek Ollie aan.

'Zouden jullie geïnteresseerd zijn in een boek van een eerlijke politieman?' vroeg hij.

Karen keek verrast.

'Nou?'

'Wat voor soort boek?'

'Een boek over hoe het in het echt zou kunnen gebeuren.'

'Fictie?'

'Tuurlijk, fictie. Maar geschreven door iemand die het echte politiewerk kent, niet door van die mietjes die het allemaal uit hun grote duim halen.'

'En aan wie dacht u?'

'Aan mijzelf,' zei Ollie.

'Ik wist niet dat u schreef.'

'U weet waarschijnlijk ook niet dat ik piano speel.'

'Ik moet toegeven dat u gelijk hebt.'

'Vindt u "Night and Day" mooi? Dat kan ik wel eens een keer voor u spelen.'

'Was nooit een van mijn favorieten.'

'Ik kan het ook in een Latijns-Amerikaans ritme spelen, als u dat leuker vindt.'

'Heel aardig, maar bedankt. Hoezo? Zie ik er zo Latijns-Amerikaans uit?'

'Nou ja, donker haar en ogen.'

'In feite komen mijn ouders uit Zweden.'

'Zouden jullie geïnteresseerd zijn?'

'Waarin?'

'In een fictieboek over politiewerk! Ik heb genoeg ideeën.'

'In een Latijns-Amerikaans ritme?' vroeg Karen glimlachend.

'Ik had eerder een Amerikaanse agent in gedachten.'

'We verkopen veel boeken in het zuidwesten.'

'Wat heeft dat met mijn idee te maken?'

'Een groot Latijns-Amerikaans publiek.'

'Ik zou er een paar Latino-types in kunnen stoppen,' zei Ollie weifelend, 'maar dat zou de subtiele eenheid kunnen verstoren.'

'O, u hebt al een eenheid voor ogen.'

'Nee, maar ik denk dat als ik met iemand die hier werkt, een van uw redacteuren...'

'Ja...'

'...dat hij me misschien zou kunnen vertellen wat jullie zoeken en dat ik dan een ruwe opzet of zoiets zou kunnen maken. Ik moet u iets uitleggen, mevrouw Andersen...'

'Ja, wat is dat?'

'Als iemand op een bepaald gebied creatief is, is hij dat ook vaak op andere gebieden. Tenminste, dat is mijn ervaring. Neem Picasso, hebt u wel eens van Pancho Picasso gehoord?'

'Schrijft die niet politieromans?'

'Kom nou toch, hij was een beroemde schilder. U hebt wel van hem gehoord. Waar het mij om gaat is dat hij ook potten maak-te.'

'Ik snap het.'

'Wat ik probeer te zeggen is, dat als je op een gebied creatief bent, je dat ook op andere gebieden bent. Mijn pianoleraar zegt dat ik nog heel ver kan komen.'

'Misschien treedt u ooit in Clarendon Hall op.'

'Wie weet? Dus hebt u een redacteur hier met wie ik kan over-leggen? Ik geef uw uitgeverij een exclusieve optie op dit boek.'

'Ik weet niet of een van de redacteuren op dit moment tijd heeft,' zei Karen, 'maar we hebben wel iets waar u misschien naar kunt kijken.'

'Hoe bedoelt u, naar kunt kijken?'

'Iets dat een van onze redacteuren zou voorbereiden. Onze behoeftes op papier zetten. Zoals ik al zei, we geven niet veel fic-tie uit...'

'Altijd ruimte voor een bestseller, toch?'

'Altijd ruimte.'

'Als jullie meer bestsellers hadden, zouden jullie vertegenwoor-

digers misschien niet met kogelgaten in hun hoofd in een vuilnisbak belanden.'

'Misschien niet.'

'Zat hij in de drugshandel?' wilde Ollie weten.

'Niet dat ik weet.'

'Had hij daar een zwart grietje zitten?'

'Hij was getrouwd.'

'Had hij daar een zwart grietje zitten? vroeg Ollie nog een keer.

'Hij was *gelukkig* getrouwd.'

Elegante Charmaine kwam binnen met de namen en adressen
van Hoskins' klanten in Diamondback en de namen en adressen
van zijn collegaverkopers in Amerika.

Een van hen woonde in Eagle Branch, Texas.

Walter Wiggins was met het idee opgegroeid dat je het systeem
moest aanvallen om het te kunnen verslaan. Zoals hij het zag, was
het systeem tegen de zwarte mens gericht, en iedere gekleurde
mens zou gek zijn om te proberen binnen de regels te leven die
blanke mensen hadden opgesteld om de zwarte mens te koeione-
ren en te straffen.

Wiggy pleegde zijn eerste diefstal – een waterpistool van twee
dollar in een winkel van sinkel op Haylay Avenue, de brede door-
gangsweg die dwars door Diamondback liep – toen hij zes jaar
was. Zijn moeder dwong hem het speelgoedpistool aan de eigenaar terug te geven, wat Wiggy na veel geprotesteer en gejammer
deed. Twee dagen later ging hij weer naar de winkel – zonder zijn
moeder deze keer – en stal het waterpistool opnieuw.

De eigenaar was blank, maar Wiggy had niet het idee dat hij
streed voor black power – dat toen heel in was – of iets anders.
Hij had het idee dat hij een gratis waterpistool had, ondanks zijn
kutmoeder. Hij bleef kleine inbraken plegen tot hij dertien was en
bij een straatbende ging die Orion heette. Hierna bestond zijn
leven uit straatgevechten, drugsgebruik, drugshandel en uiteindelijk het opzetten en leiden (zo dacht hij er tenminste over) van de
kring mensen (hij noemde het posse, in Colombiaanse stijl) die

zijn levensstijl, waaraan hij inmiddels helemaal gewend was geraakt, mogelijk maakten. Het zou niet in hem opkomen dat een leven binnen het systeem een goed alternatief voor zijn leven zou zijn. Wiggy was een groot man in dit deel van de stad. Hij verbeeldde zich zelfs dat hij ook buiten zijn machtsgebied van zes blokken berucht was.

Het zat hem vreselijk dwars dat hij moest betalen voor de cocaine aan een soort straatventende man, van wie hij dacht dat het een amateur was. En het zat hem vreselijk dwars dat hij dat geld moest geven aan een stelletje blanke grieten met pistolen die groter dan zijzelf waren. Die vent, Frank Holt – hoewel Wiggy betwijfelde of dat zijn echte naam was – was hem aanbevolen door een neef van Wiggy uit Mobile, Alabama, die vertelde dat hij hem bij ene Randolph Biggs had ontmoet in Dallas, Texas, toen ze met z'n drieën een zaakje vanuit Mexico opzetten. Dat was vier jaar geleden. Blijkbaar had deze Frank Holt-figuur – die later met zijn voeten naar beneden en met een kogelschot in zijn achterhoofd, een aardigheidje van Wiggy zelf, in een vuilnisbak eindigde – onlangs zeer goede coke in Guenerando, Mexico, ingekocht en via diverse omwegen deze metropool binnen gesmokkeld waar hij de honderd keys tegen een miljoen negen wilde uitzetten. Een blik op die vent en je wist dat hij nieuw in de handel was, hoewel Wiggy's neef lang geleden met hem had samengewerkt. Hij droeg zo'n antiek ding uit *Casablanca* en vertrouwde Tigo en hem zodanig dat ze alleen de coke konden testen terwijl hij buiten met brother Thomas wachtte. Thomas, die hem met zijn blote handen in tweeën had kunnen breken. Het systeem aanvallen, daar ging het om. Waarom zou je een blanke een miljoen negen betalen als je hem ook door zijn hoofd kon schieten en het spul gratis mee naar huis kon nemen? Net zoals het waterpistool.

Niet dat er geen winst in deze handel te maken was, zelfs als Wiggy het spelletje netjes volgens de regels had gespeeld. Betaal Frank Holt – of hoe hij dan ook moge heten – het bedrag dat hij voor zijn honderd keys werkelijk echt goed spul wilde hebben, en neem het van daaraf over. Uiteindelijk, omdat Wiggy stom of roekeloos of allebei was geweest, moest hij negentienduizend dollar per key dokken aan twee blondines in de Lincoln Town Car, die met hem terugreden naar zijn zogeheten kantoor op Decatur en keken hoe hij de kluis openmaakte. De ene, Toni – van wie hij wist dat dat *haar* naam zeker niet was – zat daar met die AK-47 op zijn hoofd gericht terwijl hij de goede cijfercombinatie draaide, met een glimlach op haar gezicht en haar geweldige benen over elkaar geslagen.

Wiggy was er niet in geslaagd om het systeem te verslaan.

O ja, hij wist dat hij zijn net verkregen tienkey-pakken kon verkopen voor drieëntwintigduizend per key, 21% winst per key, een winst van vierhonderdduizend dollar op zijn investeringen van een komma negen miljoen dollar. Ja, dat wist hij, en dat was niet slecht voor een kind dat op zesjarige leeftijd zijn eerste waterpistool had gestolen. Hij wist ook dat iedereen langs de lijn winst maakte, maar hij gaf geen sodemieter om anderen, alleen om zichzelf. Zijn kopers van één kilo zouden het spul gaan versnijden tot ze zo'n 1 350 gram hadden, vijfenveertig pakketjes van dertig gram cocaïne. Die werden voor rond de achthonderd dollar per pakketje verkocht, de winstmarge werd steeds hoger naarmate de drugs dichterbij de straat kwamen. Wat in Mexico aan het begin van de lijn een komma zeven miljoen dollar had gekost, bracht in de straten van Diamondback via de handelaartjes bijna negen miljoen dollar op. Van deur tot deur maakte iedereen die erbij betrokken was geld, geld, geld, maar in dit geval was Wiggy de numero uno. Het kon hem niets schelen dat een paar van de kinderen die de zwaarversneden shit van dealers kochten amper ouder waren dan hijzelf toen hij dat waterpistool jatte.

Wat hem wel dwarszat was dat hij twee blondines met grote tieten moest toestaan om hem te plukken en hem zo nog meer winst te ontnemen. Hij zou dat geld op de een of andere manier terug moeten zien te krijgen.

Wat hij niet wist, was dat zijn een komma negen miljoen dollar al witgewassen in Iran zat – waar het nog meer geld tegen een hoog disconto zou aantrekken.

* * *

De roodharige pilote had hem verteld dat de man Randolph Biggs heette en had gezegd dat hij in Eagle Branch, Texas, woonde. Ze had hem ook een redelijk goede beschrijving gegeven: een lange, breedgeschouderde man met dik zwart haar en een zwarte snor. Ze had verteld dat hij een Texas Ranger was, maar *dat* konden ze niet navragen, eh, *amigo*? Trouwens, ze hadden toch al het gevoel dat ze daarover had gelogen of zelf was voorgelogen.

Want wat kon een Texas Ranger in vredesnaam te maken hebben met een complot om dope uit Guenerando, Mexico, te vliegen?

Eagle Branch lag net over de Rio Grande vanuit Piedras Rosas, Mexico – waar een legendarische held, een Amerikaanse ex-marinier een Amerikaanse drugsgevangene uit de gevangenis daar had bevrijd, o, ja, zo'n twintig, dertig jaar geleden. Legendes blijven leven. De mensen in Eagle Branch hadden het nog steeds over die gedurfde bevrijding. Het werd bijna een mythe. Ze hielden stijf vol dat de vriendin van de ontsnapte gevangene in Eagle Branch had gewoond en op school les had gegeven. Wie weet? Het kon best waar zijn.

De mensen in Piedras Rosas waren niet in het verhaal geïnteresseerd. Al had een heel *bataljon* mariniers *alle* gevangenen bevrijd. Zij geloofden dat de corrupte bewakers in de plaatselijke gevangenis, mits er genoeg *mordida* werd betaald, sowieso iedereen zouden laten lopen. De meeste mensen in Piedras Rosas wilden de rivier oversteken en naar het noorden trekken, waar Wiggy cocaïne aan dealers verkocht, die het spul zouden versnijden en verkopen aan Mexicaanse immigranten zonder groene kaarten die in gore achterbuurten woonden en over die goede oude tijd in Piedras Rosas droomden.

Francisco Octavio en Cesar Villada hadden alle twee een groene kaart en waren daardoor vrij om te gaan en te staan waar ze wilden, konden zoveel en zo vaak als ze wilden heen en weer reizen voor hun beroep. En dat was miljoenen dollars verdienen – als dat tenminste het goede woord was – met drugssmokkel uit

Colombia en de verkoop ervan aan de gringo's aan de andere kant van de grens. Op de zevende december van dit jaar hadden ze aan een knappe roodharige pilote honderd keys zeer hoogwaardige cocaïne, die ze van het Calikartel hadden gekocht, overhandigd. Het Calikartel, een beruchte groep dopehandelaren die vanuit de twee na grootste stad van Colombia opereerde. Zij had hun een komma zeven miljoen dollar in honderddollarbiljetten gegeven, wat ze hadden nageteld om zeker van het bedrag te zijn. En daarna – heel gul, vonden ze zelf – hadden ze er tienduizend vanaf gehaald en gewoon aan haar gegeven.

Ze hadden breeduit gelachen.

Gracias, gracias, muchas gracias.

Nu, in dit kleine grensstadje waar zo'n vijftien- tot twintigduizend mensen woonden, schatten ze, zochten ze naar een man die Randolph Biggs heette, die de dame het geld had gegeven dat zij vervolgens aan hen had gegeven.

Ze vonden het niet erg dat ze tienduizend kwijt waren, wat ze trouwens uit vrije wil hadden weggegeven, als dank, als een gebaar van de ten-zuiden-van-de-grens-gulheid.

Wat ze wel erg vonden was dat *al* het geld vals was.

7

Het restaurant was gespecialiseerd in de mediterrane en de Midden-Oosterse keuken. Hier, in de schaduw van de moskee, aan de oever van de rivier Dix Drive, kon men zichzelf trakteren op heerlijke schotels uit Turkije, Israël, Libanon, Marokko, Tunesië, Syrië, Iran, Irak en de Verenigde Arabische Republiek. Het restaurant stond zelfs tussen de middag al bol van de sigarettenrook, als het vol mannen en vrouwen – maar vooral mannen – zat die in hun pauze verlangden naar de smaak en geur van het eten en drinken dat ze in Damascus, Bagdad, Beiroet of Teheran zo heerlijk hadden gevonden. De muziek, zelfs tijdens de lunch, deed hen aan hun vaderland denken, maar het eten bracht hen hier tezamen, volmaakt passend bij hun smaak en hun herinneringen die te lang weggezonken waren in een vervloekt, vreemd land.

Mahmoud Gharib leek de vriendelijkste van de drie mannen die om de kleine ronde tafel naast het podiumpje zaten, waar een Raqs Sharqui-buikdanseres ronddraaide op een opgenomen mix van elektronische instrumenten en violen. Hij leek op zo'n mollige, vrolijke komiek uit die goede oude tijd, voordat ze mager, gemeen en obsceen werden. Hij pronkte met een klein snorretje dat in de hoeken wat opkrulde, waardoor hij constant leek te lachen. Zijn huid had de kleur van licht geroosterd brood, zijn ogen de kleur van de sterke Turkse koffie die ze hier brouwden. Zijn makkers kenden hem als Mahmoud. De man op de centrale van het taxibedrijf waar hij voor werkte noemde hem Moe. Mahmoud wist dat dat een joodse naam was en daarom duizendmaal beledigender. Hij leek dik en grappig en tevreden. Hij was de gevaarlijkste van de drie mannen.

De mannen hadden het over de enige goede manier om een visschotel, die in het Midden-Oosten enorm populair was, te bereiden. Jassim, de kleinste, zei dat het hele geheim was dat de vis, voordat hij gekookt werd, een uur gekoeld moest worden. Akbar, die in een sportzaak op South Side werkte, zei dat koelen er niets mee te maken had, hij had de vis ooit eens in een arm dorpje gegeten waar ze nog nooit van ijs *gehoord* hadden. Jassim hield vol dat het het koelen was. Je moest de vis een uur op het ijs leggen voor je die met het vel naar beneden in de koekenpan legde en bakte. Het kwam door het koelen, zei hij, dat het vel zo lekker knapperig werd. Mahmoud zei dat dat onzin was.

'De vissoort is onbelangrijk voor de schotel,' vertelde hij en wapperde zelfverzekerd met zijn handen op een manier die tegenwerpingen uitsloot. Het gebaar leek helemaal weids vergeleken met het komische kleine snorretje onder zijn neus. 'Je kunt elke soort witvis gebruiken. Als je hem maar goed schoonmaakt en kruidt met zout, peper en citroensap, dan kun je hem rustig buiten laten staan terwijl je de saus maakt. Ik zeg niet voor eeuwig. Het is gevaarlijk om vis lang te laten staan. Maar het zijn de saus en de noten die de schotel die sappige smaak geven.'

'En de uien,' was Akbar het met hem eens.

'De gekarameliseerde uien, ja,' knikt Jassim.

'Maar vooral de pijnboompitten,' zei Mahmoud en duldde opnieuw geen tegenspraak. 'Zacht gebakken in olie, perfect gebruind en dan over de vis *gestrooid*.'

'Op rijst,' zei Akbar.

'Op rijst,' zei Mahmoud en kuste zijn vingertoppen.

Het was raar dat de mannen het zo uitgebreid over vis hadden, want op dat moment aten ze kaaspannenkoeken. In Marokko, waar ze aan één kant gebakken en met een warme honingbotersaus geserveerd werden, werden deze kleine, luchtige griesmeelcrêpes traditioneel geserveerd op het feest van *aid el seghir*, aan het eind van de islamitische vastenmaand ramadan. Hier, in dit restaurant, werden de pannenkoeken op de Libanese manier bereid, gevuld met ricotto en stukjes mozarella, aan twee kanten gebakken voor de knapperigheid en vervolgens bedropen met een stroop van suiker, citroensap, oranjebloesemhoning en oranjebloesemwater. De mannen aten in een razend hoog tempo. Jassim likte zijn lippen af. Mahmoud vond het walgelijk, maar hield zijn mond.

Een donkerogige, donkerharige serveerster bracht hen dikke, zwarte koffie. De buikdanseres droeg een kralen beha en riem en een rok met lovertjes over een bodystocking. Haar sluier was niet echt Egyptisch. Mahmoud vond het meer op een slap aftreksel van een striptease lijken die je in een Amerikaanse nachtclub ziet. De vrouw droeg vingerbelletjes, hoewel die allang niet meer in Egypte gebruikt werden. Ze was handiger met haar sluier en heupschudden dan met de vingerbelletjes.

'Wanneer komt de grote jood aan?' vroeg Akbar.

Gezien de achtergrond en de politieke overtuiging van het trio was dit een denigrerende vraag, maar zo was het niet bedoeld. Svi Cohen was in feite een Israëlische jood en een heel grote man, ongeveer 1,87 lang en hij woog bijna honderdtwintig kilo.

'Morgen,' zei Mahmoud.

'En zijn optreden op Clarendon?' vroeg Jassim. Hij likte ondertussen de stroop van zijn lippen. Onder zijn nagels zat het vuil van zijn werk, hij was automonteur in een garage aan de voet van de Calm's Point Bridge. Mahmoud vond vuile nagels ook walgelijk.

'De dertiende,' zei hij. 'Komende zaterdagavond.'

'En waar is het geld?' vroeg Akbar.

Dat was een goede vraag.

In de recherchekamer was het relatief rustig die woensdagochtend, twee dagen na Kerstmis. Het was de 27ste en de week liep gestaag richting een ander feestweekend waar op zondag de klokken zouden gaan luiden. Maar in de recherchekamer was het prettig rustig, de stilte voor de storm, voor het gebruikelijke kabaal en de herrie.

Carella en Meyer zaten gebogen over de brieven die Mark Ridley zijn zus had geschreven in de maanden en weken voor haar dood. Uit verwijzingen naar haar eigen brieven werd het duidelijk dat ze ontzettend enthousiast was over een baan waarvoor ze begin december zou moeten vliegen en die haar levensomstandigheden gigantisch zou veranderen. Ze zou aan de oostkust kunnen gaan wonen, wat ze altijd al gewild had, ruim voor kerst in feite. In de brief die ze al gelezen hadden – van 13 december – schreef haar broer dat hij vond dat de baan goed klonk, 'als je tenminste niet iets vervoert dat je in moeilijkheden kan brengen.'

De zin hing zwaar in de stilte van de recherchekamer.

Op 16 november had Cassandra Jean Ridley een kluisje geopend bij de Banque Française hier in de stad en er vijftigduizend dollar cash in gedeponeerd. Blijkbaar waren haar levensomstandigheden *inderdaad* aanzienlijk verbeterd. Maar ze zouden dramatisch veranderen. Op haar kalender stond bij 7 december 'Eind Mexico'. Waarschijnlijk vloog ze op 8 december weer naar de oostkust. Drie dagen later stopte ze honderdvijftigduizend dollar in haar kluisje. Twaalf dagen later was ze dood.

De computer vertelde hun dat er in Amerika in de eerste drie weken van december vierenzeventig ontvoeringszaken gemeld waren. Meestal ging het over ontvoeringen van kinderen van gescheiden ouders. Sommige van deze zaken konden de aandacht van de FBI getrokken hebben, omdat er staatsgrenzen overschreden waren. Geen van deze zaken zou de aandacht van de Secret Service hebben getrokken.

Toch had het ministerie van Financiën de kleine inbreker Wilbur Struthers aangepakt, de biljetten die hij uit het appartement van Cassandra Jean Ridley had gestolen geconfisqueerd, de serienummers vergeleken met nummers van losgeld dat gebruikt zou zijn in een vermeende ontvoering, en vervolgens – heel opmerkelijk – gaven ze hem nog dezelfde dag het geld, met het bewijs dat het niet verdacht was, terug.

Er stonk iets in Denemarken, zou Shakespeare hebben gezegd.

Ze vonden dat het tijd werd om een persoonlijk bezoek aan geheim agent David A. Horne te brengen.

Er lagen heel veel honderddollarbiljetten uitgewaaierd over het bureau van Horne.

'Honderdvierduizend dollar,' zei Carella.

'Sommige biljetten teruggevonden in het appartement van de dode vrouw,' zei Meyer.

'De rest zat in haar kluisje.'

'Allemaal geboekt en verantwoord,' zei Meyer.

'Dus?' zei Horne.

Hij leek op een ordinaire autoverkoper die in de weekends te veel at en dronk, gezet, maar niet echt dik, in een donkerblauw pak, bruine schoenen, een wit overhemd en een blauwe das.

Het ronde embleem van het ministerie van Financiën hing aan de muur achter zijn bureau, het gouden schild met de weegschaal die voor rechtvaardigheid stond, een sleutel die voor het wettelijk gezag stond en een blauwe band met dertien sterren die voor de oorspronkelijke staten stonden. Een klein zwart plastic plaatje met Hornes naam erop stond naast zijn telefoon.

'We denken dat de achtduizend die we in haar appartement hebben gevonden het geld is dat jij van Wilbur Struthers had geconfisqueerd,' zei Carella bot.

'Waarom denken jullie dat?'

'Struthers denkt het. Blijkbaar had mevrouw Ridley hem opgespoord en is haar geld gaan halen. Met een pistool overigens.'

'Ik neem aan dat dit ook van Struthers komt?'

'Ja.'

'Een kruimeldief,' zei Horne afwerend.

'Groot genoeg om jouw aandacht op zich te vestigen,' herinnerde Meyer hem.

Horne keek hem aan. 'Ik houd niet van onaangekondigd bezoek,' zei hij te laat.

'Wij willen graag die lijst van serienummers van het losgeld zien,' zei Carella.

'Ik heb al aan de telefoon gezegd...'

'We willen ook weten welke ontvoering jij onderzoekt,' zei Meyer.

'Ik mag die informatie niet vrijgeven. En jullie mogen het niet vragen.'

'Wij onderzoeken een moord,' zei Carella.

'De top van de voedselketen,' herinnerde Meyer Horne.

'Het spijt me,' zei Horne hoofdschuddend.

'We gaan niet weg, weet je,' zei Carella.

'Rechercheur,' zei Horne en pauzeerde even om wat hij ging zeggen te benadrukken. 'Ga naar huis, oké? Ga een paar pubers op het schoolplein arresteren. Hou jullie neuzen uit zaken die jullie geen bal aangaan.'

'Nou, nou,' zei Carella, 'opeens ben ik nu *echt* geïnteresseerd.'

'Ik ook,' zei Meyer.

Horne keek hen allebei aan en zuchtte diep.

'Ik mag over geen enkele zaak die ik onder behandeling heb inlichtingen verstrekken. Maar ik zou jullie wel de lijst van verdachte serienummers kunnen laten zien zodat jullie die kunnen vergelijken. Dat zullen jullie hier, in mijn kantoor, moeten doen. Als jullie daarmee akkoord kunnen gaan...'

'Het is een begin,' vond Carella.

De serienummers stonden in willekeurige volgorde.

Er waren nummers uit de A-serie...

A63842516A, A531898964A, A06152860A...

...en nummers uit de B-serie...

B35817751D, B40565942E...

...en nummers uit de C- en F- en H- en G- en E- en L- en K- en D-series...

Maar geen van de nummers kwam overeen met de geheime voorraad honderddollarbiljetten die ze met het huiszoekingsbevel in Cassandra Jean Ridleys bureau en haar kluisje hadden aangetroffen.

Ze bedankten Horne voor zijn tijd en zijn vriendelijkheid...

'Graag gedaan,' zei hij.

...en gingen terug naar de recherchekamer.

Het was nog geen twaalf uur.

David Horne probeerde zijn chef ervan te overtuigen dat die twee agenten er geen idee van hadden dat de biljetten waren omgeruild.

'Het is net als met dat oude bonenspel,' zei hij. 'Je moet raden onder welk schoteltje de boon ligt. Maar ondertussen zit die stiekem in je hand.'

'Ik ken dat bonenspelletje niet,' zei Parsons.

Zijn volledige naam was Winslow Parsons III en hij was voor de Secret Service gerekruteerd toen hij tweeëntwintig was en een ouderejaars op Harvard. Hij was in Dallas geweest, had naast de presidentiële limo gelopen toen Kennedy vermoord werd, maar was niet degene geweest die hem met zijn eigen lichaam had geprobeerd te beschermen – nou ja, dat had eigenlijk niemand gedaan. Precies hetzelfde toen John Hinckley jr. in 1981 Ronald Reagan neerschoot. Ook toen had Parsons zijn grote kans op onsterfelijkheid gemist en was niet in de baan van het schot gaan staan. Op vierenzestigjarige leeftijd was hij nog steeds slank en mager en had al zijn haar nog, maar nu was het grijs, en hij leek nog steeds op Charlton Heston, die hij zeer bewonderde, maar vond zichzelf helemaal niet op hem lijken. Hoe dan ook, hij wist niet wat een bonenspelletje was. In Cambridge kenden ze zoiets niet.

'In je hand hou je de boon verborgen,' legde Horne uit. Of probeerde uit te leggen. 'Net zoals we die biljetten verborgen hebben.'

Hij bedacht dat het vier dagen voor oudjaar was en dat ze thuis een groot feest organiseerden, en dat hij de drankvoorraad moest nakijken, opschrijven wat hij moest bestellen.

'Hoe zijn ze eigenlijk aan die biljetten gekomen?' wilde Parsons weten.

'Een zaak die ze onderzoeken.'

'Wat voor zaak?'

'Een vermoorde vrouw.'

Parsons keek hem aan.

'Het wordt ingewikkeld,' zei Horne.

'Het hele leven is ingewikkeld,' reageerde Parsons.

'Ja, baas, klopt.'

'Het leven *is* ingewikkeld.'

'Ja, baas, helemaal waar.'

'En wat ik graag zou willen weten is hoe wij hier bij betrokken zijn geraakt,' zei Parsons. 'Als je zo goed zou willen zijn?'

'Er stond een bijzonder goede vervalsing op onze lijst, meneer. De mannen die het verspreidden hadden in totaal achtduizend in dezelfde biljetten. We hebben ze uit de roulatie gehaald. Had het eind van het verhaal moeten zijn.' Horne haalde zijn schouders op. 'In plaats daarvan wordt de vrouw vermoord en ineens is het een gekkenhuis.'

'Wat heeft die vrouw ermee te maken?'

'Hij had die biljetten van haar gestolen.'

'Die achtduizend?'

'Ja, meneer.'

'Heeft hij dat toegegeven?'

'Nee, meneer. Hij vertelde dat hij ze met dobbelen had gewonnen.'

'Is dat aannemelijk?'

'Amper.'

'En je zei dat je die achtduizend neppers gevonden had?'

'Ja, meneer, en vervangen door echte. Het oude bonenspelletje, meneer,' zei hij lachend.

Parsons lachte niet terug.

'Waarom heb je dat godverdomme gedaan?'

'Wat gedaan, meneer?'

'Die man echt geld voor vervalsingen gegeven?'

'Terugkijkend ben ik blij, meneer. Vanwege die plotselinge politiebelangstelling.'

Parsons keek hem sceptisch aan.

'We hebben het niet over terugkijken,' zei hij. 'Waarom heb je het sowieso gedaan?'

'Ik dacht dat hij een boel tamtam zou maken als we die acht-duizend dollar van hem gewoon hielden.'

'Heeft hij een strafblad?' vroeg Parsons.

'Ja, meneer. Pleegde zeven jaar geleden een inbraak, zat drieën-half jaar in Castleview.'

'Ex-gedetineerden maken meestal geen tamtam.'

'Maar hij had het kunnen doen, meneer.'

125

'Kunnen we hem weer insluiten?'

'Alleen als hij weer een misdaad pleegt, meneer.'

'Hoe kwam die vrouw aan die achtduizend?'

'Ik heb geen idee. Maar, meneer...'

'Ja?'

'Er is nog meer.'

'Laat maar horen.'

'Die agenten hebben nog bijna honderdduizend in haar kluisje gevonden.'

'Neppers?'

'Ik heb ze niet gecontroleerd, meneer.'

'Waarom niet?'

'Tja, zíj hadden ze, meneer. Ze kwamen om de lijst met serienummers te bekijken van het geld dat in een ontvoering was...'

'Welke ontvoering?' vroeg Parsons meteen. 'Is er een ontvoering geweest?'

'Nee, meneer, dat was maar afleiding.'

'Maar je zei net dat ze hier met honderdduizend dollar waren...'

'Zesennegentig om precies te zijn, meneer.'

'... dat ze in haar kluisje hadden gevonden?'

'Ja, meneer.'

'En die biljetten heb je *niet* gecontroleerd?'

Zijn ogen stonden nu wijdopen.

'Ik had geen kans, meneer. Zonder dat ze wantrouwend zouden worden.'

'Er *is* al wantrouwen,' zei Parsons. 'Waarom denk je dat ze godverdomme hier waren? Ze zijn *allang* wantrouwend!'

'Denk ik niet, meneer. Het zijn gewoon simpele smerissen die een moord onderzoeken. Verder niets.'

'Verder niets,' zei Parsons zuur. 'Alleen maar een moord.'

'Dat is alles, meneer.'

'Zesennegentigduizend dollar cash en jij denkt niet dat ze nattigheid voelen?'

'Meneer, ik moest die neppers uit de roulatie halen. En dat heb ik gedaan.'

'Geweldig,' zei Parsons.

Horne wist nooit wat hij nou wel en niet meende.

'Maar hoe lang denk je dat het zal duren voor deze simpele smerissen doorkrijgen dat er nog *meer* valse honderdjes zijn?' vroeg Parsons. 'Hoe lang zal het duren voor ze terugkomen?'

Het werd stil in de kamer.

'Weet jij eigenlijk waarom die vrouw werd vermoord?'

'Ik veronderstel om haar de mond te snoeren,' zei Horne.

'Denk je dat dit misschien weer een soort "Witches and Dragons" kan worden?'

'Zou kunnen, meneer.'

Parsons knikte.

'Zoek dat uit,' zei hij. 'En bel Moeder.'

Boven de kassa stond:

WIJ VERZILVEREN GEEN BILJETTEN BOVEN
$50. SORRY VOOR HET ONGEMAK.
DANK U

Wilbur Struthers ergerde zich hieraan.

Misschien omdat hij alleen een paar losse dollars en vierhonderd dollar in honderddollarbiljetten in zijn portefeuille had zitten. Hij keek naar het eindbedrag en zag dat hij 95,95 dollar moest betalen voor twee flessen Simi chardonnay, twee flessen Gordon's gin en een fles Veuve Cliquot champagne.

'Ik ben bang dat ik alleen maar honderddollarbiljetten heb,' zei hij tegen de kassier.

'We accepteren ook American Express, MasterCard en Visa,' zei die.

'Ik heb alleen maar cash.'

'We accepteren ook een cheque, als u zich kunt legitimeren,' zei de kassier. 'Rijbewijs of zelfs een MetTrans-kaart met een foto erop.'

'Ik heb alleen maar cash.'

'We accepteren geen honderddollarbiljetten, sorry,' zei de kassier.

'Waarom eigenlijk niet?'

'Is te vaak misgegaan. Er zijn veel vervalsingen in omloop.'

'Dit zijn geen vervalsingen,' zei Struthers.

'Moeilijk om ze tegenwoordig uit elkaar te houden,' vond de kassier.

Veel makkelijker dan om aan een klotestikkie te komen, dacht Struthers.

'Weet je wat ik doe?' zei hij. 'Ik ga hier op de balie een honderddollarbiljet leggen en ik hoef die vier dollar en nog wat wisselgeld niet. Je kunt het biljet pakken en in je kassa stoppen en "dank u voor uw bezoek" tegen me zeggen, of je kunt het in je kont stoppen. Wat je ook doet, ik ga met mijn boodschappen naar buiten. Goedenavond.'

De patrouilleauto uit het 87ste district die door Adam Sector reed, pikte hem op voor hij drie blokken van de winkel weg was.

Het eerste wat rechercheur Andy Parker hoorde over de vent die moeilijkheden veroorzaakte, was dat hij uit een drankwinkel met zijn boodschappen ter waarde van bijna honderd dollar was gelopen zonder te betalen – of in ieder geval met een biljet had willen betalen dat de kassier geweigerd had te accepteren, omdat het een nepper zou kunnen zijn. Niemand – en al helemaal Parker niet – wist op dit moment of het biljet een vervalsing was of niet. En daar ging het ook niet om. Je kon gewoon niet een winkel uitlopen zonder te betalen voor je boodschappen, ook al hield je achteraf vol dat je wel betaald had – wat Struthers op dit moment stug volhield, steeds maar weer. Een aanslag op Parkers oren.

Het was hier geen rechtszaal. Het was hier een politiebureau. Parker was een rechercheur en geen rechter. Hij werd niet betaald om recht te spreken, net zomin als agenten in een park tijdens relletjes geacht werden om te bepalen of een stelletje asociale etterbakken werkelijk hun handen onder de rokjes van meisjes staken. Die agenten werden betaald om op bankjes in het park te zitten en de parade voorbij te zien trekken. Parker werd betaald om hier te zitten en een formulier in te vullen dat deze man zou volgen op zijn weg door het rechtssysteem – wat, trouwens, deze klojo al eerder had gedaan, zag Parker op zijn computer. Dat betekende niet veel goeds voor meneer Wilbur Struthers, die blijkbaar nog niet zolang geleden een inbraak had gepleegd en ervoor had gezeten. Dat was voldoende om meneer Struthers in serieuze moeilijkheden te brengen, hoewel Parker niet direct een oordeel wilde uitspreken.

'Wat je deed, leek op het volgende,' zei hij, 'je liep een winkel uit met boodschappen ter waarde van ongeveer honderd dollar, zonder ervoor betaald te hebben. Het lijkt erop dat je dat gedaan hebt, Willie.'

'Ik heb voor de boodschappen betaald,' zei Struthers.

'De man zei dat je een mogelijke vervalsing op...'

'De man had geen enkele reden om aan te nemen dat het biljet een vervalsing was.'

'Zei dat je hem dwong om het aan te nemen, ook al had hij je verteld dat het winkelbeleid was om geen...'

'Niemand dwong hem tot iets. Ik heb het biljet netjes op de balie gelegd...'

'En hem gezegd dat hij het in zijn kont kon stoppen.'

'Hij had het ook in zijn kassa kunnen stoppen en zijn klotebek kunnen houden.'

'Je taal, Willie, je taal.'

'Nou, dan had hij een hoop onnodige toestanden voorkomen.'

'Wat hij niet wilde doen omdat zijn baas al eerder zijn vingers had gebrand aan valse honderddollarbiljetten.'

'Deze was niet vals.'

'Hoe weet je dat zo zeker?'

'Dat zei de Secret Service,' zei Struthers.

Dat was niet helemaal waar.

De Secret Service had hem verteld dat achtduizend van de vijfentachtighonderd dollar die hij uit Cassandra Jean Ridleys appartement had gestolen niet behoorde tot het losgeld dat betaald was in die mysterieuze, vervloekte ontvoering vanuit het Witte Huis. Maar men had niet gezegd dat het geen vervalsingen waren. Hoe dan ook, de dame had haar achtduizend opgeëist en was hiervoor door de leeuwen opgevreten. Het honderddollarbiljet dat Struthers vervolgens op de balie van S&L Liquors op Stemmler Avenue had gelegd was een van de biljetten die eerst geheim agent David A. Horne en later de roodharige dame zelf over het hoofd hadden gezien in hun haast om alles weer bij het oude te brengen. Struthers had geen idee of het vals was of niet.

En trouwens, opzet was negentig procent van het recht, had een gevangenbewaarder hem eens verteld, waar of niet. En hij had niet de opzet gehad vals geld uit te geven. Zijn enige opzet was om alcoholische dranken voor oudjaar in te slaan, die hij hopelijk misschien kon opdrinken met dat meisje Jasmine, die hij een goede champagne wilde voorzetten. Als hij haar tenminste nog kon vinden. Hij had nu driehonderd dollar over van het geld dat hij van de Leeuwenvrouw, zoals hij haar in gedachten noemde, gestolen had en als Jasmine die wilde accepteren, zou hij voor het eerst in zijn leven voor een vrouw betalen. Ach, wat maakte het ook uit, het nieuwe jaar kwam eraan. Waarna hij misschien een nieuwe inbraakje moest zetten, als deze kloterechercheur hier in dat verkreukelde pak en met die scheerwondjes op zijn gezicht hem tenminste zou laten gaan. Volgens Struthers kon dit geen zaak worden. Hij had nota bene betaald voor die kleredrank!

'Kijk, ik zie het zo,' zei Parker. 'Als het biljet dat je die man gegeven hebt echt is, dat heb je in feite voor de boodschappen betaald en is er niets aan de hand. Maar als het biljet vals is, dan heb je niet alleen vals geld uitgegeven, maar heb je je ook schuldig gemaakt aan diefstal, een klasse-A-misdrijf dat beschreven staat in sectie 155.30 van het wetboek van strafrecht, dat bestraft kan worden met maximaal 1 jaar gevangenisstraf. Ik word niet betaald om te oordelen, maar waarom zou je tijd en geld van de stad verspillen als het biljet echt is?'

Struthers hield zijn adem in.

'Laten we naar de bank lopen,' zei Parker.

'Prima!' zei Struthers vol vertrouwen.

'Wel, wel, kijk eens wie we hier hebben,' riep Meyer vanuit de gang. Hij zwaaide het poortje van het lage hekje open, liep de recherchekamer in, gooide zijn hoed naar de kapstok en miste. Toen hij bukte om zijn hoed op te rapen, vroeg hij: 'Wat is er nu weer, Willie?'

'Weglopertje,' zei Parker.

'O, jeetje,' zei Meyer.

'Hallo, Willie,' zei Carella, pal achter hem.

Struthers kon deze klotehartelijkheid niet waarderen. Hij wilde naar de bank, het biljet aan iemand laten zien die iets van vervalsingen wist, en verdergaan met zijn voorbereidingen voor oudjaar.

'Hij probeerde ook om een C-serie honderddollarbiljet uit te geven dat misschien vals is,' zei Parker.

'Ik wilde voor mijn boodschappen betalen. En trouwens,' zei hij, 'er bestaat geen wet tegen het onwetend uitgeven van een vals biljet als er geen sprake van misleiding is.'

De rechercheurs keken hem aan.

Parker zuchtte.

'We wilden net naar de bank gaan,' zei hij.

'Waar kwam dat C-biljet vandaan?' vroeg Carella.

Struthers gaf geen antwoord.

'Will? Waar kwam dat honderddollarbiljet vandaan?'

Nog steeds geen antwoord.

'Zat het bij het geld dat je van Cass Ridley gestolen had?'

Struthers had geen idee wat hem allemaal kon staan te wachten. Hij dacht dat het het beste was om zijn mond te houden.

'Zat het daarbij?'

Geen antwoord.

'Ik zal je wat vertellen,' zei Carella. 'We hebben hier een hele stapel *andere* honderddollarbiljetten bij ons. Waarom gaan we niet met z'n allen naar de bank?'

* * *

Het was tien minuten voor drie toen Struthers en de rechercheurs door de deuren van de First Federal Bank op Van Buren Circle naar binnen stapten. Nog niet zo lang geleden – maar misschien langer dan Carella wilde toegeven – had een crimineel, bij de politie bekend onder de namen 'Taubman', 'L. Sordo', en vaker 'The Deaf Man' – geprobeerd deze bank te beroven, *twee keer*. Carella voelde nog steeds een huivering langs zijn rug glijden als hij er aan dacht. Ze hadden al heel, heel lang niets van The Deaf Man gehoord – maar misschien niet zo lang als Carella zou willen – en hij had totaal geen behoefte om ooit nog van hem te horen.

De manager destijds heette Huppeldepup Alton, Carella kon zich geen voornaam meer herinneren, als hij die ooit geweten had. De nieuwe manager was een vrouw, Antonia Belandres. Een statige, dikke brunette van begin veertig, zonder make-up en met een donkergrijs pak. Ze keek naar de klok toen ze naar haar toeliepen.

'Een beetje laat voor zaken, heren,' zei ze.

Carella liet zijn penning zien.

'Rechercheur Carella,' zei hij. 'Zevenentachtigste district.'

'Dit is het *zes*entachtigste district,' zei ze.

Carella snapte niet wat dat er mee te maken had. De bank zat aan de Circle, tegenover Tenth, de grote straat die de twee districten van het noorden naar het zuiden doorsneed. First Federal lag vlakbij het politiebureau en was trouwens een federale bank. Als iemand iets moest weten van vals geld, dan waren het de Feds.

'We zijn alleen maar de straat overgestoken,' hielp Parker.

'We onderzoeken een moord,' zei Carella.

Ze keek weer naar de klok.

'We willen een paar verdachte biljetten laten controleren,' zei Meyer.

'We hebben haast,' zei Struthers.

Antonia keek hem aan. Er flikkerde iets in haar ogen. Misschien vroeg ze zich af of hij de leiding had van dit kleine moordonderzoeksteam. Hij zag er intelligent genoeg uit. Misschien hield ze van zijn ruige cowboylook. Wat het ook was, ze stelde hem haar volgende vraag. Met een glimlach.

'Mag ik de biljetten zien?'

Ze legden de biljetten op haar bureau.

Zesennegentigduizend dollar in honderdjes uit Cass Ridleys kluisje…

Achtduizend dollar in honderdjes uit de bureaula in haar appartement…

En vervolgens het C-honderddollarbiljet dat Struthers op de balie van S&L Liquors had gelegd om zijn alcoholische boodschappen mee te betalen.

'U moet begrijpen,' zei Antonia, terwijl ze haar vingers voorzichtig langs de biljetten liet glijden, 'dat voor iedere man, vrouw en kind in de Verenigde Staten ongeveer zes of zeven honderddollarbiljetten in omloop zijn. Dat betekent dat voor iedereen die werkt er meer dan een *dozijn* honderddollarbiljetten zijn. Dat komt neer op ongeveer anderhalf miljard dollar.'

Het was weer gaan sneeuwen. Hevig gaan sneeuwen. Kleine, venijnige, naaldachtige kristallen werden door een harde wind rondgeblazen. De sneeuw en de wind sloegen tegen de grote ramen van de bank waar ze rond Antonia's bureau vol met honderddollarbiljetten zaten.

'En wie denkt u dat de *meeste* van die biljetten in bezit hebben?' vroeg ze glimlachend aan Struthers.

'Wie?' vroeg hij.

'Verdorven criminelen, drugsdealers en belastingontduikers,' vertelde Antonia.

'Dat ben ik allemaal niet,' vertelde Struthers de rechercheurs.

Ze leken niet onder de indruk.

'Ik kreeg van de Secret Service een verklaring dat het schoon geld was,' legde hij aan Antonia uit. Zij leek meer onder de indruk dan de rechercheurs. Ze trok meelevend haar wenkbrauwen op en knikte hem bemoedigend toe.

'Misschien moet u weten,' zei ze, 'dat de Secret Service van de Verenigde Staten onder het ministerie van Financiën valt.'

'Ja, dat wist ik al. Dat hebben ze me uitgelegd,' zei Struthers.

'Ze beschermen niet alleen het leven van de president van Amerika. Eigenlijk bestaat het grootste deel van hun werk uit het opsporen van vals geld en het verhinderen van uitgifte ervan. De meeste mensen weten dat niet,' zei ze.

'Dat wist ik inderdaad nog niet,' zei Struthers.

'Ik ben blij dat u vandaag gekomen bent,' zei Antonia. 'Ik heb al eerder met de Secret Service samengewerkt, snapt u. Over vervalsingen van Amerikaans geld.' Ze draaide zich nu om naar de stapel honderdjes op haar bureau, pakte biljet voor biljet vast, controleerde ze op iets onduidelijks. 'Op het eerste gezicht lijken me deze biljetten geen superbiljetten. Of superdollars, als u dat liever hoort, heren. Of superflappen. Wat hoort u het liefst, ondercommissaris?'

Struthers realiseerde zich dat ze het tegen hem had.

'Ik heb van allemaal nog nooit gehoord,' zei hij.

'Natuurlijk zijn die Arabische woorden op de voorkant op sommige biljetten verdacht,' zei Antonia, 'maar aan de andere kant zijn niet alle biljetten die via het Midden-Oosten hier naartoe komen vals. In feite is zestig procent van al het Amerikaanse geld in het buitenland in omloop. Dat wisten jullie waarschijnlijk ook niet.'

'Ik in ieder geval niet,' zei Struthers.

'Feitelijk is het honderddollarbiljet het meest gebruikte geld ter wereld. Waardoor het zo aantrekkelijk is om het te vervalsen. Wat ik jullie probeer duidelijk te maken, is dat de handtekening van een geldwisselaar – op dit biljet betekenen de woorden bijvoorbeeld "Zoon van Ahmad" – op zichzelf niet betekent dat het biljet vals is.Uit trots kan een geldwisselaar zijn handtekening of een ander persoonlijk teken op een stapel biljetten zetten. Net als een schrijver zijn boek bij Barnes & Noble signeert.'

Struthers had altijd gedacht dat een geldwisselaar iemand was die cheques verzilverde op Lambert Avenue, in Diamondback. En hij kende helemaal geen schrijvers die hun boek signeerden.

'In de Arabische wereld,' zei Antonia, 'zijn geldwisselaars financiële tussenpersonen. Ze bestonden al voor Jezus werd geboren.

Wil je producten in het Westen kopen? Simpel. Je gaat met je geld naar een kantoortje op de eerste verdieping in de oude wijk van Damascus. De geldwisselaar zal de overdracht regelen. Ik heb deze tekens van geldwisselaars veel vaker gezien,' zei ze terwijl ze een ander biljet onderzocht. 'Het wil niet automatisch zeggen dat het biljet vals is. We zien hele families vervalst geld...'

Families, dacht Struthers.

'... met allemaal hetzelfde serienummer. Maar geen van deze biljetten hoort bij zo'n familie.'

'Dus zijn ze echt,' zei Carella.

'Het zijn geen vervalsingen, dat klopt,' zei Antonia en schoof de stapel biljetten naar een kant van haar bureau, waardoor ze het niet nodig vond om hondervierduizend dollar nader te onderzoeken. 'Maar laten we dit ene honderddollarbiljet eens beter bekijken.' En ze pakte het biljet dat Struthers in de drankwinkel had gebruikt. 'Henry Loo,' zei ze toen ze naar de voorkant van het biljet keek.

Volgens Struthers leek de man op het biljet sprekend op Benjamin Franklin, maar hij zei niets.

'De manager van Ban Hin Lee,' zei ze. 'De bank waarvoor ik jaren geleden in Singapore heb gewerkt. Op Robinson Road.'

'Ik weet waar dat is,' zei Struthers.

'O, ja?'

'Ik was ook jaren geleden in Singapore,' zei Struthers.

'Wat heeft Henry Loo met dit biljet te maken?' vroeg Carella.

'Hij was de eerste die me een superbiljet liet zien,' zei Antonia. 'Of superdollar, als jullie dat liever horen. Of superflap.'

Struthers vroeg zich af wat de straf zou zijn voor het in omloop brengen van een vals honderddollarbiljet waarvan hij niet had geweten dat het vals was.

'Ik heb economie in Manilla gestudeerd,' zei ze tegen Struthers om hem te imponeren, dacht Parker. 'Na mijn afstuderen kreeg ik een baan bij de Ban Hin Lee...'

'Ik heb ook in Manilla gezeten,' vertelde Struthers. 'Nadat ik aan de Rode Khmer ontsnapt was. Maar dat is een ander verhaal.' En

Antonia zag voor het eerst de bijna onzichtbare tic en het kleine witte litteken naast zijn linkerooghoek.

'En daarna in Singapore,' zei hij. 'Daarom weet ik waar Robinson Road is.'

'Het is een kleine wereld,' zei Antonia.

'Dat we elkaar daar niet ontmoet hebben!' zei hij. 'In Singapore. We zijn waarschijnlijk ettelijke keren op Robinson Road langs elkaar heen gelopen.'

'Ja,' zei ze. 'Dat zou heel goed kunnen.'

Ze keken elkaar over het bureau aan waar de echte biljetten naar een kant waren geveegd en waar Struthers ene honderddollarbiljet voor haar neus lag.

'Ik ben als bankloper begonnen,' zei Antonia. 'Werkte me omhoog tot telster en vervolgens tot assistent-manager. Toen heeft Henry Loo me een honderddollarbiljet laten zien dat er zo echt uitzag, dat ik dacht dat die oude Ben Franklin er ieder moment vanaf kon vliegen!'

Antonia lachte hard om haar eigen grapje.

'Maar het was zo eigenaardig als apensoep,' zei ze nog steeds in haar komische rol. 'Veel van deze honderdjes uit de C-serie die in die tijd binnenkwamen waren allemaal in Teheran gedrukt op een hightech intagliopers.'

'Wat voor soort pers?' vroeg Carella.

'Intaglio,' zei ze.

'Wat is intaglio?' vroeg Meyer.

'Een reliëftechniek die gebruikmaakt van heel dikke, kleverige inkt.'

'Betekent intaglio dat?' vroeg Parker aan Carella. 'Dik en kleverig?'

'Hoe moet ik weten wat intaglio betekent?' zei Carella.

'Misschien betekent het reliëftechniek,' suggereerde Meyer.

'Volgens mij ben jij hier de Italiaan,' zei Parker schouderophalend.

'Met intaglio krijg je een driedimensionaal effect dat je niet met een andere druktechniek kan bereiken,' vertelde Antonia. 'Maakt niet uit wat de graveur ontwerpt, intaglio geeft het *exact* weer.'

'En u zei dat die persen in *Teheran* staan?' vroeg Parker. Hij dacht *Teheran*? Waar ze flodderige broeken en tulbanden dragen?

'Ja. Precies dezelfde als het Bureau van Graveer- en Drukkunst gebruikt.'

'Persen van het Bureau van Graveerkunst in *Teheran*?' zei Meyer. Hij dacht *Teheran*? Waar ze geweren in de lucht leegschieten en Amerikaanse vlaggen verbranden?

'Ja,' zei Antonia.

'Begrijp ik het goed? zei Carella. 'U zegt...'

'Ik zeg dat de laatste sjah van Iran twee hightech intagliopersen van de Verenigde Staten heeft gekocht om er zijn eigen geld mee te drukken. Toen de moella's de macht overnamen, gebruikten ze de persen naar eigen goeddunken.'

'Valse honderdjes drukken bedoelt u,' zei Parker.

'Superbiljetten drukken, ja. Met platen en op papier dat ze in Oost-Duitsland kopen. Dat bedoel ik.'

'Drukken hoge kwaliteit...'

'Drukken *superbiljetten*,' herhaalde Antonia langzaam deze keer. 'Biljetten die zo goed op het origineel lijken dat ze bijna niet te onderscheiden zijn. In feite denk ik dat *dit* een superbiljet is.' Ze tikte enthousiast op Struthers' honderddollarbiljet.

O-o, dacht die.

'Waarom denkt u dat?' vroeg Carella.

'Ervaring,' zei ze.

Hij keek haar aan.

'Hoe? Als ze zo goed op het origineel lijken...'

'Bij de Federal Reserve hebben ze opsporingsmachines,' zei ze.

'Hebt u hier een van die machines?'

'Nee. Ik doe het op het oog.'

'Ik dacht dat u net had gezegd dat het bijna onmogelijk...'

'Tja, nou, ik heb een geoefend oog.'

Hij keek haar nog een keer aan. Hij bedacht ineens dat ze nog steeds niet zeker wist of dat honderddollarbiljet nou vals was of niet.

'Maar als het zo makkelijk is,' zei hij.

'Niemand zegt dat het makkelijk is.'

'Nou ja, u keek een keer naar dat biljet...'

'Ik heb er de hele tijd naar gekeken.'

'Zonder machine, zonder een loep zelfs...'

'De Federal Reserve heeft machines. Ik zei al...'

'Maar niet hier.'

'Klopt. Verdachte biljetten sturen we door naar de Fed.'

'Hoeveel verdachte biljetten ontvangt u op een normale dag?'

'Van tijd tot tijd ontvangen wij ze.'

'Hoe vaak?'

'Niet heel vaak. En nu de Big Bens in omloop zijn...'

'De wat?'

'De nieuwe honderdjes met die grote foto van Franklin erop. Langzamerhand vervangen die de oude honderdjes. Dat betekent ook dat de superbiljetten uiteindelijk zullen verdwijnen.'

'Wanneer?'

'Moeilijk te zeggen. Dat kan jaren duren.'

'Hoeveel jaar?'

'Vijf? Tien? Waarom doet u zo vijandig?' vroeg Antonia.

Struthers vroeg zich dat ook al af.

'Misschien omdat er een vrouw is vermoord,' zei Carella. 'En omdat u me vertelt dat een biljet, gestolen uit haar appartement, zo'n superbiljet, dat amper van een echt biljet te onderscheiden is, kan zijn.'

'De Federal Reserve kan dat bepalen. Die hebben de machines.'

'Maar over meer gevallen. Kunnen wij die opsporen?'

'Ik zei toch al dat dit biljet verdacht leek?'

'Wat inhoudt dat u het doorstuurt naar de Federal Reserve om het op een van hun geheime machines te controleren. Dat klopt toch?'

'Het zijn geen geheime machines. Iedereen weet dat ze bestaan.'

'Hoeveel van die superbiljetten komen bij deze machines terecht?'

'Sorry?'

'Hoeveel van de biljetten belanden in de kelders van de Federal Reserve?'

'De Fed geeft zulke cijfers niet vrij.'

'Oké, hoeveel zijn er nog in *omloop*? Ik heb het dan niet over de biljetten die u hier in uw bank hebt gezien. Ik heb het over...'

'Ik begrijp uw vraag niet.'

'Ik wil graag weten *hoeveel* van die superbiljetten er buiten rondgaan.'

'Ik heb een schatting gehoord.'

'En wat is die schatting?'

'Twintig miljard dollar,' zei Antonia.

8

In deze handel verwacht je geen vals geld.

Valse namen, ja, maar geen vals geld.

Vals geld kan je dood zijn, terwijl een valse naam je leven kan redden. Zelfs de twee Mexicanen, wier echte namen Francisco Octavio Ortiz en Cesar Villada *waren*, gebruikten valse namen als ze te maken hadden met types die in deze handel zaten. Niemand die honderd keys dope kocht of verkocht gebruikte zijn echte naam, of hij moest *gek* zijn – wat overigens een goede mogelijkheid was bij de mannen die een miljoen zeven in valse honderdjes hadden betaald aan twee gevaarlijke *hombres* als zijzelf. Ze vermoedden dat de man die de roodharige pilote Randolph Biggs had genoemd helemaal niet Randolph Biggs heette, en dat hij ook geen Texas Ranger was, hoewel hij zich wel zo had voorgedaan. Het eerste probleem was om hem in een redelijk grote stad als Eagle Branch te vinden en vervolgens in Piedras Rosas, de overvolle stad aan de overkant van de rivier.

Als je in deze handel zat, kocht je geen radioreclamezendtijd en plaatste je geen krantenadvertenties om bekend te maken dat je in deze stad een man zocht die met vals geld had betaald. Je speelde het brutaal, wat moeilijk was als je die man meer dan graag op een stoel wilde vastbinden en zijn vingernagels eruit wilde trekken. Villada en Ortiz strooiden overal waar ze kwamen vooral met geld. Ze waren óf rijke toeristen uit Barcelona – in zo'n klotig grensstadje als Piedras Rosas? – óf ze wilden een drugsdeal sluiten. Er waren drugs en drugsdealers in Eagle Branch en er waren ook drugs en drugsdealers in Piedras Rosas. Je kon vandaag de dag nergens in deze wereld meer naar toegaan zonder drugs of drugsdealers tegen te komen. Zelfs in landen waar drugsbezit met de doodstraf werd bestraft. Dat was een lastig feit in de levens van Ortiz en Villada, maar wat kon je anders in een wereld die zo bezeten was van geld?

De kleur van hun geld blonk als groen neon. Geld, geld, geld. Het parfum van menselijke hebzucht voor hun honderddollarbiljetten hing in de hete Mexicaanse lucht. Hoeren boden heupwiegend hun diensten aan. Mannen boden kaartspelletjes, hanengevechten en hondengevechten aan. Kleine handelaartjes, gekleed als *bandidos* uit zwartwitfilms, boden marihuanasjekkies aan en versneden cocaïne. Straatjochies vroegen de heren of ze misschien hun zus wilden neuken. Ortiz en Villada durfden zelfs geen kraanwater te drinken.

Randolph Biggs – of iemand die heel goed Randolph Biggs zou kunnen zijn – dook die namiddag op.

Ze zaten aan een tafel buiten bij een barretje en lieten het groene geld rollen. De blanke man die aan de tafel naast hen kwam zitten was slank en breedgeschouderd, met een brede, zorgvuldig bijgeknipte snor onder een neus die afkeurend in de lucht snuffelde toen hij ging zitten en een ober een seintje gaf. Hij droeg een geperst bruin tropenkostuum. Wit linnen shirt met openstaande kraag. Bruine loafers. Geen sokken. Een grote man, had de roodharige gezegd. Randolph Biggs?

Met een verveelde uitdrukking op zijn gezicht bestelde hij tequila, limoen en zout. Zijn donkerbruine ogen keken naar hun tafel. En daarna naar zijn horloge. Snuffelde weer, alsof hij zojuist een publiek toilet had geroken, wat hij in feite ook rook. Keek rond alsof hij kakkerlakken en ratten of iets dergelijks verwachtte. De ober bracht zijn drankje met toebehoren. Hij bedankte in vloeiend Spaans en vroeg om het op te schrijven. Villada en Ortiz waren onder de indruk.

Hij sprenkelde limoensap op de rug van zijn hand, strooide er wat zout over, likte het vervolgens op en dronk wat tequila. Ze waren nog dieper onder de indruk. Hij gaf een man die sigaretten op een blad voor zijn buik had hangen een teken. Losse of een pakje? vroeg de man in het Spaans. Hij kocht een ongeopend pakje Malboro en betaalde met Mexicaanse *pesos* die hij van een vieze rol biljetten afpelde.

De drie mannen, aan verschillende, naast elkaar staande tafeltjes, dronken in de broeierige hitte van de Mexicaanse middag.

Ergens speelden gitaren. Ergens van boven klonk een parelende vrouwenlach. Alles rook zweterig en rokerig. Bussen reden voorbij. Taxi's drukten op hun claxon. Dit was een klein, bedrijvig stadje dat ongeveer net zo groot was als Noord-Amerikaanse getto's aan de overkant. Loop eens zo'n getto in en je ziet dezelfde gezichten als hier en je hoort dezelfde taal. De man die daar in zijn tropenkostuum en met zijn zorgvuldig bijgeknipte snor aan het tafeltje zat, zat er net zo onopvallend als Meg Ryan er zou zitten.

'*Perdoname,*' zei hij. *¿Tiene usted un cerillo?*'

Hij had een Malboro tussen de wijs- en middelvinger van zijn rechterhand, dicht bij zijn lippen en leunde naar hen voorover. Ortiz gaf hem vuur met zijn gouden Cartier-aansteker. De man inhaleerde, blies een wolk rook uit en grinnikte tevreden. In het Spaans zei hij: 'Ik heb geprobeerd te stoppen.'

'Slechte gewoonte,' beaamde Ortiz in het Spaans en borg zijn aansteker op.

Randolph Biggs?

'Wat brengt u naar deze geweldige stad?' vroeg de man met opgetrokken wenkbrauwen om zijn sacrasme te onderstrepen.

'We zijn op doorreis,' vertelde Villada.

'Onderweg naar?'

'Mexico City.'

Ze spraken nog steeds Spaans. Zijn Spaans was zeer goed.

'En u?' vroeg Ortiz.

'Ik woon in Eagle Branch,' zei de man.

Ze wachtten op zijn naam, maar hij zei niets meer.

'Manuel Arrellano,' zei Ortiz en stak zijn hand over de tafel uit. Het was de naam die hij vaker bij zijn drugsactiviteiten gebruikte, hoewel hij nog helemaal niet wist of deze man daar ook bij betrokken was. 'Mijn partner Luis Larios,' zei hij, noemde Villada's *nom de guerre*.

'Randolph Biggs,' zei de man.

Ortiz' ogen vernauwden zich een heel klein beetje.

De mannen schudden elkaars handen.

'Waar handelen jullie in,' vroeg Biggs. 'Je zei dat jullie partners waren.'

'We exporteren aardewerk,' vertelde Villada in het Spaans.

'En u?' vroeg Ortiz in het Engels. Stap op de moedertaal van de man over, stel hem op zijn gemak zodat hij rustig durft te vragen of de heren misschien in werkelijkheid hoogwaardige dope verkopen en geen waardeloos aardewerk.

'Ik ben een wetshandhaver,' zei Biggs. 'Texas Rangers.' Hij ritste zijn jack open, voelde in zijn binnenzak, haalde er een leren portefeuille uit en maakte die open om de gouden ster aan de binnenkant te laten zien. Opnieuw waren Ortiz en Villada onder de indruk. Maar de roodharige pilote had hun dit allemaal al verteld. Een Texas Ranger die Randolph Biggs heette, had haar bij Frank Holt geïntroduceerd, nog zo'n waardeloze kutnaam, die geregeld had dat zij naar Guenerando vloog om de dope op te halen. En betaald had met kuttig nepgeld.

'Kent u een vrouw die Cassandra Jean Ridley heet?' vroeg Villada in het Engels.

Nu alleen nog maar Engels, dacht hij.

Maak het allemaal maar kristalhelder voor meneer Randolph Biggs hier.

De naam werd geregistreerd.

Biggs keek over de tafel heen naar Ortiz die ineens met een pistool op zijn schoot zat, gericht op zijn buik.

'We zijn met de auto,' zei Villada.

Ollies pianolerares heette Helen Hobson. Ze zat ergens achter in de vijftig, schatte hij, maar hij had het nog nooit gevraagd. Een sprietige vrouw die altijd een groene gebreide sweater op een bruine wollen rok droeg. Hij vroeg zich wel eens af of ze nog andere kleren in haar kast had hangen. Hij bedacht ironisch hoe het noodlot soms werkte. In november was hij bij een jonge dode kleurlinge geroepen in een appartement op de benedenverdieping. Het bleek dat Helen degene was die het lichaam had gevonden. Nou kreeg hij pianoles van haar en was goed op weg om een succesvolle musicus te worden. Het liep allemaal zo raar en wonderlijk.

Het leek eigenaardig om een vleugel te zien staan in een toch wat vervallen appartement, maar Helen had er een in een hoek van haar kleine woonkamer gepropt en daar zat Ollie naast haar op de pianokruk naar de bladmuziek van 'Night and Day' te staren. Helen zat stijf rechtop aan zijn rechterkant op het uiterste puntje van het krukje. Ollies gigantische zitvlak nam de rest in beslag. Hij hamerde op de toetsen.

'Ik heb nog steeds moeite met de noten van de eerste paar maten,' zei hij.

Hij was gek op muzikale termen.

Tot nog niet zolang geleden trof hij maten alleen in de kroeg.

Helen keek hem aan.

'De noten van de eerste paar *maten?*' vroeg ze.

'Ja. Die vind ik lastig.'

'Er staat maar *een* noot in de eerste maten,' zei ze. 'Een noot die drie keer herhaald wordt. G. De G-noot. Drie keer. Bom, bom, bom. Night. And. Day. Dat is steeds dezelfde noot, meneer Weeks. Hoe kunt u dat nou lastig vinden?'

'Geen idee. Ik vind het gewoon lastig.'

'Meneer Weeks, we werken nou al een tijdje aan de eerste zes maten van dit lied...'

'Ja, dat weet ik.'

'Zonder, moet ik toegeven, duidelijke progressie. Weet u *zeker* dat u door wilt gaan met pianolessen?'

'Heel zeker. Ja, mevrouw Hobson. Mijn streven is om vijf liedjes op de piano te kunnen spelen.'

'Want... en misschien moet u dit in overweging nemen, meneer Weeks... misschien hebt u geen aanleg.'

'O, ik weet zeker dat ik talent heb.'

'Misschien niet.'

'Ik heb meer dan genoeg talent. Waarschijnlijk zit ik in een dip of zo, dat is alles. Niet in staat om voorbij die eerste drie noten te komen.'

'Maar die drie noten zijn allemaal *dezelfde* noot! Bom, bom, bom,' zei ze en sloeg demonstratief de toets drie keer achter elkaar aan. 'Night. And. Day!' zei ze, en sloeg dezelfde toets nog een keer aan, en nog een keer, en nog een keer. 'Het is onmogelijk dat u moeite hebt om dezelfde noot drie keer aan te slaan. Dat is fysiek onmogelijk, meneer Weeks. Bom, bom, bom.' En ze sloeg de toets weer aan. 'Het is zo simpel dat een knaagdier het met zijn neus kan doen.'

'Ik heb echt wel geoefend,' zei hij.

'Bom, bom, bom,' zei ze.

'Maar ik kreeg die twee moordgevallen…'

'O, alstublieft,' zei ze met toegeknepen ogen.

'Sorry, ik weet dat u daar liever niets over hoort…'

'Ja, echt niet.'

'Ik probeer alleen uit te leggen dat ik het heel druk heb gehad. En ik ben ook nog begonnen een boek te schrijven.'

Helen staarde hem aan.

'Ja,' zei hij grinnikend. 'Een roman.'

Ze bleef hem aanstaren.

'Een roman,' zei ze. 'Nou, nou.'

'Ja,' zei hij. 'Ik weet het.'

Hij legde uit dat hij nu bijna twintig jaar politieagent was, waarvan bijna vijftien jaar rechercheur, dus hij wist wel iets meer van het politiewerk dan de gemiddelde broodschrijver, toch?

'Vast wel,' zei Helen.

Dus had hij een soort brief met instructies van die redacteur bij Wadsworth and Dodds meegekregen…

'Daar moet ik dus een tweede moord onderzoeken…'

…die hij naar mensen stuurde die om informatie vroegen, dat zoiets heel handig was en dat hij er zeker wat aan had, maar dat het toch niet zo bevredigend was als pianospelen…

'Als ik eerst maar voorbij die eerste drie noten kom,' zei hij.

'*Dezelfde* noot, meneer Weeks. Het is precies *dezelfde* noot. Bom, bom, *bom*.' En ze drukte de G-toets weer in.

'Hij heet Henry Daggert,' zei Ollie.

'Wie?'

'Die redacteur bij Wadsworth and Dodds. Hij is hoofdredacteur en onderdirecteur. Ik ken bijna alles wat hij geschreven heeft uit mijn hoofd.'

'Maar deze eerste noot van dit liedje kent u niet uit uw hoofd,' zei Helen en tikte op de bladmuziek. 'Nog wel zo'n *eenvoudige* noot. Probeert u eens aan die drie noten als *dezelfde* noot te denken. Zou dat lukken? Zet uw wijsvinger eens op de G-toets en druk die eens in, bom. Laat die dan uitklinken en druk dan nog een keer, bom. Kunt u dat?'

'Vast wel,' zei Ollie.

Licht wanhopig keek Helen naar het toetsenbord. 'We hebben nog een paar minuten,' zei ze. 'Zullen we het nog één keer proberen?'

Eerst hield hij stug vol dat hij geen Cassandra Jean Ridley kende. En ook geen Frank, trouwens. Met *welke* achternaam dan ook. Geen enkele Frank in zijn drukke Texas-Rangersleven.

Maar dit was het zonnige Mexico.

Dus zetten ze zo'n elektrische stok voor vee tegen zijn testikels.

En promt kon hij zich de knappe roodharige en die Frank Huppeldepup herinneren. Maar het enige dat hij gedaan had was de twee aan elkaar voorstellen. '*Verdad*,' zei hij in het Spaans, hij kende hen amper, echt waar. Cassie – in die kroeg noemden ze haar Cassie – was een aantrekkelijke roodharige en Frank kende hij wel van gezicht, aardige vent, hij dacht dat ze elkaar voor die nacht wel gevonden hadden, kende zijn achternaam niet, *verdad, amigos.*

'Ik ben een Texas Ranger. Ik doe voornamelijk grenscontroles, probeer illegale maïsvreters tegen te houden, jullie weten wel...'

Hij zei echt 'illegale maïsvreters' tegen twee Mexicanen die zo'n elektrische stok tien centimeter van zijn bibberende ballen hielden...

'Neem me niet kwalijk,' zei hij direct. 'Wat ik wilde zeggen...'

Wat hij wilde zeggen was dat hij niets van wat voor geld dan ook wist dat luitenant Ridley of wie dan ook over de grens naar het zuiden gevlogen had, niets wist van afspraken tussen deze twee keurige heren en wie dan ook in het hele universum, niets wist over Frank Huppeldepup die hij ooit eens in een kroeg had ontmoet, niet wist hoeveel een key cocaïne opbracht, niet eens wist wat cocaïne *was*, vraag hem iets anders, hij was heel goed in aardrijkskunde.

Ze gaven hem deze keer een heftiger schok.

Zijn ballen schoten recht omhoog in zijn keel.

Oké, vertelde hij, de man heet Frank Holt, ik kende hem als een onafhankelijke leverancier, maar heel betrouwbaar. Ik had geen idee wat er in Mexico zou gebeuren, ik heb alleen een piloot en een man bij elkaar gebracht. De man zocht iemand die iets kon brengen en mee terug nemen, de piloot moest risico's willen nemen – die, tussen twee haakjes, luitenant Ridley in de Golfoorlog vaak had genomen als je de verhalen mocht geloven. Hij dacht dat ze een onderscheiding voor bewezen moed gekregen had. Een waardige vrouw die haar land onder bijna ondraaglijke spanning gediend had. Hij wist zeker dat ze nooit aan iets mee zou doen als ze wist dat iemand zijn financiële verplichtingen in ruil voor de goederen niet na zou komen. Wat die goederen dan ook mochten zijn, hij had niet vermoed dat de dame cocaïne over de grens zou vliegen. Hij vertelde hun dat hij er echt geen flauw *idee* van had dat er vals geld naar Mexico was gevlogen als betaling voor ongetwijfeld zeer hoogwaardige cocaïne. De beide heren zagen er zeer vertrouwenswaardig en zeer professioneel uit. Kortom, hij was niet meer dan een onwetend instrument geweest, een voorbereider om het zo maar te zeggen, een handige, aardige vent die probeerde te helpen, dat was alles. Als de heren waren afgezet, dan had Randolph L. Biggs daar niets mee te maken. Ze zouden echt ergens anders moeten zoeken.

'Dus, heren…'

Villada knikte naar Ortiz.

Tien seconden later vertelde Biggs hun dat de echte naam van Frank Holt Jerome Hoskins was en dat hij bij een uitgeverij werkte die Wadsworth and Dodds heette, aan de oostkust in de grote, gevaarlijke stad.

Carella kreeg uiteindelijk kapitein Mark William Ridley even na zessen 's avonds aan de lijn. Hij wist dat het in Binsfeld, Duitsland, al midden in de nacht was, maar toen hij het eerder die dag had geprobeerd had men hem gezegd dat de kapitein nog niet op de basis was.

Nu – om 6.06 precies, volgens de klok in de recherchekamer – luisterde Carella naar de stem van de kapitein die ergens net buiten Frankfurt zat en die omstandig uitlegde dat de commandant van Spangdahlem, de brigadegeneraal van het 52ste Fighter Wing, besloten had om min of meer onpartijdig de twaalf vakantiedagen die op 21 december begonnen (het begin van Hanukkah) en op nieuwjaarsdag zouden eindigen, onder de vijfduizend militairen en de zevenduizend burgers van de basis te verdelen.

'Dat moet, omdat onze vliegeniers constant paraat moeten staan om de vrede te bewaken en een mogelijke aanval af te slaan,' zei hij.

'Ik begrijp het,' zei Carella.

'Om Amerikaanse en NAVO-objecten te beschermen,' ging Ridley door, 'ja, meneer.'

Carella wilde dat de man niet klonk alsof hij gedronken had.

'Ik mocht van 21 tot 27 december weg,' zei Ridley. 'Ik ben net vijftien minuten geleden uit Italië geland. Heb ik het goed gehoord dat u zei dat u een rechercheur was?'

'Ja, inderdaad.'

'Waarom belt u me hier in het Rijnland, als ik dat mag vragen, meneer?'

Carella zou hem moeten vertellen dat zijn zus dood was.

Hij haalde diep adem.

Hij dacht dat hij dit karwei misschien al honderd keer, misschien al duizend keer eerder, had moeten opknappen: een vrouw of een moeder of een vader of een zoon of een broer of een tante vertellen dat een dierbare uit hun naaste omgeving opeens op onverklaarbare wijze overleden was. En dan had geluisterd naar de stilte of de tranen of het hysterische gelach dat soms op dit onverwachte, onwelkome nieuws volgde dat een volslagen onbekende hun vertelde. Hij dacht dat hij deze vervloekte woorden minstens een miljoen keer uitgesproken moest hebben.

Ridley zweeg even.

Ten slotte zei hij: 'Een ongeluk komt nooit alleen, hè?' Ineens klonk hij nuchter. 'Eerst verlaat mijn vrouw me...'

Hij zweeg weer.

Carella wachtte.

'Het spijt me,' zei Ridley.

Carella nam aan dat hij huilde, maar hoorde geen tranen over de krakende lijn. Hij wachtte.

'Kapitein,' zei hij eindelijk. 'Misschien mag ik u een paar vragen stellen. Ik weet dat het een slecht moment is...'

Hij liet het eind van de zin in de lucht hangen.

Ridley zei niets.

'Kapitein?' zei Carella.

'Ja, ja, natuurlijk,' zei Ridley. 'Ga uw gang. Tuurlijk. Sorry. Ga uw gang.'

'We hebben brieven van u aan uw zus gelezen...'

'Ja, we schreven vaak.'

'In een ervan hebt u het over een brief van *haar*...'

'Ja.'

'...waarin ze schreef dat ze begin december een vliegklus had...'

'Ja.'

'...en ze voelde dat haar leven daardoor aanzienlijk zou verbeteren, dat stond in haar brief waar u uit citeerde.'

'Ja.'

'Wat was dat voor klus, kapitein Ridley. Weet u dat?'

De kapitein zweeg.

'Meneer? Ze schreef blijkbaar ook dat ze na de klus naar de oostkust zou verhuizen...'

'Ja.'

'…zit er ruim voor de kerst, heeft ze blijkbaar geschreven als u haar letterlijk hebt geciteerd.'

Weer zweeg de kapitein.

'Weet u, meneer, ze is net voor Kerstmis vermoord en we vroegen ons af of die klus misschien iets met haar dood te maken kon hebben.'

'Hoe is ze vermoord?' vroeg Ridley.

'Iemand stak een ijspriem in haar,' vertelde Carella.

En wachtte.

'Ze vloog dope,' zei Ridley.

'Naar Mexico, klopt dat?'

'Ja. Vier keer.'

'Op 7 december vloog ze voor de laatste keer naar Mexico. Klopt dat?'

'Ja. Hoe weet u dat?'

'Er stond een aantekening op haar kalender.'

'Ze belde me direct erna.'

'Naar u, in Duitsland?'

'Ja.'

'Waarom, kapitein?'

'Om te vertellen dat ze de vier vluchten had gedaan en dat het een eitje was geweest.'

'Hoe weet u dat het drugsvluchten waren?'

'Dat heeft ze me verteld.'

'Over de telefoon?'

'Nee, in een van haar brieven. Nadat ik haar gewaarschuwd had dat ze niets moest doen waardoor ze in moeilijkheden kon komen. Ze verzekerde me dat het korte vluchten waren, simpele vrachtjes. Net als kippen of sandalen, zei ze. Letterlijk.'

'Waar vloog ze naartoe? Van waar naar waar?'

'Van Texas naar Mexico naar Arizona.'

'Wat voor vrachtjes?'

'Geld voor drugs.'

'Hoeveel geld?'

'Vertelden ze haar niet. Het zat in afgesloten koffers.'

'Wat voor drugs? Heroïne? Cocaïne?'

'Weet ik niet. Ik denk dat zij het ook niet wist.'

'Voor wie werkte ze?'

'Ene Frank Holt. Hij gaf haar de koffers met geld. Hij kocht het spul.'

'Weet u wie hij is?'

'De een of andere kerel aan wie ze in een kroeg in Eagle Branch is voorgesteld. Daarom vond ik het zo gevaarlijk klinken. Ik bedoel wie *waren* die mannen, godverdomme? Zij zei dat ze oké waren. Gewone mannen, zei ze tegen me. Mannen die rijk wilden worden. Ze vertelde dat er een Texas Ranger bij was met wie ze een paar keer uit was geweest. Die vent had haar aan Frank Holt voorgesteld.'

'Hoe heette hij? Die Texas Ranger?'

'Riggs? Biggs? Zoiets.'

'Hoeveel hebben ze haar betaald?'

'Veel.'

'Hoeveel?'

'Tweehonderdduizend dollar.'

'Dat is veel,' was Carella met hem eens. Bedacht dat het dus grote mannen moesten zijn geweest. Je betaalt geen vijftigduizend voor een reisje en een kleine drugsdeal.

'Hoe betaalden ze? Heeft ze dat verteld? In honderddollarbiljetten misschien?'

'Geen flauw idee. Ze kreeg vijftig toen de afspraak stond en de rest na de laatste vlucht.' Ridley wachtte even. 'En wat ze haar nog extra gaven.'

'Hoe bedoelt u? Dat ze extra geld gaven?'

'Ja, ze kreeg extra geld, een fooi.'

'Van wie?'

'De Mexicanen in Guenerando. Ze kreeg een fooi van tienduizend dollar. Ze zei dat ze bontjassen ging kopen.'

Het werd stil op de lijn.

'Heeft ze die jassen gekocht?' vroeg Ridley. 'Weet u dat?'

'Ze heeft de jassen gekocht,' zei Carella.

151

* * *

Vette Ollie Weeks kwam na zijn pianoles even langs om te kijken of iemand van het 87ste misschien mee wilde om een pizza of zo te halen. Ze gingen naar een zaak op Culver en U. Ollie bestelde een grote voor zichzelf. Meyer en Carella bestelden samen een medium. Ze hadden geen dienst, ze bestelden alledrie bier.

'Je ziet er moe uit,' zei Ollie tegen Carella.

'Van al dat boekhoudwerk,' zei Carella.

Ollie beet in een pizzapunt. Kaas en saus vielen op zijn jasje. Hij dipte het topje van zijn wijsvinger in een kwak mozzarella en bracht die genietend naar zijn mond. Terwijl hij die aflikte vroeg hij: 'Boekhoudwerk?'

'Bij die Ridleyzaak.'

'Wat voor boekhoudwerk?'

'Ik probeer al haar geld te traceren. Een half uur geleden had ik haar broer in Duitsland aan de lijn…'

'Wiens vrouw was weggelopen,' knikte Ollie. Hij begon aan zijn tweede punt pizza. 'Die die trouwring stuurde.'

'Precies. Hij vertelde dat ze tweehonderdduizend pegels verdiende met wat dope in Mexico oppikken.'

'We hebben het verkeerde vak,' vond Ollie.

'En tienduizend fooi.'

'Geven drugshandelaren tegenwoordig fooi?'

'Volgens mij gebruikte ze die tienduizend als handgeld. Struthers heeft gestolen wat over was.'

'Achtduizend dollar.'

Hij vroeg zich af hoeveel calorieën er in het stuk pizza zaten dat hij in zijn hand had. Ollie leek zulke problemen niet te kennen.

'Stopte tweehonderdduizend in haar kluisje,' ging Carella verder. 'En zette dat met kleine beetjes tegelijk op een rekening en een spaarrekening.'

'Smurfen,' knikte Ollie bevestigend en nam een derde stuk pizza.

'Allemaal verantwoord,' zei Carella. 'En uiteindelijk, allemaal onvervalst geld. Wat ervan over is gebleven.'

'Wie zegt dat?'

'Een mevrouw van de bank.'

'Betrouwbaar?'

'Misschien.'

Ollie trok sceptisch een wenkbrauw op.

'Maar laten we even aannemen dat die tweehonderdduizend *niet* vals is, oké?' zei Carella.

'Oké, tweehonderdduizend in mooie, schone biljetten.'

'Dan blijven alleen nog die tienduizend die ze extra kreeg over.'

'*Alleen maar?*' vroeg Ollie. 'Dat is meer dan de wekelijkse betaling van Riverhead.'

Agenten maakten altijd grapjes over de betalingen van Riverhead of Calm's Point die altijd te laag of te laat of om de een of andere reden ingehouden werden. Sommige agenten maakten geen grapjes. Meyer vond Ollie toch een eerlijke agent. Alleen een agent met een onbezwaard geweten kon zo eten als Ollie.

Hij zag hoe Ollie zijn derde pizzastuk met een grote slok bier naar binnen spoelde, dacht: sodemieter toch op, en beet fanatiek in zijn eigen pizza. Met zijn rechterhand maakte Ollie de serveerster duidelijk dat hij nog een stuk wilde. Met zijn linkerhand pakte hij zijn vierde stuk. Meyer vroeg zich af hoe hij er met drie handen uit zou zien.

'Een fooi van tienduizend van de jongens uit Mexico,' zei Carella. 'Wat Cass in huis houdt voor bijkomstige gevallen, terwijl ze het *grote* geld over haar rekeningen verdeelt. Oké. Struthers breekt in en vindt achtduizend – of misschien zelfs meer – in een schoenendoos of zo en gapt het. Hij wil een van die biljetten uitgeven, maar wordt gesnapt door de Secret Service, die hem vertelt dat ze een ontvoering onderzoeken...'

'Bullshit,' zei Ollie.

'Ben ik met je eens. Maar hoe dan ook, ze geven de biljetten terug en laten hem gaan.'

'Waarom?'

'Goeie vraag. Maar wat me echt dwarszit...'

Ollie beet in zijn vierde stuk pizza. Kauwend keek hij over de tafel naar Carella. Meyer keek ook naar hem.

'Struthers probeerde eerder vandaag met een ander biljet te betalen. Dus ik denk dat hij meer dan die achtduizend gegapt heeft. Maar dat maakt nu niet uit. Wij brengen dat biljet naar de bank, de dame denkt dat het vals is – iets als een superbiljet dat de Iraniërs drukken op een pers die...'

'Bullshit,' zei Ollie weer.

'Weet ik niet zo zeker. Maar laten we de Iraniërs even buiten beschouwing laten, oké? Het zou best bullshit kunnen zijn, wie weet? Laten we eens aannemen dat het biljet vals *is*. Laten we eens aannemen dat *elk* honderddollarbiljet dat Cass Ridley als fooi kreeg vals is. Tienduizend in valse honderdjes. Kunnen we dat even aannemen?'

Meyer fronste zijn voorhoofd.

'Wat?' vroeg Carella.

'Als die tienduizend vals zou zijn...'

'Ja?'

'En Struthers heeft die gestolen...'

'Of wat ervan over was.'

'En de Secret Service heeft ze nagekeken...'

'Ja?'

'Waarom hebben ze dan niet ontdekt dat het vals is?'

'Dat is precies wat me dwarszit,' knikte Carella en beet in zijn pizzastuk.

'Ik mis iets, geloof ik,' zei Ollie.

'Als de Secret Service achtduizend dollar vals geld in handen had,' zei Carella, 'waarom hebben ze dat dan niet geconfisqueerd? Waarom hebben ze het aan Struthers teruggegeven?'

'Ik zal happen,' zei Ollie en beet in een ander stuk pizza. De serveerster had net een nieuwe gebracht. Hij bestelde nieuwe biertjes. En hij begon met twee handen stukken pizza uit beide dozen te pakken, sommige koud, sommige heet. Allemaal verdwenen ze met opmerkelijke snelheid in zijn gulzige mond. 'Waarom hebben ze dat geld *teruggegeven*?'

'Ik kan alleen maar bedenken dat ze dat *niet* deden,' zei Carella.

'En je zei net...'

'Ze gaven hem wel achtduizend dollar terug, maar dat was niet de achtduizend die ze hadden meegenomen. Ze gaven hem *echt* geld terug. Ook de dame van de bank zei dat het echt geld was.'

'Waarom zouden ze zoiets doen?'

'Omdat ze niet wilden dat iemand drukte zou gaan maken. Als je hem zijn geld afpakte, kon hij vroeg of laat herrie gaan schoppen, weet jij veel? Kon zelfs bij *ons* de boel op stelten komen zetten.'

'Een ex-bajesklant?' zei Ollie.

'Waarom niet? Maar als je hem zijn geld in *echte* biljetten teruggeeft...'

'Ze hebben waarschijnlijk een calamiteitenpotje,' zei Meyer. 'Net als wij.'

'Waarschijnlijk. Daar halen ze achtduizend uit, sturen Struthers weg, prettig kennis te hebben gemaakt, maak je over ons maar niet meer bezorgd.'

Ollie keek hem aan.

'Veel te klotediepgaand voor mij,' zei hij.

'Snap je dat niet?' zei Carella. 'Waarom zouden twee blonde stoten met een fles champagne naar het appartement van een alleenstaande vrouw gaan met een achterlijk verjaardagsverhaal, een ijspriem in haar hoofd steken, met haar naar de dierentuin walsen, haar uitkleden en bij de leeuwen gooien zodat ze niet meer geidentificeerd zal kunnen worden? Waarom wilden ze haar laten verdwijnen?'

'Waarom?' vroeg Ollie.

'Omdat ze daarginder in Eagle Branch, Texas, ergens in beland is.'

'Eagle Branch?' zei Ollie en stopte met kauwen.

'Ja. Wat is er?' vroeg Carella direct.

'Mijn uitgever heeft een vertegenwoordiger die daar woont.'

'Jouw uitgever?'

'Ja, ik ga een boek schrijven. Had ik dat nog niet verteld?'

Carella keek Meyer aan.

'Toevallig kwam ik een uitgever tegen die op zoek was naar een goede thriller. Dus als ik niet piano studeer, werk ik aan het boek. Het aftellen is *begonnen!*' riep hij theatraal en propte een stuk pizza in zijn mond.

'Jij kwam toevallig een uitgever tegen,' zei Carella. 'Met een vertegenwoordiger die in....'

'Ik kreeg op kerstavond een dooie vent in een vuilnisbak,' legde Ollie uit. 'Kogel in zijn achterhoofd. Leek op een drugsafrekening, maar het bleek een doodonschuldige, goudeerlijke verkoper bij Wadsworth and Dodds te zijn. Zo heet de uitgeverij waar hij voor werkte.'

'Ollie,' zei Carella. 'In Eagle Branch heeft Cass Ridley de twee mannen ontmoet die haar naar Mexico stuurden.'

'Ja, dat *weet* ik wel, Stevenino.'

'In Eagle Branch is het allemaal *begonnen.*'

'Ja, waarom denk je dat ik dit allemaal vertel?'

'Wil je zeggen dat je een verband met de moord gevonden hebt?'

'Helemaal niet. Ik wil alleen maar zeggen dat ik een lijk heb gevonden dat voor een uitgeverij werkte die een vertegenwoordiger in dienst heeft die in Eagle Branch, Texas, woont. Meer niet.'

'Hoe heet hij, die vent uit Texas?'

'Randolph Biggs.'

'De Texas Ranger,' zei Carella tegen Meyer.

'Nee, een vertegenwoordiger,' zei Ollie.

'Jouw lijk had niet toevallig valse honderdjes op zak, hè?' vroeg Meyer.

'Nou, ik weet niet of ze vals zijn of niet,' zei Ollie, 'maar als jullie willen kunnen we ze bekijken. Ik heb ze al aan de Griffie gegeven.'

Ze tekenden voor de zeven honderddollarbiljetten die rechercheur Oliver Wendell Weeks in de portefeuille van Jerome Hoskins had gevonden en uit voorzorg bij de Griffie had gedeponeerd en ze namen ze mee. Om tien over tien die avond, toen de laatste FBItas op weg naar Washington, D.C., ging, zat het geld in een vliegtuig met een dringende brief voor de Federal Reserve, met het verzoek om een echtheidsonderzoek, zo snel mogelijk.

De biljetten en het antwoord van de Fed lagen op Carella's bureau te wachten toen hij de volgende ochtend op zijn werk kwam, de achtentwintigste dag van december.

Het geld was echt.

9

Nikmaddu Zarzour werd kwaad als hij als een terrorist behandeld werd. Zelfs als hij op een terrorist leek. Zelfs als hij er een *was*. Wat hij inderdaad toevallig was.

De problemen begonnen toen hij overstapte van de vlucht van Air France 613 van Damascus naar Parijs op een aansluitende vlucht 006 naar de Verenigde Staten. Hij had een zwart linnen pak aan, een wit overhemd, geen das en de kleine rode fez die zo geliefd is bij Turkse heren. Maar hij was geen Turk en geen heer. Toen ze boven Syrië vlogen was hij gewoon een van de Arabieren geweest, zijn huidskleur de kleur van woestijnzand, zijn zwarte snor netjes bijgeknipt, een gouden tand die af en toe opblonk in zijn linkerbovenkaak.

Maar vanaf het moment dat hij overstapte in Parijs werd hij iemand die met zijn haveloze koffer en kleren de aandacht van de douanier bij de vlucht van 3.15 uur 's middags naar de Verenigde Staten trok. Het kwam niet in hem op dat als Nikmaddu werkelijk een terrorist was – wat hij in feite was – hij waarschijnlijk een Louis Vuitton-pak zou dragen of iets dergelijks om niet op te vallen. De douanier controleerde zijn armzalige bagage en weigerde – en confisqueerde – het kleine doosje verse vijgen waarvan Nikmaddu zei dat hij het voor zijn oudtante had meegenomen. De douanier vermoedde niet dat de gedeukte en gehavende bruinleren koffer een valse bodem had. Hij zou zich niet kunnen voorstellen dat er bijna twee miljoen Amerikaanse dollars op de bodem van de koffer lagen; röntgenstralen reageren niet op papier.

En, natuurlijk waren er de verhitte discussies bij Douane en Immigratie, hier aan de oostkust van de gastvrije Verenigde Staten, ook al was zijn paspoort in orde, ook al kon hij een visum laten zien, het interesseerde hen geen bal. Hij leek op een terrorist, erger, hij *was* een terrorist. Wat in feite klopte. Maar het deed toch zeer.

Nu...

Eindelijk.

'*Uhlan wa-Sahian.*' Welkom.

'*Ahlan Bikum,*' zei Nikmaddu.

Het correcte antwoord, in het meervoud omdat hij met drie van hen praatte. Hij had hen nog nooit ontmoet. De mannen stelden zichzelf nu voor. Een van hen, blijkbaar hun leider, droeg een klein snorretje waardoor het leek alsof hij constant lachte. Hij had in een Afghaans trainingskamp gezeten en er werd gemompeld dat hij banden met de Egyptische Jihad had.

'*Ismi Mahmoed Gharib,*' zei hij. Ik heet Mahmoud Gharib.

De tweede man had het harde, leerachtige uiterlijk van een kamelendrijver. Diepe groeven in zijn bruine gezicht, dikke aderen boven op zijn sterke handen. Hij vertelde Nikmaddu dat hij Akbar heette. Hij lachte als een haai, een en al tanden, en niet eerlijk. Hij was hun bomexpert.

De man die zichzelf als Jassim voorstelde leek op een slang met pokken, tenger en donker en pokdalig. Zijn handdruk was opmerkelijk sterk, vingernagels met rouwrandjes, misschien wel resten van explosieve poeders of oliën. Hij zou met de bom naar binnen gaan.

Een die alleen met zijn snor lachte, dacht Nikmaddu, een ander die met valse tanden lachte en een derde – met vieze nagels – die helemaal niet lachte.

'Zo, daar ben je dan eindelijk,' zei de derde. Jassim.

'*Il-Hamdu-Allah,*' antwoordde Nikmaddu. Gelooft zij God.

'Was het een prettige reis?' vroeg Akbar. Een vals blinkend lachje en scherpe donkere ogen.

Nikmaddu haalde zijn schouders op.

'Heb je het geld bij je?' vroeg Mahmoud. Snorremans moest lachen. Een directe vraag. Zonder geld geen explosieven. Zonder geld geen voorbereidingen. Zonder geld geen vluchtroute, geen veilige terugreis. Zonder geld was er niets.

'Ik heb het geld bij me,' zei Nikmaddu.

En dus konden ze aan de slag.

* * *

Het appartement waar ze verbleven was door Mahmoud zelf gehuurd. Hij liep al drie maanden achter met de huur, een andere reden waarom hij zo snel over het geld begonnen was; die bloedzuiger van een joodse huisbaas dreigde hem bijna dagelijks met uitzetting. Het appartement lag in een vier verdiepingen hoog flatgebouw, zonder lift, in een buurt die Majesta werd genoemd, naar Hare Majesteit, wijlen de maagdelijke koningin van Engeland toen de Verenigde Staten nog kolonies waren. Ooit, in een ver verleden, woonden er Ierse immigranten in Majesta. Daarna werd het Italiaans. Vervolgens Puertoricaans. Nu woonden er immigranten – grotendeels illegale – uit derdewereldlanden van het Midden-Oosten. De mannen slurpten er sterke Turkse koffie terwijl ze buiten in de verte de sneeuw zagen neerdwarrelen op de torens van de Majestabrug. Jassim zou het heerlijk vinden om die brug met explosieven te behangen, maar Mahmoud was conservatiever.

Mahmoud vond dat alle succesvolle terroristische aanslagen teruggingen tot wat er zo'n halve eeuw geleden in Algiers was gebeurd. Toen begon daar in 1954 de Arabische onafhankelijkheidsoorlog tegen de Fransen. In juli 1962 werd daar de Democratische Volksregering van Algerije gevormd. In die acht jaar ontdekte het terrorisme zijn klauwen en giftanden. En toen droegen de vrouwen de lange jurken die in de koran beschreven staan – *O, profeet, zeg uw vrouwen, uw dochters en de vrouwen van gelovigen dat ze hun kleding moeten verlengen. Opdat ze herkenbaar zullen worden en niet meer beledigd zullen worden* – en de hijab, die, behalve hun ogen, het hele gezicht bedekten en de khimar die hun boezems bedekten zodat ze onherkenbaar door groentenwinkels konden lopen en in bussen konden zitten, met boodschappentassen vol explosieven die ze heel eenvoudig konden afleveren voor ze terug naar huis, naar hun gezinnen gingen.

Het terrorisme – vertelde Mahmoud aan Nikmaddu – was enorm toegenomen. De leiders dachten ook in het groot. Ze hadden ook grootse plannen. Waarom het World Trade Centre in New York bombarderen of een overheidsgebouw in Oklahoma City of de Amerikaanse ambassade in Nairobi of Dar es Salaam?

Waarom een vliegtuig boven Lockerbie of LaGuardia laten neerstorten? Zulke aanslagen zorgden alleen maar voor uitgebreide onderzoeken en vijandelijkheden. Waarom geen kleine bom in een bioscoop? Of in een treinstation? Waarom geen tas vol explosieven onder een stoel op de zesde rij in Clarendon Hall op de avond dat Svi Cohen Beethovens 'Lentesonate' in F-majeur zal spelen, of diens 'Kreutzer' in A-mineur, of welk deuntje die grote jood op zijn vervloekte zionistische viool dan ook wilde spelen?

'Waarom plegen we geen beperkte terroristische aanslagen, zodat we hun duidelijk maken dat we altijd overal waar we maar willen kunnen toeslaan?' vroeg Mahmoed.

'Clarendon Hall is niet zo klein, hoor,' grinnikte Akbar.

'Je begrijpt wel wat ik bedoel,' zei Mahmoud tegen Nikmaddu.

'Ik begrijp wat je bedoelt,' antwoordde Nikmaddu.

Hij vond de koffie lekker. Hij was er niet zo zeker van dat hij het eens was met deze terroristische ideeën van zo'n halfgeletterde filosoof als de man met dat komische snorretje. Nikmaddu had persoonlijk samengewerkt met Osama bin Laden bij de bomaanslag in Dharan waarbij negentien Amerikaanse militairen waren omgekomen. Persoonlijk geloofde hij dat alleen *grote* terroristische aanvallen enige indruk maakten op het grote kwaad dat de Arabische wereld bedreigde. Alleen heldendaden zouden aanzetten tot grootschalig vertrek. De terugtrekking van de Amerikaanse en westerse troepenmacht uit de moslimlanden in het algemeen en van het Arabische schiereiland in het bijzonder was het uiteindelijke doel van *al Quaida*. Het doden van alle Amerikanen, ook burgers, in alle delen van de wereld was een manier om dat doel te bereiken. Maar Nikmaddu was slechts een gelovig dienaar van God. Een machtiger iemand had bevolen dat er een bom geplaatst moest worden in Clarendon Hall. Hij had dat te gehoorzamen.

Ze slurpten van hun koffie.

'Vertel me het plan,' zei Nikmaddu.

De eigenaar van Diamondback Books heette Jotham Davis. Begin veertig, schatte Ollie, een zwarte man, helemaal kaal en een glimmend hoofd. Hij droeg een zwarte spijkerbroek, zwarte loafers en een zwarte coltrui. Er hing een gouden ketting om zijn nek, die tot ergens midden op zijn smalle borst bungelde. Hij vertelde hun dat in de bijbel Jotham de jongste van Gideons zeventig zonen was. Hij vertelde hun dat het stil was na de kerst. Hij vertelde hun dat vijftig procent van de jaaromzet van een boekwinkel in de drie maanden voor Kerstmis werd gedraaid. Hij vertelde hun dat als een boekwinkel dat niet haalde rond de kerst, die dan net zo goed kon sluiten. Ollie vond dat de man raaskalde. Dat kwam omdat Ollie vond dat het absoluut onmogelijk was dat een neger iets van boekenverkoop af wist.

Het was nu bijna twaalf uur 's middags op die achtentwintigste dag van december, drie dagen voor oudjaar, ongeveer zes minuten voor de lunch. Ollie was zich altijd bewust van de tijd, maar alleen vanwege de etenstijden. Hij en Carella waren nu bijna tien minuten in de winkel en luisterden naar deze kale klootzak die maar doorzaagde over de boekhandel, terwijl zij het alleen maar over Jerome Hoskins wilden hebben die in zijn achterhoofd was geschoten en vier dagen geleden in een vuilnisemmer was gevonden.

'Verkoopt u veel boeken van Wadsworth and Dodds?' vroeg Ollie. 'In die drie maanden voor de kerst?' Hij had bedacht dat deze mensen waarschijnlijk zijn uitgever zouden worden als hij zijn boek af had, dus wilde hij weten hoe goed hun boeken verkochten.

'Niet zoveel,' zei Jotham. 'Ze geven vooral technisch spul uit, je weet wel.'

'Wat bedoelt u met technisch?' vroeg Carella.

'Nou, bouwkundig spul, architectonisch. Dat spul.'

'En thrillers?' vroeg Ollie.

'Ik heb nog nooit een thriller van ze gezien,' zei Jotham.

'Ze hebben mij verteld dat ze ook wat thrillers uitgeven.'

'Misschien. Ik heb ze alleen nog niet gezien.'

'Heeft hun vertegewoordiger het niet over hun thrillers gehad?'

'Nee, niet dat ik me kan herinneren.'

'Een man die Jerome Hoskins heette? Heeft die het nooit met u over thrillers gehad?'

'Nee, volgens mij niet.'

'Wanneer was hij hier voor het laatst?' vroeg Carella.

'Ergens in september denk ik. Misschien oktober. Ergens in die tijd. Dat is de periode dat de meeste vertegenwoordigers langskomen. Meteen na hun verkoopbesprekingen.'

'Was hij afgelopen week hier?' vroeg Ollie.

'Noppes.'

'Twee dagen voor kerst om precies te zijn.'

'Noppes. Hij was pertinent niet hier twee dagen voor de kerst.'

'Leest u kranten?' vroeg Ollie.

'Jazeker.'

'Kijkt u televisie?'

'Jazeker.'

'Hebt u de afgelopend dagen iets over hem gelezen of gezien?'

'Nee. Wat is er met hem gebeurd?'

'Waarom denkt u dat er wat met hem gebeurd is?' vroeg Carella.

Jotham keek hem aan alsof hij wilde zeggen: Man, als je hier geboren en opgegroeid was en twee agenten kwamen bij je langs op een ochtend en stelden vragen over de laatste keer dat er een verkoper langs was geweest, dan weet je verrekte zeker dat ze niet langskwamen om een boek over elektriciteit te kopen.

'Bedankt voor uw tijd,' zei Carella.

Nog geen drie blokken bij de boekwinkel vandaan was Wiggy aan het kletsen met de barkeeper van de Starlight Bar, waar hij een van die blondjes was tegengekomen die hem te grazen hadden genomen op kerstavond.

'Ik heb haar voor die avond nog nooit hier gezien,' zei de barkeeper.

'Kwam zomaar uit het niets binnenlopen, bedoel je dat, John?'

'Precies zo, meneer Wiggins.'

'Is ze hier ooit eerder geweest?'

'Niet dat ik me kan herinneren.'

163

'Of een ander blondje dat erg op haar lijkt?'

'Dat zou ik me echt wel herinneren,' zei John.

'Geen van beiden gevraagd of Wiggins hier ook kwam?'

'Nee, geen van beiden, meneer Wiggins.'

'En Wiggy? Hebben ze zo naar me gevraagd?'

'Er is niemand langs geweest die met welke naam dan ook naar u heeft gevraagd.'

'Want volgens mijn was ze naar me op zoek, John.'

'Daar weet ik absoluut niets van.'

'Volgens mijn wist ze dat ik hier zat. Kwam ze speciaal voor mijn hier naartoe.'

John de barkeeper klakte meelevend met zijn tong.

'Kwam er op de een of andere manier achter dat ik hier wel eens kom en toen kwam ze om me te *halen*, John.'

John de barkeeper klakte weer met zijn tong.

'Je hebt ook niet toevallig gezien dat ze me in die limo meenamen, hè?'

'Nou, eigenlijk wel, ik keek net door het raam.'

Wiggy sperde zijn ogen wijdopen.

'Je hebt niet toevallig het kenteken gezien, hè?'

John de barkeeper grijnsde van oor tot oor.

In de volgende drie boekwinkels op het lijstje dat Ollie van Wadsworth and Dodds had gekregen hoorden de twee rechercheurs een paar dingen over het uitgeversvak in het algemeen en over zijn toekomstige uitgever in het bijzonder.

'Een vertegenwoordiger zal zo'n vijftig tot zeventigduizend per jaar verdienen,' vertelde de eerste boekverkoper hun. Hij heette Oscar Haynes. Hij vroeg of ze hem Oz wilden noemen. Ollie vond hem een uitslover omdat hij een paars t-shirt aan had.

'Om de hele Verenigde Staten te bereiken, zul je zo'n, wat zal het zijn?, twintig of dertig vertegenwoordigers moeten hebben,' zei Oz. 'Dan heb je het over veel geld. Eerlijk gezegd denk ik niet dat een klein bedrijf als W&D zich dat kan permitteren.'

'Ze hebben maar vijf vertegenwoordigers,' zei Ollie.

'Zelfs dan heb je het over minimaal tweehonderdvijftigduizend,' zei Oz. 'Dat is een hoop poen.'

In de tweede boekwinkel hoorden ze van de boekverkoper wiens achternaam Afrikaans en onuitspreekbaar was – hij vroeg of ze hem Ali wilden noemen – dat de meeste uitgevers een halfjaarlijkse aanbieding hadden en dat het daarom niet raar was dat Jerome Hoskins maar twee keer per jaar langskwam. 'Tenzij een uitgeverij een grote bestseller heeft, zodat er veel nabestellingen zijn, heeft een vertegenwoordiger geen reden om vaker langs te komen. W&D heeft nog nooit in zijn bestaan een bestseller gehad, dat kunt u van me aannemen.'

'Nooit?' vroeg Ollie ontsteld.

'Niet dat ik weet. Persoonlijk vind ik dat W&D boeken uitgeeft die niemand wil lezen.'

In de derde en laatste boekwinkel hoorden ze dat een bedrijf van de omvang van W&D meestal een verzendhuis gebruikte om hun boeken af te leveren. 'Een verzendhuis regelt verkopen voor zo'n honderd kleine bedrijfjes,' vertelde de boekverkoper hun. Hij heette David. Hij was ook zwart en had een roze T-shirt aan. Ollie vond ook hem een uitslover. Ollie begon te denken dat deze hele handel vergeven was van uitsloverige gekleurde boekverkopers. 'Ik ben echt verbaasd dat W&D eigen vertegenwoordigers heeft,' zei David.

'Kwam Jerome Hoskins op de drieëntwintigste hier langs?' vroeg Carella.

'Dan moet hij dat na vijven hebben gedaan. Dan ben ik gesloten.'

'Wanneer hebt u hem voor het laatst gezien?' vroeg Ollie.

'Ergens in september. Oktober. In die buurt.'

'Hebt u hem ooit met een andere W&D-vertegenwoordiger gezien?'

'Nee.'

'Ene Randolph Biggs? Ooit ontmoet? Uit Texas?'

'Nee.'

Het was lunchtijd en alles wat ze te weten waren gekomen over

Hoskins was dat hij op de drieëntwintigste bij geen van zijn afnemers langs was geweest. Wat inhield dat hij voor iets anders in de buurt geweest was. Iets anders waarvoor ze hem in zijn hoofd geschoten en in een vuilnisbak gedumpt hadden.

'Allemaal voor niets, godverdomme,' zei Ollie.

'Niet helemaal,' vond Carella. 'We weten nu dat Wadsworth and Dodds een tweederangs uitgeverij is en nog nooit een bestseller heeft gehad.'

'En wie vindt dat nou interessant?' zei Ollie. Maar eigenlijk was zijn hart gebroken; hij had gehoopt dat zijn eerste roman met miljoenen over de toonbank zou gaan.

'Maar toch hebben ze vijf vertegenwoordigers in dienst,' zei Carella. 'Voor vijftig tot zeventigduizend de man per jaar. Om boeken te verkopen die niemand wil lezen.'

'Laten we maar wat gaan eten,' zei Ollie.

Aangezien het noodzakelijk was voor de business van Wiggy om boetes voor verkeersovertredingen af te kopen stond er een brigadier van het bureau Kentekenregistratie op zijn loonlijst. Hij belde om een uur 's middags de man op – die Evan Grimes heette – en vroeg of hij een auto voor hem kon natrekken en gaf toen het nummer door dat John de barkeeper door het raam van de Starlight op kerstavond had gezien. Grimes belde hem tien minuten later terug. Hij vertelde dat de auto geregistreerd stond op naam van een bedrijf dat West Side Limousine heette, en hij gaf Wiggy een adres en een telefoonnummer dat hij kon bellen. Hij vroeg Wiggy ook om hem niet meer op zijn werk te bellen en hing abrupt op, wat overeenkwam met een gladiator die een lange neus naar de keizer trekt. Een seconde later belde Wiggy hem op zijn werk terug.

'Laat ik je de regels van het spelletje nog een keer vertellen, klootzak,' zei hij.

Grimes luisterde.

Heel zorgvuldig.

Vervolgens belde hij persoonlijk naar de stedelijke Taxi- en

Limousinecommissie en informeerde of er een werkbriefje was ingevuld door West Side Limo voor een ritje naar de Starlight Bar op St. Sebastian en Boyle rond een uur of een 's nachts op zesentwintig december. 'Het kenteken zou WU 3200 zijn,' zei Grimes, 'het vergunningsnummer van de auto heb ik niet.' De man bij T&L vroeg of hij even wilde wachten en kwam zo'n vijf minuten later weer aan het apparaat.

'Ik denk dat ik heb gevonden wat u zoekt,' zei hij tegen Grimes. 'Maar het staat hier niet als Starlight Bar. Er staat 1271 St. Sebastian.'

'En welke tijd staat er genoteerd?'

'Tien over een.'

'Die moet het zijn. Wie had de auto besteld?'

'Een bedrijf. Wadsworth and Dodds. Wilt u het adres?'

'Graag,' zei Grimes.

Waardoor er binnen enkele minuten van elkaar die dinsdagmiddag drie mensen verschenen bij dat oude markante gebouw op Headley Square.

Een van hen was Wiggy Wiggins zelf.

De andere twee waren de rechercheurs Steve Carella en Ollie Weeks.

Feitelijk stonden ze zelfs met elkaar in de lift naar boven.

Wiggy wist op het moment dat ze naar binnen stapten dat die twee knakkers agenten waren. Hij kon agenten van mijlenver al ruiken. Zelfs al had hij niet de kolf van een 9mm-pistool gezien onder dat jasje van die dikke, dan had hij hem nog als politieman in burger doorzien. Die andere, lang en mager, had Chineesachtige ogen die alert rondkeken, alsof hij ieder moment een misdaad verwachtte en er klaar voor was. De dikke zei dat het de slechtste pastramisandwich was geweest die hij in zijn hele leven gegeten had. De helft ervan zat op zijn jasje zo te zien, mosterdklodders op de ene kant, ketchup op de andere. Wiggy keek naar het plafond. De liftjongen was een puisterig blank joch in een bruin uniform met gouden tressen. 'Vierde verdieping,' zei hij toen de lift stil stond. Hij deed de deur open en keek over zijn schouder naar de drie mannen. De twee agenten – Wiggy was er zeker van – stapten in een grote wachtruimte met ingelijste posters van boeken aan de muur. Wiggy aarzelde.

'Meneer?' zei de liftjongen. 'Dit is de vierde verdieping.'

Binnen tien seconden maakte Wiggy een paar snelle berekeningen. Twee blondjes hadden hem gedwongen om hun het geld te geven dat hij van Frank Holt had afgepakt voor hij hem doodschoot en in een vuilnisbak stopte. Nu zijn hier twee agenten op het adres dat de limo voor die blondjes had gehuurd. Zouden die agenten ook op zoek zijn naar die blondjes? En als dat zo was, hoe lang zou het dan duren voor ze Wiggy zelf in verband konden brengen met de moord op Frank Holt?

'Volgens mij heb ik een foutje gemaakt,' zei hij tegen de liftjongen.

'Hoi, Charmaine,' zei de dikke agent tegen de vette griet achter de receptie.

'Breng me maar terug naar de hal,' zei Wiggy.

De liftjongen haalde zijn schouders op en begon de deur dicht te doen.

De lange, magere agent draaide zich om en keek net naar Wiggy toen de deur sloot.

De man die zichzelf introduceerde als de uitgever bij Wadsworth and Dodds droeg een bruin pak, donkerbruinere schoenen, een korenkleurig overhemd en een groen vlinderdasje met gouden spikkels. Hij had sneeuwwit haar en zei tegen Carella dat hij Richard Halloway heette. Hij herinnerde zich Ollie als rechercheur *Watts*, een foutje dat Ollie snel rechtzette.

'Het is *Weeks*, meneer,' zei hij. 'Rechercheur Oliver *Weeks*.'

'Ach ja, natuurlijk, wat stom van me,' zei Halloway. 'Gaat u zitten, heren. Koffie?'

'Ik lust wel een kopje,' zei Ollie.

'Rechercheur Carella?'

'Ja, graag.'

Halloway pakte de hoorn van zijn telefoon, drukte op een knop en vroeg iemand om koffie te brengen. Hij hing weer op, keek naar de rechercheurs, glimlachte en zei: 'Zo. En wat brengt u weer hier, rechercheur Weeks?'

'We proberen er nog steeds achter te komen wat Jerry Hoskins in Diamondback te zoeken had op drieëntwintig december,' zei Ollie. 'Volgens zijn afnemers is hij bij geen van hen langs geweest.'

'Dat is eigenaardig, hè?' zei Halloway.

'Een paar boekverkopers waren verbaasd dat u vertegenwoordigers in dienst had,' zei Carella.

'O? Is dat zo?'

'Dachten dat een bedrijf van deze omvang beter af was met een verzendhuis.'

'Hebben we overwogen, natuurlijk. Maar die geven niet de persoonlijke zorg die we nu hebben.'

'Vijf vertegenwoordigers,' zei Carella.

'Ja.'

'Eén in Texas, klopt dat?'

Voor Halloway kon antwoorden werd er op de deur geklopt en kwam de receptioniste binnen met een dienblad met een koffiepot, drie kop en schotels, een kannetje melk en een bakje met witte, paarse en blauwe zakjes.

'Ah, dank je wel, Charmaine,' zei Halloway.

Charmaine zette het blad op de koffietafel voor de bank.

'Heb je er misschien toevallig koekjes bij, Charmaine?' vroeg Ollie.

'Wel…eh…'

'Kijk even of we koekjes hebben,' zei Halloway.

'Ja, meneer,' zei ze en liep de kamer uit.

Ollie schonk al in.

'Hoe drinken jullie dit?' vroeg hij.

'Ik zwart,' zei Halloway.

'Een beetje melk en één suiker,' zei Carella.

Hij keek naar Halloway. Een dikke drie of vier minuten geleden had hij naar die vertegenwoordiger in Texas gevraagd, meer dan genoeg tijd voor Halloway om een antwoord te bedenken. Maar Halloway scheen helemaal in beslag te worden genomen door Ollies korte vraagstijl. Ollie maakte nu een suikerzakje open en leegde dat in Carella's kopje. Hij gaf het aan hem en zette Halloways zwarte koffie op het bureau. Charmaine kwam binnen met een schotel met vijgenkoekjes, net toen Ollie naast Carella op de bank zat.

'Dank je wel, Charmaine,' zei hij.

Charmaine glimlachte naar hem en verliet de kamer.

'Uw vertegenwoordiger in Texas,' zei Carella.

'Ja.'

'Die woont in Eagle Branch, klopt dat?'

'Ja, Eagle Branch.'

'U noemt hem Randolph Biggs...'

'Ja, zo heet hij.'

'Zou dit een bijbaantje voor hem kunnen zijn?'

'Een bijbaantje?'

'Ja, een tweede baan. Hij zou toch geen ander werk hebben, toch?'

'Niet dat ik weet. Ander werk? Waarom zou hij een andere baan hebben? Zijn baan bij ons is druk genoeg, dat weet ik zeker.'

'Hij is niet toevallig een Texas Ranger, toch?'

Halloway barstte in lachen uit.

'Neemt u mij niet kwalijk,' zei hij. 'Een Texas *Ranger*? Kan ik me amper voorstellen.'

'Hebt u hem wel eens ontmoet?'

'Natuurlijk heb ik hem ontmoet!'

'Kende Jerry Hoskins hem?' vroeg Ollie.

'Ja, ik weet zeker dat ze elkaar kenden. Ik weet zeker dat ze samen op de verkoopvergaderingen waren.'

'Twee keer per jaar, klopt dat?' vroeg Carella.

'Ja. In het voor- en najaar.'

'Zouden ze elkaar dit jaar ontmoet hebben?'

'Dat weet ik wel zeker.'

'Dit voorjaar? Dit najaar?'

'Ja, dat weet ik zeker.'

'Waar, meneer Halloway?'

'Waarom? Hier. De beide vergaderingen waren in het Century Hotel.'

'Dus uw vergaderingen waren niet in Texas, klopt dat?'

'Ja.'

'Niet in Eagle Branch, Texas?'

'Nee.'

'Dus daar kunnen ze elkaar niet ontmoet hebben, klopt dat?'

'Lijkt me niet.'

'Wanneer hebt u zelf voor het laatst meneer Biggs ontmoet?'

'In september. Voor onze laatste verkoopvergadering.'

'Spreekt u hem vaak?'

'Van tijd tot tijd.'

'Spreekt u hem binnenkort weer?'

'Ik denk van wel.'

'Wilt u hem dan zeggen dat we naar hem gevraagd hebben, alstublieft?'

'Zal ik zeker doen.'

Alles scheen gezegd te zijn.

Carella vroeg zich af of ze genoeg over Biggs hadden voor een arrestatie- en een uitleveringsbevel vanuit Texas. Ollie bedacht dat hij maar wat graag aan deze kleine witharige klootzak wilde vragen of hij wist dat Biggs Cassandra Ridley aan zijn vriend Frank Holt had voorgesteld, die haar tweehonderdduizend dollar had betaald om dope uit Mexico te vliegen. Hij wilde hem vragen of Biggs misschien een *derde* baantje had, naast vertegenwoordiger en Texas Ranger, en of dat derde baantje misschien drugssmokkel kon zijn? Hij wilde suggereren dat als een van Halloways vertegenwoordigers aan het kloten was met drugs in Mexico, dat dan misschien *een andere* vertegenwoordiger van hem hetzelfde deed in Diamondback, reden waarom hij vermoord werd. Ollie wilde Halloway doodsbenauwd maken. Want soms, als je hen benauwd genoeg maakte, sprongen ze de verkeerde kant op.

171

Het bleeft stil.

'Nou,' zei Carella. 'Bedankt voor uw tijd. We waarderen het.'

'En het gastvrije onthaal,' zei Ollie en stopte wat koekjes in zijn jaszak.

Ze liepen uit het Headleygebouw naar buiten, naar het plein aan de overkant van de straat met het standbeeld van William Douglas Rae, de gentleman-geleerde die de harten van deze stad had gestolen met zijn charme, zijn fatsoen, zijn slimheid, toen Ollie zei: 'Wat denk je? Is het woord van die vliegjongen genoeg voor een arrestatiebevel?'

'Wat voor vliegjongen?'

'Cass Ridleys broer in Duitsland.'

'Hangt van de rechter af.'

'Denk je dat Halloway erbij betrokken is?'

'Waarbij?'

'Bij wat dit ook godverdomme mag *zijn*!'

'Als dat zo is, hebben we hem aan het denken gezet.'

'We hadden hem banger moeten maken.'

'Ik denk dat we hem bang genoeg gemaakt hebben,' zei Carella.

Maar Halloways slechte dag moest nog beginnen.

De rechercheurs zagen Walter Wiggins niet de straat oversteken en naar het Headleygebouw lopen op het moment dat hij hen eruit zag komen. Ze zagen ook de twee Latino's niet die door het parkje op het plein ook naar het gebouw liepen. Ze kwamen op hetzelfde moment als Wiggy aan. De twee mannen waren Francisco Octavio Ortiz en Cesar Villada en ze waren net die ochtend uit Mexico aangekomen.

Ze stonden met Wiggy in de lift en alle drie de mannen zeiden tegen de liftjongen dat ze naar de vierde verdieping wilden. De twee Mexicanen keken Wiggy even aan en keken toen weer weg. Voor Wiggy leken ze op Latino-huurmoordenaars. Hij betreurde het diep dat hij hier gekomen was. Eerst twee dienders in de lift, nou twee grote huurmoordenaars. 'Vierde verdieping,' zei de liftjongen en maakte de deur open. Wiggy keek in dezelfde receptie als een halfuur geleden, dezelfde vette, blanke trut achter de balie. De twee Latino's liepen voor hem de lift uit. Godverdomme, geen manieren. Ze liepen naar de balie met Wiggy pal achter hen.

'We zijn op zoek naar een man die hier werkt en Jerome Hoskins heet,' zei een van hen.

Maar het klonk als: 'We zoeken man werkt gier Jerr-o Gosk geet.'

'Frank Holt,' zei de ander.

Die achternaam klonk als: 'Gote.'

Maar Wiggy snapte het en dacht direct dat deze Latijns-Amerikaanse heren geen huurmoordenaars waren, maar twee rechercheurs van het 88ste die de moord op Frank Holt onderzochten. Bijna spurtte hij terug naar de lift.

'Ik snap niet wat u zegt,' zei de receptioniste loenzend.

'Goe geet u?' vroeg de eerste man.

Hij liet het als een bedreiging klinken, zelfs met een vet Spaans accent.

'Charmaine,' zei ze.

'U kent man Randoff Beegs?' vroeg hij. 'Texas?'

'Eagle Branch,' zei de ander.

Wiggy probeerde zich te herinneren of Frank Holt hem had verteld dat hij uit Eagle Branch, Texas, kwam. Maar het enige dat hij zich kon herinneren was dat hij had gezegd dat die honderd keys cocaïne uit Guenerando, Mexico, kwam. Hij vroeg zich nu af of Guenerando ergens in de buurt van Eagle Branch lag. Hij deed net alsof hij niet luisterde naar die mogelijke juten en die vette griet achter de balie, maar hij stond pal achter hen en het was onmogelijk om er klein en onbelangrijk uit te zien als je honderdnegentig pond weegt en zo'n 1,80 lang bent. Hij overwoog even om op de bank tegen de muur te gaan zittten, maar dan zou hij dit fascinerende gesprek missen over de man die hij in zijn hoofd geschoten had. Dus bleef hij staan waar hij stond en deed of hij niet luisterde. Hij zou hebben gefloten om te laten zien hoe onverschillig hij was, maar hij was bang dat dat alleen maar de aandacht zou trekken.

173

'Hoe was die naam ook al weer?' vroeg Charmaine. 'Uit Texas?'

'Randolph Biggs,' zei de eerste man.

Het klonk nog steeds als 'Randoff Beegs'.

'Ah, ja,' zei ze. Ze had eindelijk het accent door. 'Ik zal proberen of onze verkoopmanager tijd heeft.' Ze pakte de hoorn van de haak, drukte op een knop en vroeg: 'Wie kan ik zeggen dat er is?' en keek hoopvol omhoog.

'Francisco Ortiz,' zei een van de mannen.

'Cesar Villada,' zei de ander.

Wiggy zag dat ze geen gouden penning trokken of zichzelf bekendmaakten als rechercheur. Misschien kenden ze meneer Holt op de een of andere manier. Misschien kwamen ze ook uit Eagle Branch, Texas. Misschien waren het goede oude vrienden van Frank Holt die kwamen onderzoeken waarom hij nou dood was. In welk geval Wiggy meende dat hij *alsnog* als de donder daar weg moest.

'Mevrouw Andersen,' zei Charmaine, 'er staan hier twee heren die naar meneer Biggs vragen.' Ze luisterde, knikte, keek naar de twee mannen op. 'Kan ik doorgeven bij welk bedrijf u werkt?'

'Villada and Ortiz,' zei Ortiz.

'Villada and Ortiz,' zei Charmaine. Ze luisterde weer. 'Is dat een boekwinkel?' vroeg ze.

'Ja, boekwinkel,' zei Villada.

'In Eagle Branch,' zei Ortiz. 'Texas,' zei hij. 'Villada and Ortiz, boekverkopers.'

Charmaine gaf de informatie door, luisterde weer, legde de hoorn op de haak, stond op en zei: 'Ik zal u brengen.'

Ze zei tegen Wiggy toen ze achter de balie vandaan kwam: 'Ik ben zo terug, meneer. Waarom gaat u niet even zittten?' en liep met de twee mannen weg van wie Wiggy nu wist dat ze een boekwinkel in Eagle Branch, Texas, hadden. Wat hem complete nonsens leek.

Hij liep naar de muur aan de linkerkant van de lift en ging daar op een bank zitten. Hij keek naar de posters. Hij kende geen enkel boek. Al snel kwam Charmaine terug. Maar in plaats van naar de balie te lopen, ging ze naar hem toe en kwam naast hem zitten.

'Zo,' zei ze glimlachend. 'En hoe kan ik u helpen, meneer?'

'Kerstavond,' begon Wiggy, 'heeft iemand van hieruit om een limo gebeld. Ik wil graag spreken met degene die dat was.'

'Dat is onwaarschijnlijk,' zei ze en lachte koket. 'Bent u schrijver?'

'Nee, ik ben drugsdealer,' zei Wiggy en grijnsde als een haai.

'Tuurlijk,' zei Charmaine.

'Ik heb een bende in Diamondback,' zei hij.

'Ja, hoor.'

'Met wie ga ik het hebben over die limo die besteld was?'

'Als iemand een limo heeft besteld, dan moet het Douglas Good geweest zijn, onze directeur Publiciteit. Maar hier was niemand op kerstavond. We gingen de dag voor kerst om drie uur 's middags dicht en waren pas dinsdags weer open. Maar ik zal kijken of meneer Good met u wil praten.'

'Vertel hem maar dat meneer Bad er is,' zei Wiggy grinnikend.

Karen Andersen vertelde de twee Mexicanen dat Randolph Biggs inderdaad bij hen werkte, net zoals Jerry Hoskins had gedaan. Maar dat ze Randy al vanaf hun verkoopvergadering in september niet meer gezien had en dat Jerry het slachtoffer bij een fatale schietpartij op kerstavond was. Kon zij de heren misschien van dienst zijn?

De heren legden haar uit – in gebroken Engels dat ze desalniettemin begreep – dat Jerry Hoskins, die ze tot voor kort alleen maar kenden als Frank Holt, van hen honderd keys eersteklas cocaïne had gekocht...

'Pardon?' zei Karen verbijsterd.

...waarvoor hij hen met honderddollarbiljetten had betaald...

'Heren, het spijt me,' zei ze, 'maar...'

'Ja, het spijt ons ook,' zei Villada.

'Want het geld was vals,' zei Ortiz.

* * *

Douglas Good was een zwarte man die niet van broeders hield die eruitzagen en klonken als Walter Wiggins.

'Twee meiden die Sheryl en Toni heten,' vertelde Wiggins hem.

'Ja?' zei Douglas.

'West Side Limo,' zei Wiggins. 'Starlightbar.'

'Meneer Wiggins...'

'Iemand heeft van hieruit een limo besteld bij West Side om twee meiden, Sheryl en Toni, naar een bar, de Starlightbar, te brengen op St. Seb. en Boyle op kerstnacht. St. Sebastian's,' legde hij nog uit.

'Iemand bestelde vanuit Wadsworth and *Dodds* een limo...'

'Dat hebben ze me verteld.'

'...voor twee meiden, Sheryl en Toni?'

'Zo heten ze. Ik heb nog geld van de dames tegoed, bro.'

Douglas hield niet van zwarte mannen die eruitzagen en klonken als Walter Wiggins en hem 'bro' noemden.

'Meneer Wiggings,' zei hij, 'er werken hier geen vrouwen die Sheryl en Toni heten.'

'Twee slanke, blonde dames,' zei Wiggins.

'Het spijt me.'

'Een limo van West Side,' legde Wiggins opnieuw rustig uit. 'Zwarte Lincoln Town Car met chauffeur, in dezelfde kleur als de wagen. Het blondje dat Toni heet zat in de wagen en pikte mij en het blondje dat Sheryl heet op bij de Starlight. We reden naar mijn kantoor op Decatur Avenue waar ze een zeker geldbedrag van me afnamen, met een pistool op me gericht. Op kerstavond.'

'Hier was niemand op kerstavond,' zei Douglas.

'De Taxi- en Limocommissie denkt daar anders over, bro.'

'Dan maakt de Taxi- en Limocommissie een fout.'

'Dat denk ik niet,' zei Wiggins.

'Ik zal meneer Halloway erbij roepen,' zei Douglas.

'Wie is meneer Halloway?'

'Onze uitgever.'

Hij liep naar de telefoon, pakte de hoorn op en drukte op een knop.

'Halloway.'

'Richard. Met Douglas.'

'Ja, Douglas?'

'Ik heb hier een man die denkt dat we op kerstavond een limo naar Diamondback hebben gestuurd. Hij heet Walter Wiggins.'

'Hij had het met rust moeten laten,' zei Halloway.

'Ik dacht dat je hem wel zou willen ontmoeten.'

'Ik kom eraan,' zei Halloway.

Douglas legde de hoorn terug, glimlachte naar Wiggins en zei: 'Hij komt er aan.'

Karen Andersen probeerde zich er nog steeds uit te kletsen.

'Vals geld?'

'Namaak,' zei Ortiz. 'Ze gebben met nepgeld betaald.'

'Een miljoen zevengonderdtuizend dollar ervan,' zei Villada.

Karen glimlachte.

'Wij vinden get niet hrappig, juffie,' zei Ortiz.

'Maar hoe dan ook,' zei Karen, 'Jerry Hoskins is dood.'

'Maar goe dan ook,' zei Ortiz, 'dat is Randoff Beegs ook.'

Karen keek hem aan.

'Gij gad ongeluk met elektriciteit in Piedras Rosas, Mexico,' knikte Villada.

'Wij willen ons geld,' zei Ortiz.

'Heren, ik heb absoluut *geen* idee waar u het over hebt,' zei Karen.

'Wij gebben get over een miljoen zevengonderdtuizend dollar die twee mensen die bij jullie werken ons door de neus heboord gebben in Mexico,' zei Villada.

Of iets dergelijks.

Maar Karen Andersen begreep het in ieder geval meteen, want Ortiz had ineens een pistool in zijn hand.

Douglas Good wilde niet verder praten met meneer Wiggins tot Halloway erbij was. Wiggins had duidelijk een beetje onderzoek gedaan, had West Side's naam gevonden en vervolgens het spoor naar het kantoor hier gevonden. Douglas dacht dat de man zijn geld terug kwam halen, wat zijn geld helemaal niet was, want hij had het aan Jerry Hoskins moeten betalen voor de cocaïne. Wiggins' foutje had geresulteerd in een bezoekje van de 'Weird Sisters' zoals Sheryl en Toni liefdevol werden genoemd, hoewel ze geen familie waren. W&D's foutje – of beter dat van Halloway – was dat er niet met de man afgerekend was toen ze het geld in handen hadden. Halloway had dat tegengehouden omdat hij ten eerste geen harde bewijzen had dat Wiggins verantwoordelijk was voor de moord op een van zijn beste mensen en ten tweede omdat de verhoudingen tussen blank en zwart in Diamondback toch al gevoelig lagen zodat de drugsmensen daar niet het vertrouwen in Whitey moesten verliezen. Trouwens, hoe dan ook, Wiggins had het moeten laten rusten. In plaats daarvan zat hij hier, de gek.

'Je weet toch wel waarom ik hier ben, hè?' vroeg Wiggins en hij lachte slim.

'Ik heb geen idee,' zei Douglas.

'Nee, hè! Waarom vroeg je dan of je baas kwam?'

Douglas had Halloway gebeld omdat hij de enige was die toestemming kon geven voor Wiggins' dood – wat hij al op kerstavond had moeten doen. Als Wiggins iets belastends te melden had, dan wilde hij dat Halloway het uit de eerste hand hoorde. Zodat hij verdomme deze keer tenminste wél de goede opdracht zou geven.

'Ik ben hier voor mijn geld,' zei Wiggins.

Verrassing! dacht Douglas en Halloway kwam zonder kloppen binnenlopen. 'Hallo, meneer Wiggins,' zei hij en stak zijn hand uit. 'Prettig kennis te maken.' De mannen gaven elkaar een hand. Ze keken elkaar aan. Douglas vond dat Wiggins in de ogen van Halloway had moeten lezen dat het met hem gedaan was. Maar misschien was hij stom.

'Mag u een uitbetaling doen?' vroeg hij aan Halloway. 'Want ik heb cash een miljoen negenhonderdduizend dollar van jullie nodig.'

* * *

In al haar jaren bij W&D had Karen Andersen nog nooit in de loop van een pistool gekeken of in de ogen van iemand die er totaal geen moeite mee had om de trekker over te halen. Ze vroeg zich even af wat Halloway in zo'n situatie zou doen. Ze had hem perfect zien optreden in andere interessante situaties, maar dat was toen ze samen in bed lagen en de viagra zijn werk deed. Ze was verbaasd dat ze niet bang was. Rustig en onderkoeld zei ze: 'Alstublieft, dwingt u me niet om de politie te bellen.'

Villada lachte.

Karen wilde de hoorn pakken, niet om de politie te bellen, maar om Halloway om hulp te vragen. Ortiz ramde met de loop van zijn pistool op haar hand. Ze trok hem terug, kromp ineen van de pijn en hield haar bonzende vingers tegen haar borst. Haar lippen trilden, maar ze gilde niet.

'We komen terug,' zei Ortiz. Er zat bloed op de loop van zijn pistool. Hij trok een tissue uit de doos op Karens bureau, veegde de loop schoon en gooide de tissue in een asbak. 'Zorg ervoor dat dat kutgeld er dan is,' zei hij. 'Echt geld deze keer, *comprende?*'

'Of we vermoorden iedereen die gier godverdomme werkt,' zei Villada.

Niet als wij jullie eerder vermoorden, dacht Karen.

'Ik heb geen idee over wat voor geld u het hebt,' zei Halloway.

'Het geld dat jullie twee blonde dames van me hebben afgenomen,' vertelde Wiggins.

'Ik weet niet over welke dames u het hebt.'

'Sheryl en Toni. Met de lange benen en de AK-47.'

'Zulke werkneemsters hebben we niet, meneer Wiggins,' zei Halloway langzaam en duidelijk, 'u maakt een verschrikkelijke fout.'

Ze keken elkaar weer aan.

Deze keer las Wiggins de boodschap.

Misschien trok hij daarom zijn pistool onder zijn jasje vandaan. Hij richtte eerst op Halloway en zwaaide vervolgens richting Douglas. Alsof hij wilde aangeven dat ze alle twee binnen zijn bereik vielen. Het pistool leek op een stompe .38. Douglas dacht niet dat de man stom genoeg was om hen in hun eigen kantoor te vermoorden. Hij was tenslotte hier om het over de teruggave van het geld te hebben waarvan hij dacht dat het van hem was. Maar je wist maar nooit met die straatklojo's.

Halloway had wel voor hetere vuren gestaan. Niet voor niets was hij de baas. Hij keek naar het pistool in Wiggins' hand en keek toen Wiggins recht in de ogen. Zijn ogen leken te zeggen: *Dit gaat allemaal alleen maar om geld, vriend. Wil je daar echt voor sterven?* Maar zou Wiggins zijn pistool getrokken hebben als hij zich niet gerealiseerd had dat hij er geweest was?

'Dit wilt u helemaal niet,' zei Halloway.

'Het is niet de eerste keer,' zei Wiggins.

'Niet met de gevolgen die het hier heeft.'

Douglas wist dat dat gelul was. Had Wiggins inderdaad Jerry Hoskins vermoord, dan waren er zelfs totaal geen gevolgen. Wiggins moest zich dat ook gerealiseerd hebben. Hij had een van hen kapot geschoten en het enige wat er gebeurd was, was dat de 'Weird Sisters' op bezoek waren geweest. Douglas vroeg zich af of Halloway nou dacht dat hij destijds op kerstavond al opdracht had moeten geven om hem te doden. Maar dat was een beetje laat nu.

'Luister eens,' zei Wiggins. 'Ik begrijp best dat jullie dat geld niet gewoon in de kassa hebben zitten. Maar zorg dat het er komt, oké? Jullie zien me binnenkort wel weer.' En hij liep achterwaarts naar de deur.

Binnenkort ben je dood, dacht Douglas. Bro.

Wiggins stapte de gang in.

De drie mannen kwamen ongeveer op dezelfde tijd bij de lift. Een van de Mexicanen drukte op het knopje op de muur.

'Hoe ging het?' vroeg Wiggy hun.

'Die klerelijers zijn ons geld schuldig,' zei Ortiz.

En op deze manier kwam een eigenaardig driemanschap tot stand.

* * *

180

Het was nog steeds dinsdag en het leek de langste dag van het jaar te gaan worden, ongeacht wat de almanak ervan zei. Om kwart voor vijf 's middags zat Carella op zijn bureau in een bijna lege recherchekamer. Hij probeerde wat lijn in deze verbijsterende zaak te krijgen die helemaal om geld leek te draaien, echt of onecht. Het *onechte* geld bleek uit Iran te komen, waar miljarden dollars als zogenoemde superdollars op intagliopersen werden gedrukt. Met platen die door het goeie oude Amerika geleverd waren. Over terugbetalen gesproken. Carella wist een paar dingen zeker. Naar de rest kon hij alleen maar raden. Hij wist dat Cass Ridley vier keer naar Mexico was gevlogen met een zeker geldbedrag dat ze had geruild voor vast omschreven partijen en dat ze daar tweehonderdduizend dollar cash voor had gekregen. Dat was echt geld, als je die dame van de First Federal mocht geloven, ondanks haar naam. Maar Cass Ridley had ook tienduizend fooi gekregen van een stel Mexicanen dat op de een of andere manier bij de transactie betrokken was, *wie* het dan ook waren, en *dat* geld was vals. Arme Will Struthers, die het geld had willen uitgeven dat hij gegapt had en die twee keer betrapt was op valse honderdjes. Volgens de dame van de First Federal, Antonia Lugosi of iets dergelijks, zwierf er twintig miljard aan valse honderdjes rond, genoeg om het ministerie van Financiën te verontrusten, dat Struthers van zijn valse honderdjes had verlost en hem er echt geld voor in de plaats gegeven had – maar dat was giswerk. Belandres! Antonia *Belandres*! Vandaar zijn Lugosi-associatie. *Bela* Lugosi, de beste Dracula die er ooit geweest was. Het geheugen bewandelde rare wegen.

Carella wenste vanuit het diepst van zijn hart dat deze zaak vanzelf helder werd, net zoals eeuwen geleden de keel van Lucy voor de graaf was toen Carella voor het eerst de zwartwitfilm op televisie gezien had. Het hoofd van de graaf dat vooroverboog, zijn lippen die uiteen weken, de tanden ontbloot. Carella had bijna in zijn broek gepiest.

Het geld in de portefeuille van Jerry Hoskins was ook echt. Geen enkele twijfel daarover, de Federal Reserve had het door hun machines gegooid en de honderddollarbiljetten waren echt. Maar Jerry Hoskins had voor Wadsworth and Dodds gewerkt, en de man die de vliegafspraak met Cass Ridley had gemaakt, werkte ook bij W&D, hoewel er nog enige verwarring bestond of Randolf Biggs nou wel of niet ook een Texas Ranger was, wat Carella ten zeerste betwijfelde – maar ook dat was giswerk.

Heel veel giswerk, geen harde feiten.

Hij vroeg zich af hoe laat het in Texas was.

Hij keek naar de klok aan de muur, maakte de onderste la van zijn bureau open, pakte zijn dikke telefoonboek met Bureaus voor Wetshandhaving, vond een lijst van het departement voor Openbare Veiligheid van Texas, het hoofdkantoor stond in Austin, vroeg zich af of er überhaupt iemand zou zijn, ongeacht hoe laat het was, en toetste een nummer in. Hij vertelde de vrouw die de telefoon aan de andere kant opnam wat hij zocht, werd doorverbonden met brigadier Dewayne Ralston, vertelde alles nog een keer en werd gevraagd om 'even te blijven hangen, rechercheur'. Hij bleef hangen. Ongeveer vijf minuten later kwam Ralston terug aan het apparaat.

'In de Rangerledenlijsten komt geen Randolf Biggs voor,' meldde hij. 'U hebt met een oplichter te maken, rechercheur.'

'Nu ik u toch aan de lijn heb,' zei Carella. 'Kunt u hem voor mij in het strafregister nazoeken?'

'Niet ophangen,' zei Ralson.

Carelle hing niet op. Aan de andere kant van de kamer zag hij Kling aan zijn bureau over een computer hangen. Cotton Hawes liep net door het hekwerk dat de recherchekamer van de grote hal afscheidde. Telefoons rinkelden. In een hoek van de kamer stond een iele kerstboom prettige kerstdagen naar de straat te wensen. Vanuit de administratieve afdeling verderop in de gang rook hij koffie. Dit was een zeer vertrouwde plek voor hem. Hij voelde zich ineens verdrietig, maar kon niet uitleggen waarom.

'Ben u daar nog?' vroeg Ralston.

'Nog steeds.'

'Geen strafblad van Randolph Biggs, B-I-G-G-S. Maar als het

dezelfde knakker is, dan is hij twee dagen geleden dood gevonden in Piedras Rosas. In een bad vol water met een ingeschakelde veestok. Geëlektrokuteerd. Blijkbaar zelfmoord.'

'Dan worden het er twee,' zei Carella.

'Pardon?'

'Een van zijn collega's is hier op kerstavond vermoord.'

'Lijkt erop dat u uw handen vol hebt,' zei Ralston.

'Daar lijkt het op,' zei Carella.

De telefoon op het bureau van Ollie Weeks rinkelde vijf minuten later.

'Weeks,' zei hij.

'Behandelt u die moord van afgelopen week?' vroeg een mannenstem.

'Welke moord bedoelt u?' vroeg Ollie.

Hier in het 88ste hadden ze elke dag 10,247 moorden, het hele jaar door.

'In de krant stond dat hij Jerry Hoskins heette,' zei de man. 'Ik kende hem als Frank Holt.'

'Wie bent u?' vroeg Ollie meteen.

'Dat doet er niet toe,' zei de man. 'Ik weet wie hem vermoord heeft.'

Ollie trok een schrijfblokje naar zich toe.

'Hoe heet u?' vroeg hij.

'Is er een beloning?'

'Misschien. Ik kan dit gesprek niet voortzetten tenzij u me uw naam geeft.'

'Tito Gomez,' zei de man.

'Kunt u hier binnen een halfuur naartoe komen?'

'Liever ergens anders.'

'Oké. Waar?'

'Het voetgangerspaadje op Eight Street naar Grover. Vierde bankje.'

Ollie keek naar de klok aan de muur.

'Rond kwart voor zes, is dat goed?'

'Tot dan,' zei Tito en hing op.

Ollie klapte het boekje dicht.

Het kostte Wiggy en de twee Mexicanen niet veel tijd om er achter te komen wat ze gemeenschappelijk hadden: honderd keys cocaïne. En blijkbaar waren ze alledrie getild door een bedrijf dat ogenschijnlijk boeken uitgaf, maar zich bezig leek te houden met het vervoer en de verkoop van drugs. Ze hadden nog niet door dat ze in iets veel groters verwikkeld waren. Op dit moment waren hun gezamelijke grieven voldoende motiverend voor hun plannen ergens de volgende dag.

Ze bespraken dit allemaal in een kroeg op Grover Avenue, in de buurt van Groverpark waar Ollie en Gomez elkaar over twintig minuten zouden ontmoeten. Op veel punten was de grote, slechte stad gewoon een dorp.

'Ik kan er niet bij dat die mensen jullie met vals geld betaald hebben voor jullie spul,' zei Wiggy. 'Dat trouwens hoge kwaliteit dope was, moet ik zeggen.'

'*Gracias senor*,' zei Ortiz trots.

'Daarom is het zo schandalig dat ze jullie zo te grazen hebben genomen,' zei Wiggy. 'Maar het geld waarmee ik hun betaald heb was voor de volle honderd procent echt Amerikaans geld. En ik wil het terug hebben, want ze hebben twee blondjes gestuurd om het van me af te nemen.'

Dat was niet helemaal waar. Wiggy had nooit een stuiver aan Hoskins of Holt of hoe hij ook heette betaald. Hij had hem wel in zijn hoofd geschoten.

'Gebben ze *jouw* geld ook gestolen?' vroeg Ortiz ongelovig.

'Godverdommes zeker weten.'

Ook dit was niet helemaal waar. Ze hadden eigenlijk het geld uit zijn safe gehaald, maar dat was niet echt stelen. Dat was het geld ophalen wat hun rechtmatig toekwam voor de honderd keys cocaïne die zoals afgesproken afgeleverd was.

'Dus ze stelen van ons *allemaal*,' zei Villada.

'Het zijn gewoon ordinaire dieven,' zei Wiggy.

'Zoals wij,' zei Ortiz en alledrie moesten ze lachen.

'Dus, wat we morgen gaan doen...' zei Wiggy.

Eerst leek het erop dat ze niets over hem hadden behalve twee jaar geleden een mishandeling, iets met marihuana. Maar in die tijd werkte Tito Gomez, wiens straatnaam Tigo was, bij King Auto Body, en dat deed een belletje rinkelen bij Ollie. Dus keek hij nog eens goed verder, en voilà! daar stond het. Een grote arrestatiegolf wegens samenspanning zo'n zes maanden geleden. Ollie liep terug naar zijn bureau en belde Carella.

'Steve, ik kreeg net een telefoontje van iemand die zei dat hij wist wie Hoskins had vermoord. Ik heb met hem in Groverpark over tien minuten afgesproken. Zin om mee te gaan?'

'Waar precies in Grover?' vroeg Carella.

'We gaan er samen naartoe,' zei Wiggy. 'We zeggen dat ze ons godverdomme het geld moeten geven dat ze ons schuldig zijn of ze zijn dood. Jullie een miljoen zeven. Mijn een miljoen negen.'

Niemand was Wiggy wat schuldig. Maar hij geloofde zelf inmiddels dat hij de ware eigenaar van een komma negen miljoen was dat de blondjes hadden meegenomen als betaling voor de drugs die hij had aangenomen.

'Gore oplichters,' zei Villada hoofdschuddend.

Ortiz schudde ook zijn hoofd. Maar dat was omdat het plan hem niet aanstond. Zijn redenatie was eenvoudig. Bedreigingen en waarschuwingen waren één ding. Realiteit was iets anders. In zijn gebroken Engels legde hij uit dat tussen gisteren en vandaag niemand bij Wadsworth and Dodds die een miljoen zeven die zijn partner had geëist bij elkaar had kunnen krijgen en al helemaal niet die een miljoen negen waar hun nieuwe vriend naar op zoek was. Dat was samen drie miljoen zes...

'Wat geel veel geld ies,' legde Ortiz uit.

Wiggy bedacht dat ooit in zijn leven twee dollar voor een waterpistooltje heel veel geld had geleken.

* * *

Tito Gomez zat al op het vierde bankje in het park toen Carella daar om tien over zes die dinsdagmiddag aankwam. De twee leken het zeer goed met elkaar te kunnen vinden. Gomez rookte een sigaret en luisterde ingespannen naar Ollie. Blijkbaar vertelde die een mop, want Gomez barstte in lachen uit toen Carella naar hen toe liep.

'Hoi, Steve,' riep Ollie. 'Ken je die van die knakker die een condoom op zijn piano zet?'

'Ja,' zei Carella.

Hij ging naast Gomez zitten, zodat de rechercheurs ieder aan een kant van Gomez zaten als een paar boekensteunen. 'Is dit de man over wie je het had?' vroeg hij aan Ollie.

'Dit is hem,' zei Ollie. 'Tito Gomez. Ook bekend als Tigo. Tigo, rechercheur Carella.'

Tigo knikte.

'Ik begreep dat je ons over iets wilde spreken,' zei Carella.

'Ja, maar ik blijf hier niet de hele dag wachten. Wil je soms nog meer rechercheurs bellen?' vroeg hij aan Ollie.

'Nee, meer komen er niet,' zei Ollie minzaam. 'Hij zegt dat hij weet wie Jerry Hoskins heeft vermoord, is dat niet interessant? Hij wil weten of er een beloning op staat.'

'Misschien kunnen we wel wat regelen,' zei Carella.

'Hoe bedoel je, *misschien?*'

'We kunnen het er met de commissaris over hebben, dan merken we wel hoe belangrijk deze zaak voor hem is.'

Hij bedacht dat als op de een of andere manier valse superbiljetten in het spel waren, de commissaris waarschijnlijk wel met iets kleins over de brug zou kunnen komen.

'Ik dacht aan vijftigduizend dollar,' zei Tigo.

'Dat is behoorlijk wat geld, Tigo.'

'Maar dat is precies wat de wereld draaiende houdt,' zei Tigo grinnikend. 'Geld, geld, geld.'

'Tja, het hangt in ieder geval af van wat voor informatie je voor ons hebt, hè, *amigo*,' zei Ollie nog steeds minzaam.

Tigo hield er niet van als hij *amigo* werd genoemd. Zijn vader kwam uit Puerto Rico, dat wel, maar zijn moeder was een negerin en hij was trots op zijn afkomst van haar kant. Zo aardig als hij maar kon – hij had tenslotte wel met agenten te maken – zei hij: 'Ik spreek geen Spaans, *amigo*.' Wat een leugen was, maar het maakte wel duidelijk wat hij bedoelde.

'O, sorry,' zei Ollie. 'Dat wist ik niet. Nou, vertel dan maar waarom je ons wilde spreken.'

'Er was toen die koop op Decatur Av.?' Tigo maakte er een vraag van. 'Een kerel leidt een bende vanuit de hele tweede verdieping daar, breekt de muren door van drie appartementen? Hij haalt dope uit Mexico, Colombia, Peru, verkoopt het in tienkeys pakketten voor veertig, vijftig per keys, wat de markt er op dat moment voor wil geven. Ik werk nou bijna twee jaar voor hem; je zou verwachten dat hij zou beginnen over een partnerschap, maar nee hoor. Ik werk nog steeds voor een lullig loontje...'

Dus dat heeft hem uit zijn hol gelokt, dacht Carella.

'...behandelt me als een klotig koeriertje. Breek me de bek niet open. Ik verdiende vroeger meer geld op de wagen. Vroeger reed ik een sleepauto voor die auto-onderdelenwinkel op Mason.'

'Hoe heet die kerel?' zei Carella.

'Vertel me eerst maar eens hoeveel de commissaris zal gaan schuiven,' zei Tigo.

'Nou, we hebben hem nog niet gesproken,' zei Ollie minzaam. 'We moeten iets *hebben* als we naar hem toe gaan, snap je. Vertellen we dat een vent *misschien* informatie heeft, dan zegt hij dat we het kunnen vergeten.'

'Kun je ons in ieder geval vertellen wanneer die koop plaatsvond?' vroeg Carella.

'Tuurlijk,' zei Tigo. 'Vier, vijf dagen geleden.'

'Wanneer precies?'

'Wat is het vandaag?'

'De achtentwintigste.'

'Dan moet het de... eens even kijken.' Hij begon op zijn vingers terug te tellen. 'Afgelopen zaterdagavond? Wat was het toen? Kerstavond?'

'Nee, de drieëntwintigste,' zei Ollie.

'Toen was het. Zoals ik zei. Vier, vijf dagen geleden.'

'Waar?' vroeg Carella.

'Dat heb ik toch gezegd, dat nest op Decatur. Die drie appartementen, de figuur over wie we het hebben, over die muren…'

'Het adres?'

'1280 Decatur.'

'Was jij daar toen de koop werd gesloten?'

'Ja. Die knakker wachtte in de voorkamer terwijl wij de dope testten. Hij dacht een miljoen negen voor die honderd keys te krijgen.'

'Hoe heette hij?'

'Frank Holt. Maar bij zijn foto in de krant stond Jerry Hoskins. Dezelfde vent, hè?'

'Dezelfde,' zei Carella. 'Vertel nou maar wat er gebeurde.'

'Hier stopt de bus,' zei Tigo. 'Ga nu maar naar de commissaris.'

'Veronderstel dat we naar 1280 Decatur gaan, praten met wie er dan ook is op de tweede verdieping, hem vertellen dat zijn vertrouwde werknemer hem er zojuist heeft bijgelapt?' zei Carella.

'Nou, nou, Steve,' zei Ollie minzaam. 'Hij heeft er niemand bijgelapt, toch, Tigo?'

'Niet tot ik het groen gezien heb.'

'Je hebt ons net verteld dat je hebt deelgenomen aan een drugsdeal. Realiseer je je dat wel?' zei Carella. Hij vond dat dit een grappige omkering van het rollenspel was, hij de slechte agent, Ollie de goede.

'Tjeetje, deed ik dat?' zei Tigo. 'Zit er een zendertje op je, rechercheur? Nee? Wie is dan je getuige? Een andere agent? Dat lukt jullie nooit, dat weten jullie best.'

'Ik kan je nu al meteen vertellen dat niemand jou vijftigduizend dollar gaat geven omdat wij een kleine onderkruiper van een drugsdealer in Diamondback kunnen arresteren.'

'Zelfs niet als het om moord gaat?'

'Al had hij de moeder van de burgemeester verkracht.'

'Hoeveel zijn jullie bereid te geven?'

Klonk ineens als zo'n lullige advocaat.

'Jij vertelt dat je een moord hebt zien plegen, jij geeft ons alle details, jij wil getuigen in een proces en misschien kunnen we dan twee of drie...'

'Goedemiddag, heren,' zei Tigo en stond op.

'Zitten, klerelijer,' zei Ollie.

Tigo keek hem verbaasd aan.

'Ik zei zitten, godverdomme.'

Tigo ging zitten.

'Ik zal je vertellen wat je voor ons gaat doen,' zei Ollie.

'Oké, dan heb ik een beter idee,' zei Wiggy tegen de twee Mexicanen. 'We gaan alledrie zwaarbewapend naar binnen. Semi-automatisch, wapens onder onze jassen. We nemen die klootzakken in gijzeling.'

Villada keek naar Ortiz.

'We gaan morgenvroeg naar binnen. Ze bezetten de hele vierde verdieping, dus alleen wij zullen weten dat we onze geweren op hen gericht houden. We blijven net zo lang tot ze met het geld over de brug komen.'

'Banken zijn tot dinsdag gesloten,' zei Ortiz.

'Get lange weekend,' knikte Villada.

'Kom op zeg, ze hebben een miljoen negen van me afgepikt. Denk je dat ze dat op de bank hebben gezet? Dit zijn dieven, hoor. Dat geld hebben ze ergens verstopt. We hoeven ons er alleen maar door die witharige klootzak naartoe te laten brengen.'

'En ons held?' vroeg Ortiz.

'Dat krijgen we ook wel, maak jullie niet bezorgd. Ik weet één ding zeker: als je een schietijzer op het gezicht van zo'n fatje richt, geeft hij je alles wat hij heeft.'

Om de waarheid te zeggen, kon hun geld Wiggy geen pest schelen. Wat hem betreft mochten ze de rest van hun leven taco's en bonen blijven eten. Maar hij had hen nodig voor de extra spierkracht tijdens de voorstelling. Hij had allang bedacht dat zij achter zouden blijven om de anderen in de gaten te houden als hij door Halloway naar het geld gebracht werd dat hem rechtmatig toekwam.

Maar Ortiz was hem voor.

'Wie van gen gaat naar het held?' vroeg hij.

'Halloway. De baas.'

'Wie gaat er *mee*?'

'Een van ons,' zei Wiggy.

'Volgens mij zou dat ik of Cesar moeten zijn.'

'Prima. Maakt me niet uit,' zei Wiggy grinnikend.

Tigo zei nee, hij ging niet met een zendertje op naar binnen.

Ollie vertelde hem dat hij óf de zender zou dragen óf ze zouden hem oppakken voor de Brandgang Zaak.

'Wat is godverdomme de Brandgang Zaak?' vroeg Tigo.

'Jij reed op die wagen, weet je nog?' zei Ollie minzaam. Hij glimlachte zelfs.

'Wat is de Brandgang Zaak?' vroeg Carella.

'Wat ik deed toen Tigo me had gebeld,' zei Ollie, 'is nakijken of we wat over hem hadden. Behalve een klotige mishandeling naar aanleiding van marihuana twee jaar geleden...'

'Ik werd vrijgesproken.'

'Zei ik toch? Klotig. In feite wilde ik net rechercheur Carella vertellen dat ik verder niets over je kon vinden. Dus leek het er op dat je schoon was.'

'Ben ik.'

'Behalve dan voor deelname aan een drugsdeal afgelopen zaterdag,' zei Carella.

'Daar hebben jullie alleen maar mijn woord voor,' zei Tigo die er een grapje van probeerde te maken. Hij grinnikte zelf alsof hij verwachtte dat zij ook zouden lachen.

Ollie lachte niet, maar grinnikte terug.

'In jouw strafblad staat dat je bij King's Auto Body werkte toen je voor die troep gearresteerd werd,' zei hij. 'Dus ik zocht verder en ontdekte waarom ik die naam zo bekend vond klinken. Ik stuitte op een grote, zeer omvangrijke arrestatiegolf zes maanden geleden, Tigo. De Brandgang Zaak. Waarvoor Joey King – geen familie van Larry – vijfeneenhalf jaar in Castleview uitzit. Weet je nu waar ik het over heb, Tigo?'

'Nee.'

'Jij reed de wagen voor hem, hè?'

'Ja, dat klopt. Ik reed als er gebeld was over lege accu's, lekke banden, buitensluitingen, dat soort zaken.'

'Jij reed ook als ze voor Berry Appliances belden, die in dezelfde zwendel als Joey zat.'

'Ik heb nog nooit van iets als Berry Appliances gehoord.'

'George en Michael Berry,' vertelde Ollie. 'Verkochten vroeger wasmachines, koelkasten, ovens, dat soort spul. Een winkel op Twelfth en Moore, weet je nog?'

'Nee.'

'Achter de winkel liep een smal steegje, herinner je je dat steegje nog?'

'Nee.'

'Wat er gebeurde,' legde Ollie aan Carella uit, 'was dat George Berry naar de brandweer ging en een paar handen vulde – eerlijk gezegd lieten ze zich allemaal omkopen. Joey King, George en zijn broer en de twee brandweermannen, de klootzakken die de papieren tekenden waardoor dat steegje een zogenaamde brandgang werd. Ze oefenden allemaal in de achtertuin.'

'Ho-hum,' zei Tigo.

'Ja, ho-hum,' zei Ollie en praatte verder met Carella. 'Wat er gebeurde was dat George en zijn broer van die borden op de muur hingen waarop stond dat het een brandgang was en dat je daar niet mocht parkeren. Deed je dat wel dan werd je wagen weggesleept. Man komt terug, ontdekt dat zijn wagen is weggesleept, leest de kleine lettertjes onder de bordjes waar staat dat je je wagen bij King's Auto Body Shop op Mason Avenue terug kunt halen. Wat onze Tigo hier deed, was om de paar uur de brandgang schoonvegen, iedere wagen die er stond wegslepen. Er stonden er altijd wel vijf of zes, niemand lette op die borden. Tigo sleepte de wagens naar King. Als de eigenaar dan kwam om zijn wagen op te halen, deelde Joey hem mee dat hem dat honderd pegels kostte. Jij sleepte er zo'n twintig per nacht weg, hè, Tigo? De mensen in deze stad hebben godverdomme geen respect meer voor de wet. In dat steegje hingen diverse borden met "Verboden te parkeren" en "Brandgang", maar ze kéken er niet eens naar. Honderd pegels per wagen, dat betekent dat deze gozers er twee-duizend per nacht bijklusten. Iedere nacht, week in week uit. Dat is zo'n slordige veertienduizend per week. Hoeveel verdienen wij, Steve?'

'Niet zoveel,' zei Carella.

'Zelfs niet in een goede week,' zei Ollie. 'Ik heb toch al eerder gezegd dat we de verkeerde baan hebben.'

'Waar haal je die flauwekul in godsnaam allemaal vandaan,' zei Tigo en schudde ongelovig zijn hoofd.

'Dat staat in het verbaal. Jij bestuurde de sleepwagen. Maar je vertelde bij de aanklager dat je daar in loondienst was en niets van die onwettige activiteiten afwist en ze geloofden je. Jij was maar een kleintje, ze hadden grotere vissen op het oog. Maar raad eens wat Joey King me vertelde!'

'Heb je met Joey gesproken?'

'Tja, ja, dat klopt. Ik vermoedde al dat ik wat nodig zou hebben voor het geval je kwaad op me werd. Dus belde ik Castelview vlak voor ik de recherchekamer verliet en babbelde even met hem. Hij vertelde dat hij je twintig pegels betaalde voor iedere auto die je binnenbracht. Drie-, vierhonderd per nacht. Zo'n tweeduizend per week. Jij deed mee, Tigo.'

'Ik was in loondienst. Kijk maar naar mijn sociale verzekerings-staten.'

'Loon plus, Tigo. Jij zat in het complot. Je zou bij hen in Castelview moeten zitten.'

'Maar daar zit ik niet,' zei Tigo.

'Aha, maar wat niet is, kan nog komen! Joey vond vervroegde voorwaardelijke invrijheidsstelling prachtig klinken.'

Tigo keek hem aan.

'Ja, ja. Hij wil je erbij lappen, beste vriend.'

'Wat ben jij een klootzak,' zei Tigo.

'Dat zou best kunnen,' zei Ollie minzaam.

'Tigo,' zei Carella. 'Ik denk dat hij ons klem heeft gezet.'

10

Charmaine keek op toen ze met z'n drieën uit de lift kwamen. Op het moment dat de liftdeuren sloten, kwamen de wapens tevoorschijn. Ze wilde op een knop onder haar tafel drukken, maar Wiggy zei: 'Laat dat, trut.' Dat deed pijn. Even later sloeg hij haar hard in haar gezicht om te laten merken dat hij het serieus meende. Dat deed nog meer pijn. Een van de Mexicanen rende al door de gang met ingelijste boeken waar nog nooit iemand van gehoord had. Wiggy liep direct door naar het kantoor van Halloway.

Die hing over het toetsenbord van zijn computer, zijn jasje hing over de leuning van zijn stoel, zijn vlinderdasje hing los om zijn nek, zijn bovenste overhemdknoopje was los en zijn mouwen waren opgerold. Zijn ogen flitsten even naar Wiggy toen die binnenviel, en ramde vervolgens onmiddellijk op een van de toetsen. Vier toetsen en het programma zou verdwenen zijn: de Windowtoets aan de rechterkant van de spatiebalk, de Uppijl, de Entertoets en nog een keer de Entertoets. Was de computer eenmaal uitgeschakeld, dan kon niemand er meer inkomen zonder het goede wachtwoord. Het lukte Halloway om op de Windowtoets te rammen en hij wilde op de Uppijl drukken toen Wiggy zei: 'Laat dat, bleekscheet.' Halloway aarzelde. Even leek het erop dat hij toch door zou gaan met drukken. Gewoon de laatste drie toetsen indrukken en de computer was uitgeschakeld, effectief afgesloten.

Maar het geweer in Wiggy's handen was erg groot en erg gevaarlijk.

Bij elkaar waren er acht werknemers en ze zaten allemaal rond de lange vergadertafel. Richard Halloway zat aan het hoofd, omdat hij de uitgever was. David Good van Publiciteit zat aan zijn linkerkant, Karen Andersen van Verkoop aan zijn rechter. Er was een redacteur die Michael Garrity heette en een ander heette Henry Daggert. Charmaine, de dikke receptioniste, zat er en iemand die

George Young heette van de afdeling Voorraad en een Betty Alweiss van de afdeling Kunst. Acht bij elkaar. Ze keken allemaal doodsbenauwd.

Wiggy en de twee Mexicanen leunden alledrie tegen verschillende muren, wapens in hun handen. Wiggy had een Cobray M11-9 die hij afgelopen avond voor honderd dollar van Little Nicholas in Diamondback had gekocht. Villada en Ortiz hadden allebei een Mark XIX Desert Eagle-pistool. Op de klok in de vergaderkamer was het tien minuten over half tien. Ze hadden iedereen overrompeld en wilden nu hun eisen op tafel leggen.

De Mexicanen hadden besloten dat Wiggy het praatwerk zou doen. Ortiz had eerst geprotesteerd, omdat hij vond dat zijn Engels vlekkeloos was, maar Villada had hem van het tegendeel kunnen overtuigen. De mannen leunden nonchalant tegen de muren. Hun wapens – die achteloos in hun handen bungelden – leken amper bedreigend. De drie gedroegen zich alsof ze niets te vrezen hadden van deze boekentypetjes. Ze hadden het helemaal mis.

'Zo, dit is het verhaal,' begon Wiggy. 'Onze eisen zijn een miljoen zeven voor mijn vrienden hier, en een miljoen negen voor mijzelf. We weten niet waar jullie de poen verstopt hebben, maar een van jullie gaat samen met een van ons het geld ophalen. Als we het hebben, verdwijnen we, en kunnen jullie gewoon naar huis om vakantie te vieren. Is dit duidelijk?'

'Dat geld hebben we niet,' zei Halloway.

'We durven te wedden van wel,' zei Wiggy. 'En we durven ook te wedden dat jullie het voor...'

Hij keek hoe laat het was.

'...zes uur vanavond hebben. Dat is over ongeveer acht uur vanaf nu. En ieder uur dat we hier zitten zonder het geld, zullen we een van jullie moeten neerschieten. Acht uur, acht mensen. Rond zes uur zijn jullie allemaal dood of we moeten ons geld hebben. Is dit nu duidelijk?'

Het was stil in de kamer.

'Ik moet een paar telefoontjes plegen,' zei Halloway.

'We luisteren mee,' zei Wiggy.

De Mexicanen glimlachten.

Wiggy dacht dat hij alles duidelijk had gemaakt.

De mannen van het 87ste district leken hun hoofd niet bij hun vrijdagse denktankochtendvergadering te kunnen houden. Carella probeerde hun te vertellen wat hij en Ollie van Tito 'Tigo' Gomez hadden gehoord. Hij probeerde hun te vertellen dat als ze Tigo mochten geloven, dat een drugshandelaar, ene Walter 'Wiggy' Wiggins verantwoordelijk was voor de moord op Jerome 'Jerry' Hoskins, alias Frank Holt...

'Was dat in dit district?' vroeg ondercommissaris Byrnes.

'Nee, maar die vermoorde vrouw wel.'

'Welke vermoorde vrouw?' vroeg Andy Parker.

Hij was vandaag op undercoverwerk gekleed, wat inhield dat hij zich niet geschoren had en een spijkerbroek droeg en een zwarte coltrui en een bruin leren jasje en motorlaarzen. Hij dacht dat hij er nu als een drugsdealer uitzag. Maar hij leek eerder op een klungel.

'Die vrouw die door de leeuwen werd opgevreten,' zei Meyer.

'Ha, ha, heel grappig,' zei Parker.

'Dat was vorige week, waar heb jij gezeten?' vroeg Brown.

'Ze werd eerst met een ijspriem gestoken,' legde Carella uit.

'Maar wat heeft Hoskins met haar te maken?' vroeg Byrnes ongeduldig. Hij bedacht dat als dat in een ander district was gebeurd, het mooi zijn pakkie-an niet was.

'Hij liet haar dope in Mexico ophalen,' zei Meyer.

'Wat hij later aan die Wiggy-knul verkocht,' zei Carella.

'Die hem betaalde met een kogel in zijn hoofd.'

'Hier in het 87ste?'

'Nee, in het 88ste. Vette Ollie kreeg het.'

'Nou, laat het hem dan houden.'

'Hij kreeg ook al éénvijfde van de Ridleyzaak.'

'Wie is Ridley?' vroeg Parker.

'De dame die door de leeuwen werd opgevreten,' zei Kling.

'Ha, ha, heel grappig,' zei Parker.

'Hoe kun je nou éénvijfde van een zaak krijgen?' vroeg Willis.

'Haar been,' zei Meyer.

'Wordt er van mij verwacht dat ik dit allemaal kan volgen?' vroeg Parker.

'Dat doet niemand,' zei Byrnes. 'Waarom zou jij een uitzondering zijn?'

'Het punt is,' zei Carella, 'dat we Gomez met een zendertje naar binnen sturen.'

'Waarom?' vroeg Brown.

'Omdat we dan wellicht een lijntje kunnen trekken naar de dader in een moordzaak.'

'Die Wiggy-knul?'

'Ja. Die misschien Jerry Hoskins heeft vermoord die zeker weten Cass Ridley heeft ingehuurd om voor hem naar Mexico te gaan.'

'En wij hebben de Ridleyzaak. Klopt dat?'

'Viervijfde ervan.'

'Waarom is dat zo belangrijk,' vroeg Parker en keek de kamer door, haalde zijn schouders op en zei: 'Wil niemand een bagel?' en bediende zichzelf van het blad op het bureau van Byrnes.

'Er is vals geld bij betrokken,' zei Carella.

'Laat Secret Service zich daar druk om maken!' zei Byrnes.

'Die *maken* zich al druk,' zei Carella. 'Ze hebben achtduizend in valse biljetten van een kruimeldief geconfisqueerd en hebben hem er echt geld voor teruggegeven.'

'De gekken hebben de wereld overgenomen,' zei Hawes.

'Ik hou niet van gecompliceerde zaken,' zei Parker.

'Ik ook niet,' zei Byrnes.

'Nou, dat is dan heel jammer,' vond Carella. 'Ik heb zelf ook niet om deze zaak gevraagd.'

'Wat is er goddomme vanochtend met *jou* aan de hand?' vroeg Parker.

'Ik probeer wat lijn in deze klotezaak te brengen, dat is alles, en jullie...'

'Kalm aan, ja. Neem een bagel.'

'Er is dope bij betrokken,' zei Carella die nu goed op gang kwam. 'En vals geld, en de Secret Service, en god mag weten wat...'

'Nou, laat onze nieuwe president het afhandelen,' zei Parker.

'Tuurlijk.'

'Onze geliefde stoethaspel,' zei Willis.

'Laat hij de Secret Service maar vragen wat er allemaal aan de hand is,' zei Brown.

'Tuurlijk.'

'In de volgende colonne waar hij in rijdt,' zei Hawes, 'kan hij vanuit zijn limo wuiven en hun vragen wat ze weten van een dame die door de leeuwen is opgegeten.'

'Ga je gang, Steve. Pak een bagel,' zei Parker.

'Ik wil helemaal geen bagel,' zei Carella.

'Weet je wie een betere president zou zijn dan die we nu hebben?' zei Hawes.

'Nou, wie dan?' vroeg Kling.

'Martin Sheen.'

'Die vent van *The West Wing*, je zou wel eens gelijk kunnen hebben!'

'Hij zou de Secret Service op het matje roepen en hun bevelen op te houden met het omruilen van vals geld voor echt geld.'

'Welnee. Weten jullie wie dat zou doen? Als hij president zou zijn?' zei Willis.

'Wie?' vroeg Kling.

'Harrison Ford.'

'*Air Force One!*'

'President James Marshall!'

'O ja!' zei Brown. 'Dat was waarschijnlijk de beste president die we gehad hebben. Weten jullie nog wat hij gezegd heeft? "Vrede is niet zozeer de afwezigheid van conflicten, maar de aanwezigheid van rechtvaardigheid." Man, dát is pas beeldende taal.'

'Weten jullie nog wat de *slechterik* zei?' vroeg Willis.

'Wat maakt het uit wat de slechterik zei?' zei Parker en pakte nog een bagel.

'Hij zei: "Jullie vermoorden zo'n honderdduizend Irakezen om een dubbeltje per liter benzine te besparen." *Dat* is pas beeldende taal, man.'

'Hij had het over Bush,' zei Kling.

'Welnee, dat zei president James Marshall,' zei Willis.

'Ja, maar het was *Bush* die de Golfoorlog begon.'

'Willen jullie weten wie er een *nog betere* president dan Harrison Ford zou zijn?' zei Hawes.

'Wie?'

'Michael Douglas.'

'O, *ja*.'

'Hij was waarschijnlijk de beste president die we hebben gehad. Heb je die film gezien, Steve?'

'Nee,' zei Carella bot.

'Pak nou een bagel, zeikerd,' zei Parker.

'*The American President*. Zo heette die film. Michael Douglas speelde president Andrew Shepherd.'

'Weet je nog wie zijn rechterhand speelde?' vroeg Kling.

'Nee, wie?'

'Martin Sheen! Die nu *president* speelt!'

'President Josiah Bartlet!'

'President *Jed* Bartlet.'

'Hoe heet *zijn* rechterhand?'

'Wat maakt dat nou uit?' vroeg Parker.

'Die kan ook ooit president worden.'

'Fredric March was ook een goede president,' vond Byrnes.

'Wie is Fredric March?' vroeg Kling.

'*Seven Days in May*.'

'Nooit van gehoord.'

'Of Henry Fonda,' zei Byrnes. 'In *Fail-Safe*.'

'Dat was toch dezelfde film?' vroeg Brown.

'Het *leek* alleen maar dezelfde film,' zei Hawes.

'Wie is Henry Fonda?' vroeg Kling.

'En wat denken jullie van Kevin Kline?' vroeg Willis.

'Ja, dat was een goede president,' zei Meyer ernstig.

'Hij speelde ook die vent die *leek* op de president.'

'Dave.'

'Zó heette de film. *Dave*.'

'Zo heette de dubbelganger ook. Dave Kovic.'

'Omdat de *echte* president een beroerte kreeg toen hij met zijn secretaresse lag te wippen. Ik heb die film gezien,' zei Parker. 'Een sexy grietje.'

'Ja,' zei Willis die het zich herinnerde.

'Ja,' knikte Brown.

Ze pakten allemaal nog een bagel.

'Maar weten jullie wie de *beste* acteur was?' vroeg Meyer. 'Die ooit de president heeft gespeeld?'

'Wie?' vroeg Kling.

'Ronald Reagan.'

'O, ja,' zei Kling.

'Ja,' stemde Hawes in.

'Zonder enige twijfel,' zei Byrnes.

Wat maakt het allemaal uit, dacht Carella en pakte een bagel van het blad.

Het telefoontje van Carella's zus kwam even voor tienen die vrijdagochtend. De uitrusting van de Technische Recherche was al gearriveerd. Aan de andere kant van de kamer hielp Meyer Meyer Vette Ollie Weeks met het vastttapen van een recordertje op batterijen op de borst van Tito Gomez.

'Wie zit er aan de andere kant?' vroeg Tigo.

'Niemand,' zei Ollie. 'Dit ding neemt alleen maar op.'

'En wie komt me dan redden als Wiggy het door heeft?'

'Maak je daar maar niet bezorgd over,' zei Meyer.

'Dat doe ik wel,' zei Tigo.

Aan de telefoon vroeg Angela of Carella naar hun moeders huis kon komen na zijn werk.

'Waarom?' zei Carella.

'We willen met je praten.'

'We praten nu toch?' zei Carella.

'Jij bent aan het werk en ik ook.'

200

'Waar willen jullie dan over praten?'

'Dat vertellen we je dan wel.'

'Ik werk aan een moordzaak, het zou wel eens laat kunnen worden,' zei hij.

'Dat maakt niet uit, we zullen wachten.'

'Wat is er aan de hand, Angela?'

'Een verrassing.'

'Ik ben een agent,' zei hij. 'Ik haat verrassingen.'

'Ik ben vandaag vroeg klaar. Kun jij rond een uur of vijf bij Riverhead zijn?'

'Alleen als ik hier om vier uur weg kan.'

'Maakt niet uit,' zei ze. 'Ik zie je wel verschijnen.'

Hij legde de hoorn neer en liep naar Tigo die klaagde dat het plakband veel te strak zat.

'Je wil toch niet dat het apparaatje wegglijdt of zo, hè?' vroeg Ollie.

'Ik wil dat hele klote-apparaatje niet,' zei Tigo.

'Het bespaart je een heleboel tijd daarginder,' zei Meyer.

'*Als* hij iets zegt.'

'Daar moet jij voor zorgen,' zei Carella. 'Jij moet hem laten praten.'

'Zo achterlijk is hij nou ook weer niet, weet je. Als ik over die avond begin, zal hij zich afvragen waarom ik dat doe.'

'Doe het terloops,' hielp Meyer.

'Tuurlijk. Hé, Wiggy, kun je je nog die avond herinneren dat je die knakker in zijn achterhoofd schoot en in een vuilnisbak dumpte? Man, dat was te gek, vond je niet?'

'Drink er wat bij,' hielp Carella.

'Tuurlijk. Hier, nog een biertje, Wiggy. Kun je je nog die avond herinneren dat je die knakker in zijn achter…'

'Blijf gewoon rustig,' zei Meyer. 'Denk niet eens aan dat recordertje. Doe alsof jullie met z'n tweeën een biertje drinken.'

'Tuurlijk.'

'De microfoon zit hier,' zei Ollie. 'Lijkt een gewone overhemdsknoop.'

'En als hij dat kloteding nou in de gaten krijgt?'

'Doet hij niet.'

'Maar als hij het wel doet?'

'Maak je niet bezorgd, waarom zou hij aan een recordertje denken?'

'Maar wat als hij wel aan een recordertje denkt? Die man kan ontzettend agressief worden.'

'Vertel hem dan dat je voor een platenmaatschappij werkt,' hielp Meyer.

'Zeg dat je talentenscout bij Monotown bent,' hielp Ollie. 'Stop je overhemd in je broek.'

Tigo stopte zijn overhemd in zijn broek.

Hij keek de agenten aan.

'Hoe zie ik eruit?' vroeg hij.

Hij zag er uiterst bezorgd uit.

'Je ziet er patent uit,' zei Meyer.

Kling kwam van de andere kant van de kamer aanlopen.

'Jij draagt toch een recordertje?' vroeg hij.

'Ja,' zei Tigo. 'Hoezo?'

'Ik zie er helemaal niets van,' zei Kling.

Halloway zei tegen ze dat hij moest bellen met hun acountant. Wiggy vroeg hoe hij heette.

'Zij,' zei Halloway. 'Ze heet Susan.'

Susan was een code. Op het moment dat degene die de telefoon aannam de naam 'Susan' hoorde, wist hij of zij dat er moeilijkheden waren.

'Zorg dat je met haar alleen praat,' zei Wiggy. 'En geef mij het nummer. Ik toets het in.'

Op de klok aan de muur was het tien minuten over tien.

Halloway schreef het nummer op een stukje papier. Wiggy keek ernaar terwijl hij het nummer intoetste. Toen hij aan de andere kant de telefoon hoorde overgaan, gaf hij de hoorn aan Halloway en pakte een ander toestel. De telefoon ging een keer over, twee keer...

'Hallo?'

Een vrouwenstem.

'Susan?' vroeg Halloway.

'Ja?'

'Dick Halloway hier. Gelukkig nieuwjaar.'

'Bedankt Dick,' zei ze. 'Hetzelfde.'

Omdat hij zijn voornaam verkleinde, wist ze dat hij niet alleen was. Als Karen Andersen zich Karey had genoemd of David Good Davey, had dat hetzelfde betekend. Doordat zij zijn verkleinde naam herhaalde, liet de vrouw aan de andere kant Halloway weten dat ze begreep dat hij niet alleen was.

'Heb jij me gisteren geprobeerd te bereiken?' vroeg ze.

'Ja, rond een uur of drie.'

Hij vertelde haar net dat er drie mensen bij hem waren.

'Sorry dat dat misliep. Wat kan ik voor je doen?'

'We hebben cashgeld nodig.'

'Hoeveel,' vroeg ze.

Voor Wiggy, aan het andere apparaat, klonk het allemaal tot nu toe heel normaal.

'Zit je?' vroeg Halloway glimlachend.

Wiggy glimlachte ook.

De Mexicanen ook.

Iedereen lachte om het grapje van Halloway.

'Zoveel dan?' zei Susan.

Ze heette niet Susan, maar dat wist Wiggy niet. Hij dacht dat het tot dusver prima ging. Hij had niet het geringste idee dat hij en zijn maten erbij gelapt werden.

'Drie miljoen zes,' zei Halloway.

'Wel ja,' zei Susan.

'Tja,' zei Halloway en rolde met zijn ogen.

Wiggy knikte bemoedigend. Tot nu toe doe je het goed, bedoelde hij.

'Waar moet het naar toe?' vroeg Susan.

Wiggy gebaarde dat Halloway het onderste gedeelte van de hoorn met zijn hand moest afdekken.

'Zeg maar dat je het komt halen,' fluisterde hij.

'Ik kom het halen, Sue.'

Waarschuwde haar weer dat hij bezoekers had, drie in totaal, niet vergeten. Moeilijkheden, Sue. Of Suzie. Enorme moeilijkheden hier. Kom ons helpen, Suze.

'Hoe snel heb je dat bij elkaar?' vroeg hij.

'Hoe snel heb je het nodig?'

'Zo snel mogelijk, Sue.'

'Wat vind je van een uur?'

Halloway keek naar Wiggy. Wiggy knikte.

'Een uur is prima,' zei Halloway.

'Reken op een halfuur om hier te komen,' zei Susan.

Dat betekende dat hij om half een hulp kon verwachten.

'Ik moet drie of vier telefoontjes plegen, Dick.'

Wat betekende dat ze drie of vier mensen zou sturen.

'En Dick...?'

'Ja, Sue.'

'Aan de voorkant zijn ze met een grote klus bezig, overal staan zware machines. Beter als je via de achterkant komt. Oké?'

'Tot zometeen,' zei hij.

Ze had hem verteld dat ze zwaarbewapend zouden zijn. Ze had hem verteld dat ze via de brandtrap aan de achterkant van het Headleygebouw binnen zouden komen. Ze had hem min of meer verteld dat Walter Wiggins en zijn Mexicaanse partners zo goed als dood waren.

Op de klok was het nu kwart over tien.

'Charmaine?' zei Wiggy. 'Maak voor ons allemaal eens een lekker kopje koffie!'

Will Struthers belde niet naar de bank voor tien voor half elf die morgen. Omdat hij zelf bij een bank had gewerkt, wist hij dat het 's ochtends vroeg altijd druk was en hij vermoedde dat Antonia Belandres het vandaag extra druk zou hebben omdat het het begin van het lange nieuwjaarsweekend was.

'Mejuffrouw Belandres,' zei ze.

Dat 'mejuffrouw' amuseerde Will. Het betekende a) dat ze alleenstaand was en b) dat ze niet een van die vervloekte feministes was die zichzelf mevrouw noemden en in de herentoiletten wilden pissen.

'Hallo, mejuffrouw Belandres,' zei hij. 'Met Will Struthers.'

'Ondercommissaris Struthers!' zei ze en ze klonk stomverbaasd. 'Hoe is het met u?'

'Goed, dank u,' zei Will en corrigeerde haar niet. 'En met u?'

'Druk, druk, druk,' zei ze. 'We sluiten om negen uur vandaag en het is een gekkenhuis.'

'Ik snap wat u bedoelt,' zei Will.

'Dat weet ik,' zei ze. 'En, kijkt u uit naar het nieuwe jaar?'

'Eerlijk gezegd hou ik niet van oud en nieuw. Het valt altijd tegen. Waarom weet ik niet.'

'Ik ben het helemaal met u eens.'

'O, ja?'

'Ja. Ik ben naar intieme feestjes geweest en naar grote, ik ben thuisgebleven en naar nachtclubs gegaan, maar het is steeds hetzelfde. Veel tamtam van tevoren en vervolgens een nog grotere teleurstelling.'

'Goh,' zei hij.

'Ja,' zei zij.

Het was even stil.

'Mejuffrouw Belandres…' zei hij.

'Antonia,' zei zij.

'Antonia,' zei hij. 'Ik weet dat het kort dag is…'

Weer viel het stil. Hij kon haar horen ademhalen aan de andere kant.

'Maar ik… eh vroeg me af…'

'Ja, ondercommissaris?'

'Als u geen… eh… andere plannen hebt…'

'Ja?'

'Zou u dan misschien met me willen dineren vanavond?'

'Nou, dat lijkt me geweldig,' zei ze.

'Prima,' zei hij direct. 'Mooi. Is zeven uur een goede tijd?'

'Zeven uur is prima.'

'Houdt u van Italiaans eten?'

'Vind ik heerlijk.'

'Zeven uur dan, uitstekend. Waar zal ik u komen ophalen?'

'347 South Shelby, appartement 12c.'

'Ik sta om zeven uur bij u op de stoep,' zei hij.

'Ik sta op u te wachten,' zei zij.

Hij dacht: Antonia, jij en ik gaan miljonairs worden.

'Dit is Clarendon Hall,' zei Mahmoud.

Nikmaddu wenste uit de grond van zijn hart dat dat snorretje van die man hem niet die constante glimlach leek te geven. Het ging nu om serieuze zaken.

'Jassim zal hier zitten, op rij F in het midden.'

Jassim met die vieze vingernagels en zonder glimlach knikte. Hij wist waar hij zou zitten, wist precies wat hij morgen moest doen.

'Stoelnummer 101 bij het middenpad,' zei Mahmoud.

Nikmaddu bestudeerde de plattegrond nauwkeurig.

'Als we geluk hebben,' zei Mahmoud, 'dan zal de explosie ook het toneel bereiken. Zo niet, dan hebben we toch onze bedoeling duidelijk gemaakt.'

'Die jood vermoorden is niet de opzet, snap je,' zei Akbar. De kamelendrijver met diepe groeven in zijn donkere gezicht en dikke aderen op de rug van zijn handen. Hun bomexpert. 'We willen ze duidelijk maken dat we overal, altijd kunnen toeslaan. We willen hun duidelijk maken hoe kwetsbaar ze zijn. Of ze moeten alle Amerikanen uitgebreid fouilleren als ze een theater, een bioscoop, een concertgebouw, een restaurant, een koffieshop, een supermarkt of wat dan ook binnen willen gaan. Ze zijn aan ons overgeleverd; dat willen we ze morgenavond duidelijk maken.'

'Maar toch zou die jood een mooie bonus zijn,' vond Jassim.

'Maar dat heeft geen *prioriteit*,' hield Akbar vol. 'Pakken we die jood, prima. Lukt dat niet, dan zullen er veel anderen sterven. Onze bedoeling zal duidelijk zijn.'

'Voor Allah sterven is een eer,' zei Jassim. Hij zou met de bom naar binnen gaan. Daarom mocht hij het laatste woord hebben. Maar Akbar had de bom en de tijdontsteker gemaakt.

'Akbar heeft gelijk,' zei Nikmaddu. 'Het is beter dat er deze keer geen onnodige slachtoffers worden gemaakt.' Hij refereerde aan de Amerikaanse torpedoaanval in Jemen. 'We willen ze duidelijk maken dat we professionals zijn, geen fanatiekelingen.'

Jassim vatte dit als een persoonlijke belediging op. Hij keek – naar hij hoopte – minachtend naar Nikmaddu en stak vervolgens een sigaret aan.

'Wanneer gaat het gebeuren?' vroeg Nikmaddu.

'Na de pauze,' zei Akbar.

'Wanneer *precies?*'

'De jood is de gastviolist in de tweede helft van de avond. We weten dat hij Mendelssohns vioolconcert in E mineur zal spelen. De bom staat zo afgesteld dat hij in het eerste deel zal ontploffen.'

'*Wanneer precies in het eerste deel?*'

'Het is moeilijk om muziek precies te timen,' zei Akbar. 'Het eerste gedeelte duurt zo'n twaalfenhalve minuut, dat hangt er vanaf.'

'Hangt waar vanaf?'

'De musicus, de dirigent – artistieke vrijheden. Maar het duurt zelden langer. Maar hoe dan ook, de bom zal worden afgesteld op half tien.'

'*Precies half tien?*'

'Precies, dat klopt. Hij zal tegen het eind van het eerste deel ontploffen, vertrouw me maar.'

Nikmaddu realiseerde zich dat hoewel de man eruitzag alsof hij in een tent in de woestijn thuishoorde, hij waarschijnlijk intelligenter dan de andere mannen was.

'Wat bedoel je met deel?' vroeg Jassim. De stomste. En degene met de grootste verantwoordelijkheid. Degene die de bom naar binnen zou brengen. 'Wat betekent dat, deel?'

'Het concert van Mendelssohn bestaat uit drie delen,' legde Akbar uit.

'Maar wat is een deel?'

'Dat hoef jij helemaal niet te weten,' zei Akbar. 'Jij plaatst gewoon de bom en vertrekt weer. De rest is aan Allah.'

'Heeft Jassim genoeg tijd om naar zijn stoel te lopen, de bom te plaatsen en te vertrekken?' vroeg Nikmaddu.

'Goeie vraag,' vond Mahmoud. 'Hebben jullie dat gecontroleerd?'

'Ik ben naar zes concerten geweest,' zei Akbar. 'En heb ze alle zes vervloekt. Ik weet exact hoeveel tijd het kost om van de straat naar de foyer te lopen, en vandaar naar de stoel op rij F. Zonder dat hij zich hoeft te haasten, kan Jassim makkelijk buiten zijn voor de bom ontploft.'

'Om half tien precies,' zei Nikmaddu.

'Ja, om precies half tien,' zei Akbar. 'Een passende climax van het eerste deel.'

De mannen lachten. Behalve Jassim die er niets grappigs in kon ontdekken.

'Wat voor bom wordt er gebruikt?' vroeg Nikmaddu.

'Een eenvoudige buisbom. Twee eigenlijk. Aan elkaar vastgeplakt en gevuld met kruit, spijkers en schroeven. Net als die van Atlanta, vier jaar geleden.'

'En het tijdmechanisme?'

'Een klok op batterijen.'

'Hoe neemt hij hem mee naar binnen?' vroeg Nikmaddu.

'In een handtas,' vertelde Akbar.

'Draag ik een *handtas?*' vroeg Jassim.

'Een *heren*handtas. Europeanen lopen er altijd mee. En ik heb er al zes keer een mee genomen. Er wordt niet gecontroleerd. Vrouwen mogen met handtassen en zelfs boodschappentassen naar binnen, mannen hebben aktetassen bij zich. Ze zijn erg zeker van zichzelf, de Amerikanen.'

'Dat zal morgen allemaal veranderen,' zei Nikmaddu.

'Ja, dat klopt,' zei Akbar.

'*Inshallah*,' zei Mahmoud.

'*Inshallah*,' zeiden de anderen in koor.

* * *

De man leek van de aardbol verdwenen.

Tigo probeerde het eerst op Decatur. Thomas – die op de avond van de moord met meneer Jerry Hoskins alias Frank Holt had zitten kletsen, terwijl Tigo en Wiggy in de andere kamer de dope testten – zat televisie te kijken toen Tigo binnenwandelde.

'Ha, man,' zei hij.

'Wattizerop?' vroeg Tigo.

Het was tien voor elf 's ochtends en die vent hing al voor de tv.

'Geen idee,' zei Thomas. 'Iets met Sylvester Stallone.'

Tigo keek even naar het scherm.

Sylvester Stallone bungelde aan een touw.

'Waar is Wiggy?' vroeg hij.

'Daar vraag je me wat!'

'Heb je hem vandaag gezien?'

'Nop.'

'Hoe lang ben je hier al?'

'Een uurtje ongeveer.'

'En toen was hij er niet?'

'Nop.'

'Als hij terugkomt, zeg dan dat ik hem zoek, oké?'

'Kalm aan, broeder,' zei Thomas.

Mijn rug op, dacht Tigo.

Het volgende adres dat hij probeerde was de kapper van Tigo. De man heette Roland, iemand die erg goed kon knippen en met gokken wat bijverdiende. Of andersom. Tigo dacht dat Wiggy misschien zijn haar zou willen laten knippen, met nieuwjaar en zo voor de deur. Hij mocht zelf trouwens ook zijn haar wel eens laten knippen. Roland zei dat hij huid noch haar –

'Snap je me?' vroeg hij.

– van Wiggy had gezien sinds vorige week toen hij zijn haar geknipt had.

'Heb je L&G al geprobeerd?'

L&G was de afkorting van Lewis and Gregory, twee broers die een herenkledingzaak hadden op Chase Street. Ze waren er alletwee toen Tigo er die vrijdag om elf uur kwam. De winkel was stampvol mensen die dassen en overhemden en zooi kwamen ruilen die ze met Kerstmis hadden gekregen en die ze niet wilden hebben. Greg zei dat hij Wiggy niet meer gezien had sinds Thanksgiving; ging het wel goed met hem? Normaal gesproken kwam hij twee, drie keer per jaar met veel tamtam langs. Tigo zei dat het prima met Wiggy ging, dat hij het gewoon druk had. Greg zei: 'Zeg maar dat ik hem gelukkig nieuwjaar wens.'

'Ik zal het doorgeven,' zei Tigo.

Hij vroeg zich af of Wiggy soms in rook was opgegaan.

Dat in rook opgaan was altijd een teken aan de wand.

Hij probeerde een bar, Starlight, waar het al druk was om kwart over elf, twee dagen voor nieuwjaar. Tigo kon zich voorstellen hoe druk het met oud en nieuw zelf zou zijn. Maar John, de barkeeper, vertelde dat hij meneer Wiggins met kerst had gezien, toen zat hij aan de bar een blondine te versieren die zomaar naar binnen was gelopen. En toevallig gisteren rond deze tijd.

'Is dat zo?' vroeg Tigo. 'Een blondine?'

Jammer dat dat recordertje niet aan stond, want nu stond die huid-en-haargrap van Wiggy's kapper er niet op en evenmin het spannende verhaal van Wiggy die op kerstavond een blondine versiert. Hij vroeg John of hij tegen meneer Wiggins wilde zeggen, als die weer langskwam, dat hij naar hem op zoek was. En toen bestelde hij nog – zodat het bezoekje niet helemaal voor niets was geweest – een Dewar's die hij opdronk voor hij de kou weer in moest.

Het sneeuwde nu.

Geen sneeuw met kerst, maar nu kwam het met bakken uit de hemel.

Tigo keek op zijn horloge. Tien minuten voor half twaalf. Hij had geen idee waar hij verder nog moest gaan zoeken.

Hij probeerde het poolcafé op Culver and Third, maar daar had niemand Wiggy gezien en probeerde vervolgens The Corset Lady op South Fifth, dat van een brunette was die Aleda heette en die fijne dameslingerie ontwierp en vroeger wel met Wiggy uitging, maar nu al zo'n zes maanden niet, en ze had hem sinds die tijd ook niet meer gezien en wilde hem ook niet meer zien, bedankt. Vervolgens probeerde hij de First Bap op St. Seb's, want geloof het of niet, Walter Wiggins was een gelovig man die iedere zondag naar de kerk ging, maar dominee Gabriel Foster had hem sinds afgelopen zondag niet meer gezien; was er dan iets met hem aan de hand? Foster zocht altijd naar iets dat iemand uit zijn zwarte parochie was overkomen, enerzijds omdat hij dat in zijn radioprogramma kon gebruiken, anderzijds omdat hij ervoor naar het stadhuis zou kunnen uitrukken. Tigo begon zo onderhand te geloven dat er inderdaad iets met Wiggy gebeurd zou kunnen zijn. In deze handel gebeurden dit soort dingen.

Uiteindelijk ging hij naar een man die Little Nicholas heette, die handelde vanuit zijn wasserette op Lyons en South Thirty-fifth. Kleine Nicholas was ongeveer 1,70 lang en volgens Tigo woog hij ergens tussen de honderddertig en honderdtachtig kilo. Kleine Nicholas handelde in wapens. Hij vertelde dat hij afgelopen nacht Wiggy nog gezien had en dat hij hem een prachtige semi-automatische Cobray M11-9 had verkocht. Was Tigo wellicht geïnteresseerd in een paar goede wapens en geluiddemper die hij gisteren net vanuit het hele land binnen had gekregen? Tigo vroeg of hij Wiggy soms ook vandaag ergens gezien had? Little Nicholas zei: Nee, dat genoegen had hij niet gehad.

Het was kwart voor twaalf.

Het sneeuwde hard.

Tigo vroeg zich af waar die klojo van een Wiggy kon zijn.

Wiggy zat achter Halloways computer bij W&D. Een van de Mexicanen, Ortiz dacht hij, kwam uit de vergaderkamer waar ze de hele staf vasthielden en vroeg of hij nou niet snel achter dat geld aan zou moeten gaan. Ze hadden al afgesproken, na een goedklinkende preek van Wiggy, dat hijzelf degene moest zijn die achter de cash aan ging, om een taalprobleem voor te zijn, niet dat hij wilde discrimineren. Hij keek naar de klok. Twaalf uur 's middags en de accountant had hun aangeraden om een half uur te rekenen om op tijd voor hun een-uur-afspraak te komen. Wat betekende dat hij en Halloway nog niet de sneeuwstorm in moesten.

'Het is nog niet zover,' zei hij tegen Ortiz of Villada, of wie het goddomme dan ook was. *Wie* het ook was, Wiggy was niet van plan om hem of zijn partner ooit nog tegen te komen vanaf het moment dat hij het geld had. *Adios amigos*, leuk jullie gekend te hebben.

Ondertussen stond er zeer interessante informatie op de W&D-computer.

Carella en Meyer lunchten in een restaurant op Culver en Eight, in de buurt van het bureau. Meyer had een salade besteld en dronk ijsthee. Carella at een hamburger met friet. Meyer had hem net verteld dat zijn vrouw hem twee dagen geleden had gezegd dat ze nieuwe kleren voor hem moesten kopen, voor het nieuwe jaar.

'Ze zei dat we naar een winkel moesten voor *grote* mannen, zo noemde ze dat. Ik zei: waarom moeten we naar een grote mannenzaak? Zij zei: omdat jou niets past in een gewone herenzaak. En ik zei: nou, kom op, Sarah, ik kan blind kleren kopen in iedere zaak hier in de stad! Grote-mannenzaken zijn voor *corpulente* mannen. En toen keek ze me recht in mijn ogen en zei: dus?'

'Zei Sarah dat, hè?'

'Sarah.'

'Zei in feite dat je dik was.'

'Corpulent.'

'In feite.'

'Vind jij dat ik dik ben?'

'Nee. Ollie Weeks is dik,' zei Carella en stopte een frietje in zijn mond. 'Jij bent gewoon een beetje mollig.'

'Mollig! Dat is nog erger dan corpulent!'

'Nou gevuld dan misschien.'

'Ga je lekker? Hoe is je hamburger?'

'Walgelijk.'

'En de frietjes?'

'Heerlijk.'

'Je bent zwaarlijvig vergeten.'

'Zwaarlijvig is ook een goeie.'

'Heb jij nooit gewichtsproblemen?'

'Nooit. Ik ben altijd slank geweest.'

'Ik altijd op de grens.'

'Op de grens van wat?'

'Van corpulentie!' zei Meyer en alletwee moesten ze lachen.

Langzaam vielen ze stil.

'Maar ik heb een ander probleem,' zei Carella.

'O?'

'Ja.'

Meyer keek hem eens aan. Carella's ogen stonden ineens heel ernstig.

'Vertel,' zei Meyer.

'Vind jij dat ik veranderd ben?' vroeg Carella.

'Wat bedoel je?'

'Weet ik niet. Ben ik nou veranderd?'

'Volgens mij ben je niet veranderd.'

'Teddy zegt dat ik veranderd ben sinds mijn vader werd vermoord. Ze zegt dat ik nooit om hem gehuild heb. Ze zegt dat ik ook nooit om Danny gehuild heb, Danny Gimp. En ik kan me niet herinneren of ik dat gedaan heb of niet. Ze zegt dat ik te veel drink, ze zegt...'

'O, shit, Steve, dat doe je toch niet, hè?'

'Nee. Dat denk ik niet. Hoop ik niet. Het is alleen...'

'Wat?'

'Ach, Jezus.'

'Wat, Steve? Vertel het maar.'

'Ik denk dat ik bang ben.'

'Alsjeblief zeg. Jij bent nooit bang.'

'Ik denk van wel. Teddy is bang dat ik mijn eigen wapen in mijn mond zal steken. En om je de waarheid te zeggen...'

'Waag het niet om het te zeggen!'

Ze zwegen allebei.

Carella keek naar zijn handen.

'Volgens mij ben ik bang,' zei hij nog een keer. 'Echt waar, Meyer.'

'Alsjeblieft, zeg! Bang! Waarvoor dan?'

'De dood,' zei Carella. 'Ik ben bang dat ik vermoord word.'

'We zijn allemaal bang dat we vermoord worden.'

'Ik ben er zo dichtbij geweest, Meyer.'

'We zijn er allemaal een keer dichtbij geweest. De man met de zeis komt iedere dag dichterbij.'

'Maar die had nooit een leeuw op zijn borstkas zitten!'

'Maar waar ben je nou bang voor? Voor een andere leeuw op je borstkas? Hou nou toch op, Steve.'

'Hij had praktisch mijn hoofd in zijn bek, ik voelde zijn adem over mijn gezicht gaan, kon zijn adem ruiken. Nog een minuut en hij zou zijn kaken gesloten hebben. Ik ben nog nooit zo dicht bij de dood geweest.'

'En dat zul je ook nooit meer komen. Waar denk je dat je bent? Op de Afrikaanse steppes? Hou toch op. Je zit in een *stad*, Steve. Hier kom je geen leeuwen op straat tegen.'

'Ik droom iedere nacht over die leeuw, Meyer. Iedere klotenacht zie ik die leeuw in mijn dromen. Word ik bevend en badend in het zweet wakker, Meyer. Ik ben zo bang dat het nog een keer gebeurt. En die volgende keer…'

'Het is niet erg om bang te zijn,' zei Meyer.

'Wel als je agent bent.'

'We zijn allemaal wel eens bang.'

'Agenten mogen niet…'

'Niet alleen agenten. Iedereen. We zijn allemaal wel eens bang, Steve. Als je nog een keer een leeuw tegenkomt, kijk hem dan recht in zijn ogen, zodat hij in elkaar krimpt.'

Carella's handen trilden.

'Kom op,' zei Meyer. Hij liep om de tafel heen, ging naast zijn vriend zitten en sloeg een arm om zijn schouder. 'Kom op, Steve.'

Op dat moment kwam Tito Gomez binnenlopen.

'Wat lief,' zei hij.

'Sodemieter op,' zei Meyer.

'Heel aardig van je. Maar ik kan Wiggy nergens vinden. Ik weet niet waar hij is. Wat nu?'

Wiggy zat nog steeds achter Halloways computer.

Er was een directory MOEDER dat hij niet kon openen, omdat hem, als hij erop dubbelklikte, gevraagd werd naar een wachtwoord. Maar klikte hij dubbel op de directory WITCHES AND DRAGONS – hij dacht eerst dat het een spelletje was – dan ging die meteen open en verscheen er een hele lijst bestanden met namen als ADA en GEA en DIANA en EM en TESSIE en RONI en BILA en GINA. Was W&D orkanen aan het inventariseren of had hij Halloways kleine zwarte boekje met liefjes gevonden? O, jij sluwe oude vos! Maar waarom gebruikte hij dan voornamen? En soms bijnamen?

Geïntrigeerd klikte Wiggy op het bestand TESSIE, omdat dat het eerste meisje was dat hij zover kreeg om hem te pijpen, een dertienjarige langbenige schoonheid vers uit het zuiden met haar oma. In dat bestand stond niets over meisjes, niets positiefs, niets negatiefs. Er stond wél informatie over de West Side Limousine Corporation, blijkbaar een dochteronderneming van Wadsworth and Dodds, die regelmatig ritjes van en naar de twee vliegvelden in de buurt van de stad maakte, en een over de rivier naar de buurstaat en een ritje naar Diamondback op kerstavond.

Hij vroeg zich af waarom een bestand over een limousinebedrijf TESSIE zou heten, maar realiseerde zich dat er twee s'en in WEST SIDE zitten, en ook een T en – ongelooflijk, maar waar – een I en een E! Op die manier paste die kleine, ouwe TESSIE helemaal op de achterbank van een WEST SIDE- limo!

Hij klikte dubbel op het bestand EM.

Daar vond hij een gespecificeerde lijst van drugsdeals. Daarbij vergeleken leek Wiggy's eigen handel in Diamondback op het verkopen van limonade aan de kant van de weg. Data, plaats, aantal verhandelde kilo's, dollars die er voor betaald waren. Hij was niet verbaasd dat deze lijst bestond, iedereen houdt *ergens* altijd overzichten bij, man. Zijn eigen deals stonden op een computerschijf die hij HAPPY DAYS had genoemd en alleen met een wachtwoord geopend kon worden. Het wachtwoord was WW2, wat niet voor de Tweede Wereldoorlog stond, maar het waren zijn initialen en de maand van – het drong ineens tot hem door dat WITCHES AND DRAGONS voor Wadsworth and Dodds moest staan.

Waar hij naar zat te kijken was een overzicht van de drugsaankopen die de uitgevers de afgelopen twee jaar in Mexico hadden gedaan. En hij realiseerde zich dat EM in Mexico verborgen zat, net zoals TESSIE in WEST SIDE, in feite waren het de eerste twee letters, maar dan omgekeerd. En vroeg zich af hoeveel *andere* meisjesnamen in de WITCHES AND DRAGONS-directory langere woorden afdekten, ze verstopten om het zo maar eens uit te drukken, en wachtten op een man als Wiggy om ze te ontdekken.

Hij opende bestand na bestand.

Toen hij tenslotte dubbel op het bestand DIANA klikte, keek hij met wijdopen ogen.

Hij las over Diamondback, van waaruit hij handelde, het getto in de buitenwijk waar Jerry Hoskins, alias Frank Holt, honderd keys eersteklas cocaïne uit Mexico kwam verkopen.

DIAMONDBACK.

Klein blank meisje DIANA dat daar in het zwartste van de zwartste holen verstopt zat.

Door de omvang van zijn vondst moest hij pissen.

Hij graaide de Cobray bij zijn voeten van de grond en liep naar de herentoiletten, helemaal aan de andere kant van de gang.

Precies op dat moment kwamen via de achterdeur de Weird Sisters en twee heel lange, heel brede zwarte mannen het Headley-gebouw binnen. Via een steegje waar overal VERBODEN TE PARKEREN-borden hingen. Deze keer hadden Sheryl en Toni – die in het echt Anna en Mary Jo heetten – allebei geweren met geluiddempers erop.

Net zoals de zwarte mannen.

Wiggy hoorde niets van het schieten omdat ze geluiddempers gebruikten.

Hij hoorde alleen het gillen.

En het waren niet de twee Mexicanen die hij hoorde, die binnen enkele minuten nadat de moordenaars binnenkwamen, doodgeschoten werden. Het waren Charmaine, de receptioniste, en Betty Alweiss van de afdeling Kunst. Karen Andersen gilde niet. Ze leerde hoe ze net zo koudbloedig en onemotioneel kon zijn als haar baas en af en toe minnaar.

'Er is nog een derde,' zei Halloway.

Tegen die tijd was Wiggy al uit het gebouw verdwenen via de brandtrap.

De Weird Sisters kleedden ongegeneerd de Mexicanen uit en rolden ze in zeildoek. Hun twee zwarte bondgenoten droegen de lichamen de brandtrap af, gooiden die in de achterbak van een witte ML320 Mercedes-Benz, en brachten ze naar een vuilnishoop bij Sands Spit, vlak bij het vliegveld. Het was Halloways wens dat de twee Mexicanen niet meer geïdentificeerd zouden kunnen worden en daardoor nooit vermist konden worden.

Rond half vijf die middag – net toen Carella de recherchekamer uitliep – gingen Anna en Mary Jo naar Diamondback, op zoek naar Walter Wiggins. Hun opdracht was hem te vermoorden.

Carella ging iets over zessen die avond naar het huis van zijn moeder. Hij herkende de auto van zijn zus op de oprit en parkeerde daarachter. Zijn moeders kerstboom brandde achter de ramen aan de voorkant van het huis. Er lag minstens dertig centimeter sneeuw op het pad naar de voordeur en er viel nog meer. Hij beklom de lage, platte treden, drukte op de bel in de deurpost en hoorde de bekende belgeluiden binnen. Hij wachtte. Sneeuwvlokken vielen op zijn haar en op de schouders van zijn jas. Hij wilde net nog een keer bellen toen zijn moeder opendeed.

'Hallo,' zei ze en gaf hem een zoen. 'Waarom heb je niets op je hoofd?'

'Ja, ik weet het. Dat heb je me al eerder gevraagd.'

'Vanaf je zesde,' zei ze.

'Derde,' corrigeerde hij.

'Kom binnen. Angela is er al.'

'Ik zag haar auto al staan.'

'Kom binnen.'

Hij liep achter zijn moeder aan naar binnen. Hier was hij opgegroeid. Dit noemde hij als kind, als puber en als jongeman zijn thuis. Thuis. Hij herkende het niet meer; het leek kleiner, somberder. Hij vroeg zich af of dat kwam doordat zijn vader er niet meer woonde. Angela zat aan de grote eettafel achter een glas rode wijn. Er stond nog een glas wijn op tafel, recht tegenover haar. Hij herinnerde zich hoe ze zich als kleine kinderen verstopten onder die tafel. Hij herinnerde zich zondagavonden, hier in zijn ouderlijk huis, de spelletjes poker om centen en hij en Angela die zich onder de tafel verstopt hadden. Hij herinnerde zich dat zijn zus hem eens in gat in zijn hoofd had bezorgd toen ze hem keihard en woedend met de zijkant van een pocketboek op zijn hoofd sloeg. Hij kon zich niet meer herinneren waarom ze zo kwaad was. Hij had haar waarschijnlijk geplaagd. Hij hield van haar uit het diepst van zijn ziel toen ze kinderen waren. Dat deed hij nog steeds. Ze gaf hem een zoen op zijn wang ter begroeting.

'Was het druk?'

'Behoorlijk. De wegen waren aardig vol.'

'Wil je wat wijn, Steve?' vroeg zijn moeder. 'Of iets sterkers?'

'Beetje wijn graag. Lekker.'

Hij zat naast Angela. Buiten viel de sneeuw massaal naar beneden. Hij woonde in de buurt, maar de wegen werden al glad. Hij vond het jammer dat hij uit zijn werk niet meteen naar huis was gegaan. Zijn moeder gaf hem een glas wijn en ging tegenover hem en Angela aan tafel zitten. Ze hieven alledrie hun glas.

'*Salute*,' zei zijn moeder in het Italiaans.

'Cheers,' zei Carella.

'Gezondheid,' zei Angela.

Ze namen een slok.

'Zo,' zei Angela.

'Zo,' zei zijn moeder.

Ze glimlachten allebei.

Carella keek over de tafel naar zijn moeder. Daarna keek hij naar zijn zus.

'Wat is er?' zei hij.

'We gaan tegelijk trouwen,' zei Angela.

'Een dubbele bruiloft,' zei zijn moeder.

'Ik met Henry, mama en...'

'Ik wil dit niet horen,' zei Carella.

Hij stond al, was zelf verbaasd dat hij al op zijn voeten stond, vroeg zich af wanneer hij was gaan staan. Toen ze allebei glimlachten? Was toen dat dreigende gevoel dat er iets verschrikkelijks stond te gebeuren van zijn hart naar zijn keel gekropen?

'Ga zitten,' zei zijn moeder.

'Nee, moeder. Het spijt me, maar '

'Ga zitten, Steve.'

'Nee. Ik wil niet horen dat jij gaat trouwen zo snel na...'

'Je vader is al bijna...'

'Ik wil het niet hóren!' schreeuwde Carella en wendde zich tot zijn zus. 'En ik wil niet horen dat jij gaat trouwen met de man die...'

'Wat is er verdomme met jou aan de hand?' vroeg Angela.

'O, nee,' zei hij. 'Nee, dat doe je niet.'

'Ben jij gek gew...?'

'Maakt niet uit wat er met mij is! Wat is er met jullie aan de hand? Zijn jullie papa nou al vergeten? Hoe kunnen jullie in zijn huis zitten...'

'Papa is dood, Steve.'

'Ach, nee maar zeg! En je maakt geen grapje? Waar denk je dat dit allemaal over gaat? Waar we over praten? Wat zijn jullie van plan, behalve dan spugen op zijn nagedacht...'

'Heb het lef niet,' zei zijn moeder.

'O, verdomme, ma, je bent geen schoolmeisje meer. En jij moet haar niet aanmoedigen!' gilde hij naar zijn zus. 'Jij wilt graag met die eikel trouwen, heb dan in ieder geval het fatsoen om haar daar buiten te laten.'

Angela schudde haar hoofd.

'Tuurlijk, schud jij je hoofd maar,' zei hij. 'Ik heb natuurlijk ongelijk, hè? Zij ontmoet een spaghettivreter, die net van de boot komt...'

'Niet in mijn huis,' zei zijn moeder. 'Gebruik dat woord nooit meer in mijn huis.'

'O, sorry zeg. Wat is hij dan? Een Yankee Doodle?'

'Volgens mij heeft die leeuw je hersens door elkaar geklutst.'

'Maak je niet bezorgd om die kloteleeuw!' gilde hij.

'Niet in mijn huis,' zei zijn moeder en gaf hem een klap.

Hij keek haar aan.

'Het spijt me,' zei ze.

'Tuurlijk,' zei hij.

Angela begon te huilen.

'En we wilden alleen maar je zegen,' zei ze.

'Nou, dat kunnen jullie vergeten,' zei hij. 'Jullie kunnen papa misschien zo snel vergeten, ik niet. Goedenavond, mama. Bedankt voor de wijn.'

Hij draaide zich om en liep naar de deur toen zijn moeder zei: 'Ik ben geen schoolmeisje meer, Steve.'

Hij liep door.

'Ik hou van hem en ik ga met hem trouwen,' zei ze.

Hij had zijn hand op de deurknop.

'Of je het nou leuk vindt of niet,' zei ze.

'Goedenavond,' zei hij weer, deed de deur open en liep de hevige sneeuwbui in.

De bandrecorder liep.

Tigo kon zijn oren niet geloven. En hij wilde ook niet horen wat hij hoorde. Hij wilde het hebben over de dingen waarvoor hij dat recordertje droeg. Hij wilde dat Wiggy zou gaan vertellen over de drieëntwintigste december.

Hij vroeg zich plotseling af of Willy hem allemaal flauwekul liep te verkopen. Wist Wiggy dat hij een recorder droeg? Vertelde hij een prachtig verhaal omdat hij er lucht van gekregen had? Het was in ieder geval een prachtig verhaal. Tigo vergat bijna waarom hij daar zat. Vond het bijna jammer dat hij de man gevonden had.

'En je denkt dat dit allemaal waar is, hè?' vroeg hij. 'Want ik denk…'

'Man, ik zat recht voor hun computer! Ik heb het met mijn eigen ogen gezien!'

'Maar het klinkt een beetje als siencefiction, snap je me? Een directory onder de naam MOTHAH die je niet kunt openen omdat je het wachtwoord niet weet, en al dat geld dat rondcirkelt, en die dopedeals overal, en die mensen die in de hele wereld onrust zaaien, en ons hier in Diamondback willen naaien, ik bedoel, man, die dingen gebeuren in een film, snap je me?'

'Dan is het wel een *goeie* film, goddomme, zeker weten,' zei Wiggy. 'Maar het is echt waar, man! Het stond op hun *computer!*'

'Maar daar kan ook een boel zooi op staan!' zei Tigo schouderophalend.

'Maar wat gaan we er aan doen, Tigo? Ik bedoel, die knakkers lachen om onze *mensen!*'

Tigo zelf had nooit het gevoel dat ze met de mensen aan wie ze dope verkochten een *persoonlijke* band hadden. Misschien dat Wiggy aan zijn klanten dacht als zijn 'mensen', maar Tigo niet. Om je de waarheid te vertellen, als ze vals geld gebruikten om aan dope te komen, maakte dat Tigo ook niet uit. Om te beginnen interesseerde het Tigo niet *wie* hem de dope verkocht en ook niet waar het naartoe ging. Wat hij wilde, in feite, was nu, op dit moment praten over waarvoor hij hier naartoe gekomen was zodat hij gauw naar het politiebureau terug kon gaan en zijn beloning kon innen. Hij wilde eigenlijk stoppen met die dopehandel –

Hij wist nog niet hoe dichtbij zijn pensioen was.

– zodra hij het geld in handen had, zoveel als de commissaris hem wilde geven voor de belangrijke informatie die hij zou opnemen. Dus hij hoefde niets te weten over een *complot* dat Wiggy in iemands computer had gezien. En hij wilde ook *niets* met zo'n complot van doen hebben, zelfs als het al echt bestond, wat hij sterk betwijfelde. Wiggy's verhaal leek wel een sprookje. Dus –

subtiel en niet al te agressief of te wantrouwend – vroeg hij: 'Hoe was het om die vent op kerstavond te doden?'

'Volgens mij moeten we naar de politie,' zei Wiggy. 'Die moeten het verhaal weten.'

En abrupt stond hij uit zijn stoel op en liep naar de telefoon.

Carella liep net naar zijn huis toen zijn autotelefoon rinkelde. Het was Ollie Weeks.

'Raad eens,' zei hij.

'Verras me,' zei Carella.

'Walter Wiggins belde me net.'

'Wat?'

'Ja.'

'De man die door Gomez afgeluisterd wordt?'

'Dezelfde.'

'Degene die waarschijnlijk Jerry Hoskins neergeschoten en vermoord heeft?'

'Dezelfde.'

'Heeft hij bekend?'

'Dat denk ik niet. Maar hij wil met ons praten.'

'Waarover?'

'Iets over een complot.'

'Uh-huh,' zei Carella.

'Ik rij nu naar 1280 Decatur. Kom je daar ook naartoe?'

Carella keek op zijn dashboardklokje.

'Geef me een halfuur,' zei hij.

Antonia Belandres was er erg van onder de indruk dat Will de weg door de hevige sneeuwstorm had kunnen vinden. Hij vertelde haar lachend dat hij vroeger op hondensleeën in Alaska had gereden, wat ze op de een of andere manier geloofde en waardoor ze nog meer onder de indruk was. Hij had haar nu twee leugens verteld. Hij hoopte dat hij haar niet kwijt zou raken op het moment dat hij haar vertelde dat hij geen politieman was en ook nog nooit van zijn leven in Alaska was geweest.

Er was nergens een taxi te zien toen ze buiten kwamen. Hij had expres een Italiaans restaurant in de buurt van South Shelby uitgekozen, maar de sneeuw kwam met bakken uit de hemel en hij verontschuldigde zich ervoor dat ze zes blokken moest lopen, maar hij was bang dat anders hun reservering verliep.

'Doe niet zo raar, ondercommissaris,' zei ze. 'Ik vind het *heerlijk* om te lopen.'

Ondercommissaris, dacht hij. O, jeetje.

Maar het bleek dat hij zich over de reservering niet bezorgd had hoeven maken. Het restaurant was bijna leeg. De eigenaar haalde hen zelfs binnen alsof ze de burgemeester en zijn vrouw waren die de sneeuwstorm getrotseerd hadden om te komen. Ze kregen een fles wijn van de zaak aangeboden en hij somde toen de specialiteiten van de dag op die allemaal heerlijk klonken. Antonia bestelde *osso buco* en Will kalfsvlees *a la Milanese* dat helaas gepaneerde kalfskoteletjes bleek te zijn.

'O, ja,' zei hij toen ze allebei een glas wijn op hadden en hij de glazen weer vol schonk, 'ik ben trouwens geen commissaris. Ik zit helemaal niet bij de politie.'

'O?' zei ze.

'Ja,' zei hij. 'Op gouden dagen en diamanten nachten.' En proostte met zijn glas tegen het hare.

'Waar komt die toost vandaan?' vroeg ze. 'Gouden dagen en diamanten nachten.'

'Singapore.'

'Ik ook.'

'Dus proost dan maar,' zei hij.

'Proost,' zei ze. 'Op gouden dagen en diamanten nachten.'

Ze dronken.

'Wat deed je dan bij die rechercheurs,' vroeg ze. 'Als je geen agent bent.'

'Ik hoorde een beetje bij hen.'

'Als je geen agent bent, wat ben je dan wel?'

'Een inbreker, eigenlijk,' zei hij.

'Echt waar?'

'Ja,' zei hij schouderophalend.

'Hadden ze je gearresteerd? Voor inbraak? Was je er daarom bij?'

'Niet echt.'

'Waarom dan wel?'

'Ze dachten dat ik een vals honderddollarbiljet had uitgegeven.'

'Dat superbiljet wat ik moest bekijken?'

'Dat denk ik. Ik vond het er heel echt uitzien. Ik denk dat ik daarom ook weer weg mocht.'

'Hoe bedoel je?'

'Nou, ik denk dat zij het ook niet zagen. Ik bedoel, als zij al niet konden zien dat het vals was, hoe had ik dat dan moeten zien?'

'Je hebt toch eerder op een bank gewerkt?'

'Ja, maar ik heb nog nooit een superbiljet gezien. Ze zeiden dat ze me konden vervolgen, maar dat het Kerstmis was. Nou ja, hoe dan ook, ik mocht gaan.'

'Dus als ik het goed begrijp…'

'Ja, dat klopt…'

'…ben je gewoon een ordinaire dief.'

'Nou, ik ben een inbreker. Dat is niet zo gewoon.'

Antonia lachte. Will vond dat een goed teken.

'En ik heb een paar plannetjes die ook niet zo gewoon zijn,' zei hij.

'O? Wat voor plannetjes?'

'Dat vertel ik je nog wel.'

Antonia dacht dat zijn plannetjes met seks te maken hadden. Dat hij bedoelde dat hij later op de avond met haar naar bed wilde. Na het eten. Terwijl buiten de storm woedde. Wat helemaal niet zo'n slecht idee was. Behalve dan dat hij een ordinaire dief was. Nou ja, een inbreker.

'Wat maakt een inbreker zo speciaal?' vroeg ze.

'Nou, om te beginnen lijken we op doktoren.'

'Tuurlijk. Doktoren.'

'Ja. Ons motto is "Breng geen letsel toe". In feite voorkomen we het liefst dat we mensen moeten verwonden. We zien lampen branden in een appartement en vermoeden dan dat er iemand thuis is en dan mijden we die woning.'

'Waarom?'

'Dat zei ik net. We willen niet dat een oud dametje begint te gillen zodat we daar wat aan moeten doen. Breng geen letsel toe. En de straf wordt zwaarder. Als je iemand in diens woning letsel toebrengt of je draagt alleen maar een wapen, dan gaat het van categorie Twee naar categorie Een. Dat is een verschil van tien jaar als het tot een veroordeling komt.'

'Je weet er een boel van,' zei Antonia.

'Tja,' zei hij. 'Ik doe dit dan ook al heel lang.'

Ze vroeg zich af waarom ze nog steeds aan dat tafeltje zat. Die man had haar net verteld dat hij een inbreker was, een *dief*.

'Ik dacht dat je gezegd had dat je bij een bank werkte,' zei ze.

'Klopt,' zei hij. 'Lang geleden, als jong broekie.'

'En je hebt nog nooit een superbiljet gezien,' zei ze.

'Nooit.'

'Raar. Zijn er genoeg van in Zuidoost-Azië.'

'Genoeg in de *hele wereld*, als ik jou mag geloven.'

'Waar komt dat biljet vandaan waarmee je wilde betalen?'

'Dat heb ik gestolen.'

'Waarom ben ik niet verbaasd?' zei ze met rollende ogen.

'Geeft niet hoor. Er zijn niet veel mensen die met inbrekers dineren.'

'Bof ik even,' zei ze weer met rollende ogen.

'Misschien ga je daar wel gelijk in krijgen,' zei hij.

Nog steeds dacht ze dat hij het over seks na het eten had. Wat ze nog steeds geen slecht idee vond.

'Weet je van die vrouw die in Grover Park door de leeuwen is opgevreten?' vroeg hij. 'In de dierentuin? Heb je dat op de televisie gezien?'

'Nee,' zei ze. 'Maar ik heb het in de krant gelezen.'

'Van haar heb ik dat geld gestolen.'

'Nou, dan ben je beroemd,' zei ze.

'Zij in ieder geval wel. We worden niet allemaal door leeuwen opgevreten.'

'Wat denk je dat ze in die leeuwenkuil te zoeken had?'

'Geen idee. Ik heb de dame maar één keer in mijn leven gesproken.'

'Jij hebt toch niets te maken met...'

'Nee, *nee* zeg,' zei hij. 'Ik ben een inbreker!'

'Ja,' zei ze. 'Dat begin ik te begrijpen.'

Hun eten kwam. Ze was even diep in gedachten en zei toen: 'Tja, als jij nou mij was, wat zou je hier dan doen?'

'Hoe bedoel je?'

'Zou jij met jou naar bed gaan als je wist dat je een inbreker was? Of zou je netjes je bord leegeten en als een braaf meisje naar huis gaan?'

'Je kunt het ook alle twee doen,' vond Will.

Tigo Gomez werd bloednerveus.

Wiggy had net verteld dat de man op wie ze wachtten dezelfde man was die het recordertje op zijn borst had geplakt – 'Dat is geweldig,' zei Tigo – niemand minder dan rechercheur Oliver Wendell Weeks van het 88ste district.

'Je zult hem wel eens op straat gezien hebben,' zei Wiggy. 'Vette Ollie Weeks. Een grote, dikke man.'

Het is niet waar, dacht Tigo.

Het probleem was dat Wiggy dacht dat hij de politie een gunst bewees, terwijl *zij* hem alleen maar voor een moord met voorbedachten rade wilde oppakken. Het volgende probleem was dat Tigo hem niet kon waarschuwen hoe gevaarlijk die vetzak was, omdat hij dan zou moeten uitleggen dat hijzelf naar de politie was gegaan voor een gunst, namelijk voor geld, en dat ze hem daarom heel strak een recordertje hadden opgeplakt en dat dat de reden was waarom hij hier zat, dat hij informatie probeerde te verzamelen waarmee hij zou kunnen onderhandelen als de Wet zou komen en de vlam in de pan zou slaan.

'Ga je vertellen dat je een drugsdealer bent?' vroeg hij.

'Nee, dat hoeft hij niet te weten.'

'Hoe kun jij dan *weten* dat die lui hier drugs verkopen?'

'Kan ik gehoord hebben.'

'*Hoe* dan, Wigg? Ga je vertellen dat die knakker Hoskins hier met kerst was, jou honderd keys coke verkocht zodat jij dat aan de koters op straat kunt verkopen?'

'Nee. Maar ik zou...'

'Ga je vertellen dat je die knakker Hoskins in zijn achterhoofd hebt geschoten en in een vuilnisbak hebt gepropt? Ga je dat doen, Wigg?'

'Ik ga vertellen dat het helemaal verkeerd is wat die knakkers onze mensen aandoen.'

'Het zijn de slechteriken van deze wereld,' zei Tigo. 'Het *is* schandalig.'

Hij vond dat Jerry Hoskins dan wel die troep uit Mexico had meegenomen en aan Wiggy had verkocht, maar dat Wiggy degene was die het doorverkocht aan zijn 'mensen' op straat. En dat hij nog *steeds* niets over die kerstmismoord had verteld. Tigo zou hem nog meer moeten uitdagen, wilde hij het hier van hem horen.

Toen zei Wiggy: 'Weet je waar Gea voor staat?'

'Gea?'

'G-E-A,' spelde Wiggy voor hem. 'Weet jij welk woord daarachter verstopt zit?'

'Nee, geen idee.'

'Nagemaakt. Dat is het woord. Als je dat woord goed onderzoekt, ontdek je dat Gea er in verstopt zit. Dan klik je dubbel op haar naam en je zit direct in Gealand. Wil je het horen, man, of wil je de rest van je leven nergens van weten?'

Tigo wilde alleen maar horen hoe Wiggy Hoskins had vermoord – maar hij wilde ook niet de rest van zijn leven nergens van weten. Hij knikte vermoeid en luisterde naar Wiggy die over zijn avonturen in Gealand vertelde. Gaandeweg het verhaal leunde hij dichter naar hem toe. Gaandeweg gingen zijn ogen steeds verder open. Hij luisterde ademloos en geconcentreerd tot hij plotseling buiten voetstappen hoorde. Hij draaide zich om naar de voordeur. Een seconde later hoorde hij snelle geweerschoten en hing de deur uit zijn scharnieren.

Op datzelfde moment reed Steve Carella met zijn auto Decatur Avenue op, zich onbewust van het feit dat hij weer een leeuw zou ontmoeten.

Tigo rende al naar het raam voordat de twee blonde dames binnenvielen. Ergens achter hem gilde Wiggy van de pijn. Met zijn hoofd vooruit dook Tigo het raam uit, belandde op de brandtrap in een regen van scherven en hoorde dat er binnen nog meer geschoten werd.

'Het raam!' riep een van de vrouwen, maar hij was al overeind gekrabbeld en klom verder naar beneden. De ijzeren sporten zaten onder de sneeuw en waren glad. Hij viel bijna, maar bleef dalen, gleed uit, miste tussendoor sporten, vloog bijna naar beneden terwijl boven hem de blondines met automatische wapens kogels in de sneeuw schoten die op het ijzer van de brandtrap afketsten. Hij sprong de laatste anderhalve meter naar beneden, rende zigzaggend door de achtertuin, de blondines schoten nog steeds, en klom over de schutting naar de tuin van de buren toen ze hem eindelijk goed in het vizier kregen. Hij hoorde om zich heen het hout versplinteren en voelde de kogels in zijn rug slaan toen hij op de schutting zat. Een andere kogel sloeg in zijn rechterhand. Hij liet zich op de grond vallen en zigzagde naar het steegje achter het gebouw met zijn gewonde hand stijf tegen zijn lijf gedrukt. Er druppelde bloed van zijn hand en zijn borst op de witte sneeuw toen hij wegrende.

De storm hield de meeste mensen van de straat.

Hij stommelde het steegje uit, viel en krabbelde weer op.

Hij keek achterom, viel weer en schuifelde naar de lantaarnpaal op de hoek. Hij lag daar twee of drie minuten toen er een lange man zonder hoed de hoek om kwam. Tigo wist niet of hij vanwege de schoten was gekomen of vanwege wat anders. Hij was gewoon blij dat hij iemand zag. De man knielde naast hem op de grond. Tigo herkende hem meteen.

'Weet je wie dit gedaan heeft?' vroeg Carella.

Tigo knikte.

'Wie, Tigo? Kun je praten?'

Carella's leeuw volgde Tigo's bloedspoor door het steegje.

'Moeder,' zei Tigo.

'Jouw *moeder* schoot…?'

'Gea,' zei Tigo.

'Heet je moeder zo?'

Carella's leeuw rende nu het steegje uit.

'Diana,' zei Tigo.

'Ik snap er n…'

Maar Tito Gomez was dood.

En Carella's leeuw stond nu pal achter hem.

Hij keek net op tijd achterom om een compleet in het zwart gekleed iemand te zien staan met een duidelijk herkenbare AK-47.

Als je een andere leeuw tegenkomt, kijk die dan recht in de ogen, zodat hij in elkaar krimpt.

Deze leeuw was niet mannelijk.

Eén onderdeel van een seconde verslapte de aandacht van Carella even waardoor hij niet snel genoeg naar zijn wapen greep, maar meer had de blondine niet nodig. Hij registreerde drie dingen in een hartklop. Een wagen racete de straat in. De blondine richtte het wapen op zijn hoofd. Een man kwam uit de wagen.

De blondine wilde de trekker overhalen toen Vette Ollie Weeks haar van achteren neerschoot.

'Dat is de tweede keer, Steve,' zei hij tegen Carella en grinnikte in de dichte sneeuw.

11

Will bedacht dat hij daarom nog nooit met een hoer naar bed was geweest.

Als je met iemand naar bed ging die je moest betalen, trok ze daarna meteen haar kleren weer aan, zei: 'Bedankt, je was goed', en ging weg. Dacht hij. Maar met een vrouw als Antonia Belandres zat je hier op zaterdagochtend jus d'orange en koffie te drinken, chocoladecroissants te eten die hij bij de bakker beneden had gekocht en was het... nou ja... intiem. Je kon seks met een hoer hebben, maar volgens hem kon je niet intiem met haar worden.

Antonia had alleen een korte zijden peignoir aan die ze uit haar slaapkamerkast gepakt had. Will had nog de broek en het shirt aan die hij had aangetrokken om de croissants te gaan kopen. Het was net half elf geweest. Het sneeuwde niet meer en de zon scheen. Buiten op straat leek alles schoon en wit en stralend. Hij zei tegen Antonia dat ze misschien straks wel een eindje konden wandelen, als ze dat leuk vond. Ze zei dat ze dat heel leuk zou vinden. Hij knikte lachend. Zij knikte lachend terug.

Hij vertelde zijn plan pas toen ze weer samen in bed lagen en pas nadat ze nog een keer gevreeën hadden. Ze lag in zijn armen, het laken over hun schouders, de vorst zorgde voor een koude kamer en zonlicht viel door het raam naar binnen.

'Ik weet hoe we allebei miljonair kunnen worden,' zei hij.

'O ja, hoe dan?'

Zwart haar waaierde uit over het kussen. Bruine ogen stonden wijdopen. Geen make-up. Haar gezicht stond net zo verwachtingsvol als dat van een kind met Kerstmis.

'We gebruiken de biljetten.'

'Welke biljetten?'

'De superbiljetten.'

'Gebruiken die?' vroeg ze. 'Hoe bedoel je?'

'Jij zei dat je verdachte biljetten naar de Federal Reserve stuurt.'

'Ja?'

'Dat zei je tegen die rechercheurs.'

'Klopt. Dat doen we ook.'

'Iemand komt met een biljet dat vals lijkt…'

'Ja, dat sturen we door naar de Fed.'

'Je confisqueert dat biljet, toch?'

'Klopt.'

'Krijgt die persoon er een echt biljet voor terug?'

Want dat had het ministerie van Financiën gedaan met die achtduizend die ze hem afgenomen hadden. Maar dat wist hij niet.

'Natuurlijk niet,' zei ze. 'Dan zou je vervalsingen aanmoedigen.'

'Krijgt die persoon een ontvangstbewijs?'

'Niet als we zeker weten dat het vals is,' zei ze. 'In dat geval halen we het biljet gewoon uit de roulatie.'

'Zelfs als die persoon niet wist dat het vals was?'

'Jammer voor hem.'

'En wat als je niet *zeker* weet of het vals is? Als het zo'n superbiljet is dat je naar de Fed stuurt?'

'Dan geven we inderdaad die persoon een ontvangstbewijs.'

'En als de Fed tot de conclusie komt dat het vals is?'

'Wij zien het nooit terug. Ze nemen het uit de roulatie en stellen ons op de hoogte. En wij stellen die persoon op de hoogte. Dat is alles.'

'En als ze tot de conclusie komen dat het echt is?'

'Dan sturen ze het terug, wij stellen die persoon op de hoogte en die komt het ophalen. Niets meer aan de hand.'

'Oké, en wat als je een verdacht biljet *niet* naar de Fed stuurt? Wat als je het van een persoon aanpakt, hem een ontvangstbewijs geeft… en het houdt?'

'Houden?'

'Ja. En twee weken of zo later… of zolang als het duurt voor de Fed het normaal gesproken terug stuurt…'

'Dat varieert.'

'Twee weken, drie weken, maakt niet uit. Dan bel je die persoon en zegt Sorry, uw biljet was vals en de Fed heeft het geconfisqueerd. Goedemiddag, meneer en tot ziens.'

Antonia keek hem aan.

'Dat is diefstal,' zei ze.

'Ja,' zei hij. 'Maar geen diefstal van *echt* geld.'

Antonia keek hem nog steeds aan.

'Het zou diefstal van *vals* geld zijn,' zei hij.

'Wat is het verschil?' vroeg ze. 'Ik zie geen verschil.'

'Dat is precies wat ik bedoel. Als niemand het verschil kan *zien*, kunnen we tonnen vals geld uitgeven alsof het echt geld is. We kunnen het valse geld voor alles wat we willen hebben gebruiken.'

Wat precies was wat Jerry Hoskins had willen uithalen met de Mexicanen. Maar ook dat wist Will niet.

'Ik vind het nog steeds stelen,' zei Antonia.

'Er is niets mis met stelen,' vond Will en kuste haar weer.

'Hou je van vioolmuziek?' vroeg ze.

Vette Ollie zat te eten.

En ook te luisteren.

Hij at een lichte maaltijd. Volgens zichzelf. Hij at roggebrood met boter en mosterd, een zure augurk, een geprakte aardappel en een banaan en dronk koffie terwijl hij ondertussen met Carella naar het bandje luisterde uit het recordertje van Tigo Gomez dat hij droeg toen hij werd neergeschoten door een ongeïdentificeerde blondine – nu in het ziekenhuis en nog *steeds* ongeïdentificeerd. Carella at een tonijn-tomatensandwich van wittebrood en dronk een glas melk. De twee rechercheurs zaten in een verhoorkamertje op het 87ste, waar Ollie de laatste tijd veel kwam, nu hij al twee keer Carella's leven had gered. Carella hoopte uit de grond van zijn hart dat hij hem geen derde keer zou redden, anders zou de man daar voor eeuwig zitten.

Ollie at graag onder het afluisteren van banden.

Het probleem met politiebanden was dat ze zelden interessant zijn. Als je naar de film ging of naar een televisieshow keek, of zelfs als je zo wanhopig was dat je een boek pakte, dan was er in alle gevallen een verhaal dat je kon volgen. Een band afluisteren is hetzelfde als mensen horen praten, behalve dan dat als je in een kamer met babbelende mensen was, je vaak niet in de gaten had hoe vervelend dat was. Als je een band afluisterde, hoopte je altijd dat de mensen iets zouden *zeggen* dat je tegen hen zou kunnen gebruiken. Meestal was er één iemand die de recorder droeg en wist de andere persoon (of personen) niet dat ze opgenomen werden. Dus kletsten ze maar door over van alles, terwijl jij met je duimen zat te draaien en wachtte op een verhaallijn. Hoewel Ollie niet graag boeken las, wist hij van alles over verhaallijnen sinds hij met zijn thriller begonnen was. Wat hij eerlijk gezegd veel makkelijker vond dan het instuderen van de eerste drie maten van 'Night and Day'. Hij snapte eigenlijk niet waarom die kerels die die bagger gecomponeerd hadden er zoveel geld voor hadden gekregen.

Het interessante aan de band die Gomez had opgenomen was dat Wiggins hem niet meteen had neergeschoten. Want iedereen die de band beluisterde – en dat deden Ollie en Carella op dit moment – moest toegeven dat Tigo vanaf de eerste seconde aan het vissen was en waar hij naar viste was een reden voor moord. Maar Wiggins had iets anders aan zijn hoofd, en terwijl de rechercheurs aten en luisterden – Ollies banaan werd bijna lekker met het roggebrood en mosterd – raakten ze meer en meer geïnteresseerd in wat Wiggins vertelde dan in Gomez' doorzichtige vispogingen.

Gomez' stem was de enige die ze eerder gehoord hadden, en ze hadden slim uitgevonden wie van de twee het recordertje droeg en viste, de andere stem moest dan van Wiggins zijn. En aangezien beide rechercheurs regelmatig transcripties van banden *lazen*, *luisterden* ze ook automatisch op die manier. Benoemden iedere stem die ze op de band hoorden. Ze werden doodziek van Tigo's opzichtige onderbrekingen, zaten te wachten tot Wiggy 'Wat *doe* je godverdomme, man!' zou roepen en die klungel neer zou schieten, toen Wiggy begon te vertellen over die computer waar hij in had geneusd bij Wadsworth and Dodds. Ollie vroeg zich af wat de man in zijn toekomstige uitgeverij te zoeken had, maar dat ging Wiggy niet uitleggen. Hij vertelde wel wat hij allemaal in de computer gevonden had. Ollie keek Carella aan. Carella haalde zijn schouders op.

WIGGY: Al die bestanden met vrouwennamen.

TIGO: Hoe bedoel je, namen?

WIGGY: Rina en Bila en Ada en Gina en Tessie, en een die me bijzonder opviel... Diana.

TIGO: Zoals prinses Di?

WIGGY: Ja. Maar het is Diamondback. Het is een code voor Diamondback.

TIGO: Hoe weet je dat, Wigg?

WIGGY: Het stond op de pc. De man liet alles aanstaan toen ik mijn blaffer liet zien. D-I-A-N-A. Zit allemaal in de naam Diamondback. Alleen een beetje door elkaar gerommeld, dat is alles.

TIGO: Als die man het in code opsloeg, waarom heeft hij het jou dan *verteld*?

WIGGY: Niemand heeft het me verteld, man. Ik heb het helemaal zelf uitgevogeld. Net zoals B-I-L-A voor Libanon staat en G-I-N-A voor Nicaragua.

TIGO: Waarom zouden ze dat doen, Wigg?

WIGGY: Om te *verbergen* wat ze daar doen. Man, begrijp me goed. Het interesseert me geen zak wat ze ergens anders uitvreten. Maar als ze dope in Mexico kopen en het hier in Diamondback verkopen...

TIGO: Wij verkopen hier ook dope, Wigg.

WIGGY: Dat is niet hetzelfde, man. Zij verkopen hier dope om heel andere redenen. Man, ze schijten op ons zwarten, dát doen ze.

TIGO: Ik weet het niet, Wigg. Ik bedoel...

WIGGY: Wat weet je niet? Ik zit je net te *vertellen* wat er gebeurt, wat begrijp je dan niet?

Het was nu lang stil op de band. Ollie pelde nog een banaan. Hij keek weer naar Carella. Carella haalde zijn schouders weer op.

* * *

TIGO: Jij gelooft dat het allemaal waar is, hè? Want ik denk…
WIGGY: Man, ik keek recht op het scherm! Ik heb die zooi met m'n eigen ogen gezien!
TIGO: Maar het klinkt allen, weet je, zo sciencefictionachtig, weet je? Een directory MOTHAH kun je niet openen omdat je een wachtwoord nodig hebt, en al dat geld dat rondgaat, en al die mensen die in de hele wereld moeilijkheden veroorzaken, en die ons hier in Diamondback proberen te naaien, ik bedoel, man, het klinkt als een film, snap je wat ik bedoel, man?
WIGGY: Het zou een verdomd *goede* film zijn, goddomme, zeker weten. Maar het is *waar*, man! Het stond op hun *computer*!
TIGO: Daar kan best een hele hoop zooi in zitten.
WIGGY: Waar het om gaat, is wat we eraan gaan doen, Tigo? Ik bedoel, deze knakkers rotzooien met onze *mensen*!

Weer een lange stilte.
'Waar heeft hij het verdomme over?' vroeg Ollie.
'Shhh,' zei Carella.

WIGGY: Volgens mij moeten we naar de politie. Hen het verhaal vertellen.

'Goed plan,' zei Ollie tegen de band.
Ze hoorden een telefoon overgaan.
'Hij belt me nu,' zei Ollie.
'Denk ik ook.'
Ze luisterden naar het eind van Wiggy's verhaal. Ollie maakte een zakje potatochips open. Carella dronk zijn glas melk leeg. Ze hoorden een telefoon die op de haak werd gelegd. Ollie graaide in de zak chips.

WIGGY: Weeks komt er aan.
TIGO: Dat is geweldig.
WIGGY: Je zult hem wel eens op straat gezien hebben. Vette Ollie Weeks. Een grote, dikke man.

235

'Hé, oppassen, jij,' zei Ollie.

TIGO: Ga je vertellen dat je een drugsdealer bent?
WIGGY: Nee, dat hoeft hij niet te weten.
TIGO: Hoe kun jij dan *weten* dat die lui hier drugs verkopen?
WIGGY: Kan ik gehoord hebben.
TIGO: *Hoe* dan, Wigg? Ga je vertellen dat die knakker Hoskins hier met kerst was, jou honderd keys coke verkocht zodat jij dat aan de koters op straat kunt verkopen?

'Nou komen we ergens,' zei Ollie.
'Shhh,' zei Carella.

WIGGY: Nee, maar ik zou...
TIGO: Ga je vertellen dat je die knakker Hoskins in zijn achterhoofd hebt geschoten en in een vuilnisbak hebt gepropt? Ga je dat doen, Wigg?

'Ga d'r voor, man,' zei Ollie.

WIGGY: Ik ga vertellen dat het helemaal verkeerd is wat die knakkers onze mensen aandoen.
TIGO: Het zijn de slechteriken van deze wereld. Het is schandalig.
WIGGY: Weet jij waar Gea voor staat?
TIGO: Gea?
WIGGY: G-E-A-. Weet jij welk woord daarachter verstopt zit?
TIGO: Nee, geen idee.
WIGGY: Nagemaakt. Dat is het woord. Als je dat woord goed onderzoekt, ontdek je dat Gea erin verstopt zit. Dan klik je dubbel op haar naam en je zit direct in Gealand. Wil je het horen, man, of wil je de rest van je leven nergens van weten?

* * *

'Wat een flauwekul allemaal,' zei Ollie.

'Luister nou eens naar wat de man...'

'Hij hallucineert,' zei Ollie.

'Wel godverdomme!' zei Carella en zette de recorder uit en keek Ollie lang aan. Ollie dook in zijn chipszak. Carella drukte op de terugspoelknop. Ollie keek beledigd.

WIGGY:...horen, man, of wil je de rest van je leven nergens van weten? Wat deze knakkers, deze mothahs, doen, is vals geld in Iran kopen. Honderddollarbiljetten. Zo goed, dat je je vingers erbij aflikt. Ze kopen het met vijftig procent korting. Dat betekent dat ze de helft van honderd voor zo'n biljet betalen, dat ze met vijftig biljetten al quitte spelen, kun je me volgen, man?

TIGO Ik luister.

WIGGY: Dat valse geld nemen ze mee naar Mexico en betalen er hoogwaardige dope mee. Weet je nog wat die blanke vent ons rond de kerst verkocht?

TIGO: Die vent die je hebt neergeschoten en in die vuilnisbak hebt gepropt?

WIGGY: Die honderd keys die we getest hebben, weet je dat nog?

TIGO: Ik weet nog dat je hem neerschoot. Waarom vermoordde je hem, Wigg?

WIGGY: Het punt is dat die honderd keys betaald was met vals geld, man. Ze kregen twee keer zoveel dope dan ze hadden moeten krijgen omdat ze met biljetten betaalden waar ze zelf de helft van wat er op stond voor betaald hadden. Snap je wat ze uithaalden, man?

TIGO: Ik wou dat we er zelf aan gedacht hadden, Wigg.

WIGGY: Maar wij hebben geen vijftig procent korting hier in Diamondback, man! Wij betalen de volle mep en dus een behoorlijke prijs voor de dope. En zij pakken hier die enorme winst en gebruiken het om hun wereldwijde activiteiten te financieren. Snap je me? Man, wij betalen hun goed geld, en zij gebruiken het om ergens in Afrika een revolutie te beginnen!

TIGO: Wie bedoel je met zij, man? Wie zijn zij?

WIGGY: Ik *weet* niet wie zij zijn. Maar ik durf om veel geld te wedden dat het in die directory MOTHAH staat. Vind het wachtwoord, man, en je kunt die mensen opsporen.

TIGO: Waarom wil je dat zo graag weten, man?

WIGGY: Wat *heb* jij toch, man, Teeg, je bent toch niet achterlijk? Die naaien ons een eind in het rond! Je sluit Gea en je klikt dubbel op Diana, weet je wat je vindt in dat bestand over Diamondback? Je vindt er het plan voor *ons*, man. Daar lees je wat ze hier *echt* van plan zijn, lees je hoe alles op zijn plaats valt.

TIGO: Wat doen ze dan, Wigg? Sorry, maar ik snap echt niet wat...

WIGGY: Ze bouwen een maatschappij van drugsverslaafden, man. Ze binden de nikker zodat hij niet kan werken, niet kan stemmen, godverdomme niets kan behalve H in zijn arm spuiten of coke in zijn neus snuiven! Ze maken godverdomme weer slaven van ons.

TIGO: Man, Wiggy.

WIGGY: Ja, man, zo zit het. Daarom heb ik die dikke vetzakagent gebeld. Zij moeten ook weten wat er hier allemaal gebeurt, Teeg. Iemand moet hen tegenhouden.

TIGO: Eén ding snap ik nog niet, Wigg.

WIGGY: En dat is?

TIGO: Die knakkers in Iran? Degenen die *echt* geld voor die namaakzooi hebben gekregen?

WIGGY: Wie maakt zich daar nou druk om? Begrijp je niet wat ik net *verteld* heb?

TIGO: Ik vroeg me alleen maar af wat zij met dat geld zouden *doen*, hoor, meer niet.'

Van de schoten die op de band te horen waren schrokken ze allebei. Ollie liet zelfs zijn zak chips vallen. Gegil overstemde het staccato van automatisch geweervuur. Een vrouwenstem riep: 'Het raam!' Glas brak. Zware ademhaling. Nog meer schoten. Rennende voetstappen. En toen Carella's eigen stem uit het apparaat.

***

CARELLA: Weet je wie dit gedaan heeft? Wie, Tigo? Kun je praten?

TIGO: Moeder.

CARELLA: Jouw moeder schoot...?

TIGO: Gea.

CARELLA: Heet je moeder zo?

TIGO: Diana.

CARELLA: Ik snap er n...

Er werd nog meer geschoten.
En zwaar ademgehaald.

OLLIE: Dat is de tweede keer, Steve.

'Wie is goddomme Moeder?' vroeg Ollie.

Van waar Svi Cohen stond, in het midden van het toneel, kon hij de kolossale zijvleugels van Clarendon Hall, van orkestniveau omhoog naar de eerste en tweede rijen, de zijbalkonnen, het middenbalkon en de achterbalkonnen, zien. Zelf een reus van een man, voelde hij zich klein door de gouden ornamenten in de meest prestigieuze concertzaal van de Verenigde Staten. Hier maakte Jascha Heifetz, een zeventienjarige Russische violist, zijn indrukwekkende Amerikaanse debuut in 1917. Hier – en nog geen decennium later – verbijsterde de tienjarige belofte Yehudi Menuhin genaamd, de wereld van de klassieke muziek met een vioolstijl die de elegantie van Kreisler, de helderheid van Elman en de techniek van Heifetz zelf combineerde. Ook hier, op ditzelfde podium, maakte de beroemde Russische pianiste Svetlana Dyalovich haar Amerikaanse debuut. Svi staarde diep onder de indruk de in rood beklede ruimte in.

'En wat vind u ervan?' vroeg Arthur Rankin glunderend.

Rankin was de dirigent van het Philharmonic, een man van in de zestig, een man die viool speelde vanaf zijn vierde jaar en dirigent was vanaf zijn dertigste, maar in de nabijheid van dit zevenendertigjarig genie uit Tel Aviv voelde hij zich nietig.

'Wacht maar tot u de akoestiek hoort,' zei hij.

'Ik kan me er wat bij voorstellen,' zei Svi.

Het orkest begon te stemmen.

Vanavond zou het programma beginnen met 'La Gazza Ladra' – de 'Stelende ekster'-ouverture uit Rossini's *Barbier van Sevilla*. Daarna zouden ze tot aan de pauze de veertigste van Mozart spelen in G-mineur. Dan zou er twaalf minuten pauze zijn, waarna Svi Cohen zou spelen. Het orkest had alle stukken de afgelopen week gerepeteerd, maar dit was de eerste keer dat het Mendelssohn in E-mineur samen met de Israëlische violist zou opvoeren.

Rankin tikte met zijn stokje om stilte.

'Heren?' zei hij. 'Mag ik u voorstellen aan onze geëerde gast?'

Het plan was eenvoudig.

Ze waren er in getraind om te geloven dat alle goede plannen eenvoudig waren.

Een gedeelte van het ontvangen geld was gebruikt voor valse identiteitspapieren, gemaakt door een meestervervalser die in Boekarest was opgeleid, maar nu hier in een klein stadje woonde waar hij als dekmantel antiek verkocht. Paspoorten, groene kaarten, rijbewijzen, verzekeringskaarten, creditkaarten – alles dat iemand nodig kan hebben om zich ongehinderd door de Verenigde Staten te bewegen en dus door de hele wereld. Vanuit een Cadillac in een staat aan de andere kant van de rivier had Nikmaddu – onder de valse naam op zijn rijbewijs – een zwarte DeVille sedan gekocht. De auto zou bij de aanslag vanavond gebruikt worden en daarna naar Florida gereden worden waar hij voordat de vier mannen uiteen zouden gaan, zou worden gedropt. Akbar, Mahmoud en Jassim hadden verschillende vluchten naar Zürich, Parijs en Frankfurt geboekt en zouden vervolgens naar de verre uithoeken van de Arabische wereld verdwijnen. Nikmaddu zou eerst naar Chicago gaan, dan naar San Francisco en Los Angeles. De aanslag hier in deze stad zou maar een klein gat slaan in het cashgeld dat hij van huis meegenomen had.

Activiteiten elders in de Verenigde Staten vroegen ook geld. Geld hield de terroristische wereld – of zoals hij het liever noemde, de bevrijding – draaiende. Geld was de motor en de brandstof.

Om kwart voor acht vanavond zou Akbar, in een chauffeursuniform, in de Cadillac rijden –

De Amerikanen noemden deze luxewagen een Caddy. Dat woord gebruikten ze ook voor de armoedzaaier die de golfstokken droeg. Een vreemd land.

Hij zou met de Caddy naar de vooringang van Clarendon Hall rijden. Jassim, geschoren en gebaad en gemanicuurd en opgedoft, in een fraai zwart pak, met een handtasje voor mannen dat bij Gucci op Hall Avenue was gekocht, zou zijn kaartje laten zien en naar binnen gaan. Als hem gevraagd zou worden om zijn tasje open te maken, wat niet waarschijnlijk was, dan zouden ze een pakje sigaretten vinden, een gouden aansteker, ook bij Gucci gekocht, een leren portomonnee van Coach, en een pocket van *The Catcher in de Rye*. Pas later zou Jassim met de bom binnenkomen.

'Waar ben jij tijdens het eerste gedeelte van het concert?' vroeg Nikmaddu.

Akbar, die de bom had gemaakt en verantwoordelijk was voor het op scherp stellen ervan voordat Jassim ermee naar binnen zou gaan, zei: 'Ik sta dan aan de overkant van de straat.'

'Is het niet beter om er vlak voor te parkeren?'

'Het is verboden om voor de Hall te parkeren. Trouwens, aan die kant mag het in de hele straat niet. De meeste limochauffeurs parkeren aan de overkant of net om de hoek. Jassim weet waar ik ben. We hebben dit al vaak gerepeteerd.'

Mahmoud keek hem sceptisch aan.

'Meer dan de helft van de taxi- en limochauffeurs komt uit het Midden-Oosten,' zei Akbar. 'Niemand zal mij verdacht vinden. Ik zal rustig achter het stuur zitten, me met niemand bemoeien, een sigaretje roken en wachten tot mijn vette joodse baas uit de Hall komt. Jassim en ik vinden elkaar wel, maak je niet bezorgd.'

'Jullie hebben twaalf minuten om elkaar te vinden,' zei Mahmoud.

'Ik hou de vooringang in de gaten,' zei Akbar. 'We hebben echt meer dan genoeg tijd, geloof me nou maar.'

'Hoe laat begint het concert?' vroeg Nikmaddu.

'Het hoort om acht uur te beginnen. Maar ik heb gemerkt dat het meestal vijf of tien minuten later begint.'

'En wanneer is de pauze?'

'De Rossini-ouverture duurt tussen de negen en elf minuten en de symfonie van Mozart tussen de vijfentwintig en vijfenderig minuten. Ik verwacht dat het eerste deel van het concert zo'n veertig minuten duurt. Dan begint de pauze rond negen uur of iets daarna.'

'Kun je niet preciezer zijn?' vroeg Nikmaddu.

'Sorry,' zei Akbar. 'Westerse muziek is vaak niet zo precies. Maar hoe dan ook, ik stel de bom op scherp op het moment dat Jassim naar de limousine komt. Ik zet hem in zijn tas en hij gaat terug naar binnen. Jullie zullen nog eens zien hoe lang twaalf minuten duren.'

'Ik hoop het. Ik wil niet dat de bom ontploft als hij nog niet binnen is.'

'Nee, dat kan al helemaal niet. De pauze is ergens rond kwart over negen afgelopen. Dan krijgt iedereen vijf minuten om naar zijn plaats te lopen. Zeg dat de jood rond tien voor half tien opkomt. De bom heb ik op half tien afgesteld. Jassim is dan allang weg.'

'Inshallah,' zei Mahmoud.

'Inshallah,' herhaalden de anderen.

De mannen zwegen.

'Er is voor vannacht koud en helder weer voorspeld,' zei Nikmaddu ten slotte.

'Mooi,' zei Mahmoud. 'Dan krijgen we op weg naar Florida geen moeilijkheden.'

'Het lijkt me heerlijk om ooit een tijd in Florida te zitten,' zei Akbar.

De blondine die Ollie in haar rug had geschoten lag in een kamer op de zesde verdieping van het Hoch Memorial. Buiten, voor de deur van haar kamer, stond een mannelijke agent. Op de klok achter hem aan de muur was het tien over half een 's middags. De blondine had plastic slangetjes in haar neus. De blondine had slangetjes in haar arm. Noch Carella, noch Ollie had ook maar een beetje medelijden met haar op deze koude decembermiddag aan het eind van het jaar.

'Wil je vertellen wie je bent?' vroeg Carella.

'Ik heb jullie niets te vertellen,' zei ze. 'Jullie maken een enorme blunder.'

'Jij bent degene die een blunder maakt,' zei Ollie.

'*Drie!*' zei Carella.

De blondine glimlachte.

'Hoe heet je?' vroeg hij.

'Dat hoef ik jullie niet te vertellen.'

'Je hebt twee burgers vermoord en geprobeerd een politieman neer te schieten. Heb je enig idee van de problemen waar je in zit?'

'Ik zit helemaal niet in de problemen.'

'Twee keer een moord...'

'En een poging...'

'Bij ons is dat behoorlijk serieus,' zei Ollie.

'Bij ons is dat routine,' zei ze.

'En waar is dat, mejuffrouw?'

'En hoe heet je, mejuffrouw?'

'Waar woon je?'

'Waarom heb je helemaal niets bij je waarmee je je kunt identificeren?'

De blondine glimlachte weer.

'Je vindt het allemaal nogal grappig, hè?' zei Ollie. 'Proberen een politieman neer te schieten.'

'Wat dacht je van een politieman die me in mijn rug schiet?' zei ze. 'Denk je dat *dat* grappig is?'

'Nog lang niet zo grappig als het zou zijn geweest als ik je gedood had,' zei Ollie. 'Dat zou pas echt komisch geweest zijn.'

'O, is dat zo? Wacht maar af, mannetje.'

'Waarop?' vroeg Ollie.

'Wacht maar gewoon.'

'Weet je, we houden er nou eenmaal niet van dat politiemannen in deze stad worden neergeschoten.'

'Dan moeten politiemannen in deze stad zich niet met de zaken van andere mensen bemoeien.'

'Over wat voor mensen heb jij het?'

'Mensen met belangrijker dingen aan hun hoofd dan twee klotige drugsdealertjes.'

'O?' zei Carella.

'O?' zei Ollie.

'Jullie wisten dat ze dealden, hè?'

De blondine glimlachte.

'Wat wist je nog meer van hen?'

De blondine schudde haar hoofd.

'Wist je dat een van hen een man, Jerry Hoskins, vermoord heeft?'

Ze bleef hoofdschuddend glimlachen.

'Ooit die naam ergens gehoord?'

'Jerry Hoskins?'

'Werd op kerstavond neergeschoten door een van die knakkers die jij afgelopen nacht neergeschoten hebt. Kan dat iets met elkaar te maken hebben?'

'Jullie kletsen uit je nek,' zei ze.

'Jerry Hoskins? Frank Holt?' zei Ollie.

'Dezelfde persoon,' zei Carella.

'Verkocht honderd keys coke aan Wiggins met de kerst...'

'Werd betaald met een kogel in zijn achterhoofd. Ooit van hem gehoord?'

'Jerry Hoskins?'

'Frank Holt?'

De blondine zei niets.

'Ooit van een vrouw Cass Ridley gehoord?' zei Ollie.

'Cassandra Ridley?' zei Carella.

'Vloog honderd keys dope uit Mexico voor Jerry Hoskins. Ooit van *haar* gehoord?'

'Ik zeg niets tot mijn mensen met jullie contact hebben opgenomen.'

'O? Jouw mensen? Wie zijn die mensen?'

'Dat merken jullie wel.'

'Heb je vriendjes op hoge plekken?' vroeg Ollie.

'Op het stadhuis?'

'Bij de gouverneur?'

'Op het Witte Huis?'

'Nou, nou, wat moet ik lachen. Donder toch op,' zei ze.

'Niemand lacht,' zei Ollie. 'Het lijkt erop dat jij Walter Wiggins kende die drugs dealde en misschien kende je ook Hoskins die in dezelfde handel zat...'

'Blijf maar lekker kletsen,' zei ze.

'Kende je soms ook Cass Ridley, die die troep uit Mexico vloog?'

'Heb je misschien ooit een een fles champagne naar haar appartement gebracht?'

'Hebben jij en een andere mooie dame haar soms mee uit wandelen genomen in de dierentuin?'

'Jij en een andere blonde dame?'

'Alletwee in het zwart?'

'We hebben een portier die staat te *springen* om jullie te identificeren.'

'Klets maar lekker verder. Ik begin het leuk te vinden.'

'Ik vraag me af of je je afspraak met de aanklager ook zo leuk zult vinden.'

'*Jullie* hebben een afspraak, met mijn mensen,' zei ze. 'Maar jullie lijken niet z...'

'We willen hen zó ontzettend graag ontmoeten,' zei Carella.

'Als je ons vertelt wie ze zijn, gaan we direct op bezoek.'

'Misschien kunnen zij uitleggen hoe jij Wiggins hebt kunnen vermoorden die Hoskins heeft vermoord die Ridley inhuurde om zijn dope te vliegen.'

'Misschien kunnen zij uitleggen hoe Ridley in die leeuwenkuil terecht is gekomen,' zei Ollie.

'Zonder welke legitimatie dan ook,' zei Carella.

'Misschien kunnen jouw mensen dat allemaal uitleggen.'

'Misschien zorgen mijn mensen er wel voor dat jullie morgenochtend amper kunnen lopen.'

'Ooooo,' zei Carella. 'Een dreigement, Ollie.'

'Ooooo,' zei Ollie.

Hij vond niets mooier dan een verdachte die ging dreigen. Helemaal als die verdachte geprobeerd had om een politieman neer te schieten.

'Denk jij dat die belangrijke mensen van jou je zullen komen redden? Denk je dat nou echt?'

'Jullie hebben geen idee waar jullie mee te maken krijgen.'

'Tjeetje, nou, volgens mij hebben we te maken met een poging tot een eerstegraads moord en twee tweedegraads.'

'Jullie krijgen dit nooit voor de rechter. Ze verpletteren jullie als torretjes.'

'Wie? Jouw belangrijke mensen op hoge plaatsen?'

De blondine glimlachte.

Ollie vond het geweldig als ze glimlachten.

'Als jouw vrienden je hier uithalen, dan verlenen ze hulp aan een voortvluchtige,' zei hij. 'Dat heet De Rechtsgang Belemmeren,eerste graad, sectie 205.65, van het wetboek van strafrecht. Wil je het horen?'

'Steek het maar in je reet,' zei de blondine.

'Mooie taal voor een dame,' vond Ollie. 'De Rechtsgang Belemmeren is criminele hulp verlenen aan iemand die een klasse A-misdrijf heeft gepleegd. Tweedegraads moord is een klasse A-misdrijf. Net zoals poging tot moord. Als jouw vrienden je hier uithalen riskeren ze zeven jaar maximaal in de lik. Misschien zijn ze daarom wel niet hier, hè?'

'Alles op zijn tijd,' zei de blondine.

'Ja, natuurlijk. Ik hoor hen al door de gang heen denderen.'

De blondine draaide zelfs haar hoofd naar de deur.

'Of niet,' zei Ollie. 'Ballistiek bekijkt op dit moment de kogels die die twee dealers hebben gedood. Als die kloppen met de kogels waarmee we hebben proefgeschoten uit dat kanon van jou...'

'Laat maar. Geen interesse.'

'Nou, laat me dan vertellen wat we nog meer hebben,' zei Carella. 'Misschien denk je er dan anders over.'

'Ik ben vannacht neergeschoten. Ik ben moe. Welterusten, meneer de rechercheur.'

'Een van die knakkers die jullie hebben doodgeschoten, droeg een recordertje. Op dat recordertje staat die andere knakker die jullie hebben gedood. Vertelt hoogst interessante dingen over een bedrijf dat Wadsworth and Dodds heet. Ooit van gehoord?'

'Nee.'

'W&D?'

'Nee.'

'Witches and Dragons?' zei Carella. 'Zie ik daar niet een sprankje herkenning? En Moeder? Weet jij wie Moeder is?'

De blondine zei niets.

'Die naam ooit op een W&D-computer gezien?'

De blondine zweeg.

'Die naam ooit ergens gehoord?'

'Waarom ga je niet gewoon naar huis, meneer de rechercheur?'

'Iedereen zegt steeds tegen me dat ik naar huis moet gaan,' zei Carella tegen Ollie.

'Misschien moest je dat dan maar eens doen,' vond Ollie.

'Ja, maar weet je, ik wil dit zo graag afmaken, snap je?'

'Doe dat dan.'

'En hierom zijn we hier, mejuffrouw,' zei Carella en draaide weer naar het bed. 'Ik citeer: "Iemand is schuldig aan een eerstegraads moord als het bedoelde slachtoffer een politieman is die op het moment van de moord zijn functie uitoefende." Einde citaat. Sectie 125.27 uit het wetboek van strafrecht van deze staat. Jij wilde gisteren een politieman vermoorden, liefje. Mij. Zou me zelfs vermoord hebben, als een andere politieman – rechercheur Oliver Wendell Weeks om precies te zijn – dat niet verhinderd had. Daarom wordt het misdrijf *Poging* tot moord, wat in dit geval een klasse A-misdrijf is. Voeg dat bij de *daadwerkelijke* moorden op Tito Albertico Gomez en Walter Kennedy Wiggins, en je praat over vijfentwintig jaar tot levenslang, driemaal. Dat is zo'n vijfenzeventig jaar in de lik. Je zult zo'n honderd jaar zijn als je vrijkomt.'

'Honderdvijf,' zei de blondine.

'Als we tenminste geen positieve herkenning van de portier krijgen.'

'Welke portier?'

'Die jullie in Cass Ridleys appartement binnenliet. Waar jullie een ijspriem in haar voorhoofd hebben gestoken. Tel er daarvoor nog maar vijfentwintig jaar bij op.'

'Dat denken jullie. Ik denk dat ik hier weg ben voordat jullie klootzakken het gebouw uit zijn.'

'Hoe laat ben je neergeschoten?' vroeg Ollie. 'Rond zeven uur, half acht? En je weet hoe laat het nu is? Bijna één uur, maar wel een dag later. Is er al iemand langs geweest? Heeft er al iemand opgebeld? Waar is je cavalerie, liefje? Ze rijden de zon tegemoet en niets anders. Ze laten je hier gewoon barsten. Maar, kom op, wees jij maar loyaal. Vijfenzeventig jaar achter de tralies is ongetwijfeld beter dan wat wij je ook maar kunnen bieden.'

De blondine keek hem aan.

Ollie begreep dat hij haar aandacht had.

'Wil je het horen?'

'Nee. Ik wil slapen.'

'Prima. Welterusten. Ik denk dat we haar op alle drie de aanklachten kunnen vervolgen, Steve.'

'Vier, als we geluk hebben met die portier,' zei Carella. 'Jammer dat ze ons niet kan helpen met dat huiszoekingsbevel, hè?'

'Een hemeltergend onrecht,' zei Ollie.

'Ach, wat kun je er aan doen?' zei Carella en haalde zijn schouders op. 'Kom op, we gaan naar huis.'

'Tot ziens, juffie,' zei Ollie en de twee rechercheurs liepen naar de deur.

'Wat bedoelen jullie,' vroeg de blondine.

Ze draaiden zich om naar het bed.

'Over een huiszoekingsbevel,' zei ze.

'Ik zal eerlijk tegen je zijn, oké?' zei Ollie, wat wel het laatste was wat hij tegen haar wilde zijn. 'We weten dat je niet wilt toegeven dat je een huurmoordenaar van W&D bent, want dan wordt het Moord op Bestelling en dat betekent de valiumcocktail als je veroordeeld wordt.'

'Doodstraf,' verduidelijkte Carella. 'Dodelijke injectie.'

'Ik heb gehoord dat het niet eens zo akelig is,' zei Ollie glimlachend. 'Maar we weten dat je niet wilt toegeven dat iemand je *betaald* heeft om die rooje en die twee nikkers om te leggen, dus alles wat we nu zeker hebben zijn die twee tweetjes en die poging. Wat genoeg is om je vijfenzeventig jaar op te laten bergen. Daar wil ik je wel even aan herinneren, als dat de weg is die je wilt bewandelen.'

'Of,' zei Carella.

'Of,' knikte Ollie.

'Of *wat?* Vertel op.'

'To the point. Daar hou ik van bij vrouwen,' zei Ollie. 'Weet jij wat er in die W&D-computers zit?'

'Laat ik zeggen dat ik te weten *kan* komen wat er inzit als ik dat *moet* weten.'

'Laten we zeggen dat je *moet* weten wat erin zit als je wat wilt ritselen,' zei Ollie.

'Natuurlijk kunnen we niet namens de aanklager praten,' zei Carella.

'Natuurlijk niet. Maar *als* de dame wat wil ritselen, dan zal ze moeten vertellen wat er in die computers zit.'

'Wat zijn jullie toch een klerelijers,' zei ze. 'Wat moet ik van jullie zeggen?'

'We willen dat je zegt dat er bewijzen van een misdaad in de computers van W&D zitten.'

'Wat voor misdaad?'

'Voor zover wij het begrijpen de Criminele Verkoop van Vast Omschreven Partijen.'

'Eerstegraads,' zei Carella.

'Sectie 220.43.'

'Een klasse A-misdrijf.'

'Staat vijfentwintig jaar tot levenslang voor.'

'Behoorlijk,' zei Carella.

'Dat is, voorzover wij weten, de misdaad,' zei Ollie.

'En hoe zijn jullie dit op het spoor gekomen?'

'Goede vraag,' vond Ollie. 'Je weet toch nog wel dat we die band hebben?'

'We willen dat je die band afdraait,' zei Carella.

'En ons vertelt of het correct is of niet...'

'...zodat we een huiszoekingsbevel op grond van waarschijnlijkheid kunnen loskrijgen.'

'Betrouwbare informatie van een meewerkende getuige, dat soort gedoe,' zei Ollie.

'*Als* ik meewerk,' zei de blondine.

'Tja, dat moet ik helemaal aan jou overlaten, honnepon.'

'Wat krijg ik?'

'We laten de poging vallen,' zei Ollie. 'Als jij daar tenminste geen bezwaar tegen hebt, Steve? Ik bedoel, ze probeerde jou te vermoorden.'

'Ik vind het prima, als de aanklager ook akkoord gaat.'

'Goh, nou zeg, maar ik vind het niet prima,' zei de blondine.

'Wat vind je dan wel prima?'

'Laat alles vallen.'

'Dat kunnen we niet maken.'

'O, dat kunnen jullie best. Ik vrij en jullie de grote jongens.'

'Tja, misschien kunnen we die moorden veranderen in doodslag.'

'Tja, misschien vind ik dat nog niet genoeg, oké?'

'Twee moorden die één doodslag worden? Dat is *verrekte* goed,' zei Ollie. 'En we lieten dus die poging al vallen. Vergeet dat niet.'

'Sorry, jongens.'

'Ergens tussen de vijf en vijfentwintig per stuk?' zei Carella. 'Dat is echt een mooie deal. Vind jij dat geen mooie deal, Ollie?'

'Ik wel. En jij, juffie?'

'Ik zeg dat ik vijf wil, geen vijfentwintig.'

Carella deed alsof hij daar diep over na moest denken. Hij keek naar Ollie. Ollie zuchtte.

'Oké, vijf,' zei Carella.

'En dat zetten jullie ook in het vonnis,' zei de blondine.

'Nee, dat kunnen we niet maken,' zei Carella. 'Dan zou je maar tweeënhalf jaar krijgen voor iedere moord.'

'Kom op, meid, wel realistisch blijven,' vond Ollie.

'Die vermoorde mannen waren echte klootzakken,' begon de blondine. 'Ik heb de maatschappij een dienst bewezen.'

'Nog steeds maar vijf *in geval van medewerking*?' zei Carella.

'Voor een *dubbele moord*?' zei Ollie.

'Meer zijn ze niet waard,' zei de blondine.

'Ik moet even de aanklager bellen,' zei Carella. 'Laat haar de band horen, Ollie.'

12

Ze ondervroegen Richard Halloway zaterdagmiddag om tien over vijf. Hij droeg een grijze broek, blauw jasje, blauw button-down-overhemd en een groen vlinderdasje met kleine rode, fiere beertjes. Hij had zijn recht op een advocaat weggewuifd en daarom zaten er vier mensen in het verhoorkamertje – Halloway zelf, rechercheurs Carella en Weeks en ondercommissaris Byrnes – om de lange tafel met brandgaatjes van sigaretten. Ze dronken koffie. Halloway zat er ontspannen en zelfverzekerd bij.

'Meneer Halloway,' begon Carella. 'Toen we vanmiddag om half vier de burelen van Wadsworth and Dodds binnenkwamen, was u toen aan het inpakken?'

'Is het verboden om van kantoor te veranderen?' vroeg Halloway.

'Alleen als u verhuist om bewijzen van een misdaad te verdonkeremanen.'

'Ik snap het. En wat voor misdaad word ik geacht te verdonkeremanen?'

'We hebben een bevelschrift om uw computers in te mogen, meneer Halloway.'

'Ga er dan in,' zei Halloway glimlachend. En: 'Als dat jullie lukt.'

'O, dat lukt wel.'

'Succes.'

'We verwachten interessante informatie in uw database te vinden.'

'Als u verkoopinformatie interessant vindt.'

'Laten we het over de database hebben, oké?'

'Tuurlijk. Waarover precies?'

'De directory WITCHES AND DRAGONS.'

'Die naam zegt me niets. Wilt u niets weten over *Diagnostic and Statistical Manual* of...?'

'En een bestand DIANA?'

'Die naam ken ik ook niet.'

'Of EM. Interessant bestand, EM. Blijkbaar staan daar alle drug-deals in die uw bedrijf de afgelopen twee jaar in Mexico heeft gemaakt. Data, plaatsen, aantal kilo's, verkoopprijzen enzovoort, enzovoort, de hele mikmak.'

'Ik ben meer bekend met Practical Classroom Chemistry van Guthrie Frane. Ik weet dat we daar een bestand van hebben.'

'Hebt u een bestand GEA?'

'Niet dat ik weet.'

'Daar zullen de Feds in geïnteresseerd zijn. We vermoeden dat GEA voor 'nagemaakt' staat. We vermoeden dat u in Iran vals geld hebt gekocht en dat u dat gebruikt voor diverse drugsdeals.'

'Tjonge jonge, zoveel misdaad in zo'n klein uitgeverijtje!'

'We vermoeden dat uw database de bewijzen voor deze misdaden zal leveren. En nog meer interessante activiteiten.'

'Aangenomen natuurlijk, dat u in onze computers komt.'

'Volgens mij kunnen we dat.'

'Nou, u kunt het natuurlijk in ieder geval proberen.'

'Onze specialisten zijn vastbesloten.'

'Daar twijfel ik niet aan,' zei Halloway, dronk zijn koffie op en stond glimlachend op. 'Tja, ik heb nog meer te doen,' zei hij. 'U ongetwijfeld ook. Dus laten we verder dan maar geen tijd meer verspillen, hmm? Ik weet dat u gelooft...'

'Meneer Halloway, u staat onder arrest,' zei Byrnes. 'Wilt u dat niet vergeten?'

'Misschien is dat precies wat u moet vergeten,' zei Halloway. 'Geloof me, u zult niets vinden. Deze keer niet, mannen. Dus als u verder niets hebt...'

'Gaat u zitten,' zei Byrnes.

Halloway glimlachte, maar ging toch zitten.

'We beschuldigen u van illegale verkoop van vast omschreven partijen,' zei Byrnes. 'Volgens sectie 220.43 van het wetboek van strafrecht een A-misdrijf dat bestraft kan worden met vijfentwintig jaar tot levenslang. We hebben vierentwintig uur om u aan te klagen. Dat betekent dat u morgenochtend vroeg voor de rechtbank zult staan. We zullen om een torenhoge borgstelling vragen, want u bent een internationale drugsdealer. Als de rechter daarmee akkoord gaat, hebben we zes dagen om uw verrekte computers te kraken en onze zaak aan de jury voor te leggen. Nog vragen?'

Halloway glimlachte nog steeds.

'Laat ik jullie toch nog een advies geven,' zei hij. 'Jullie hadden moeten luisteren naar de Secret Service toen die zei dat jullie moesten ophouden, maar dat deden jullie niet. Daarom zitten we nu hier met z'n allen in een situatie die voorkomen had kunnen worden. Ik hoor hier zeker niet te zitten, maar jullie ook niet. Daarom wil ik graag dat jullie even luisteren.' Hij keek op zijn horloge. 'Als ik hier binnen vijf minuten naar buiten loop, zullen jullie moeten vergeten dat jullie me ooit gezien hebben, alles moeten vergeten over een vrouw die Cass Ridley heet en een afschuwelijk einde in de leeuwenkuil van de dierentuin had, jullie moeten vergeten...'

'Wat bent u? Een hypnotiseur of zo?' vroeg Ollie.

'Laat me even uitspreken, rechercheur Weeks. Ik raad jullie aan om dit allemaal te laten rusten. Vergeet dat Jerry Hoskins werd vermoord, vergeet dat vervolgens die twee zwarte drugsdealers in Diamondback werden vermoord, vergeet alles wat sinds 23 december gebeurd is, vergeet zelfs dat jullie die morgen wakker zijn geworden. Er zijn heel slechte mensen in de wereld, jongens. Gaan jullie hiermee door...'

'Mensen zoals u,' knikte Carella.

'Nee, dat heb je helemaal mis. Ik ben een van de *goede* mensen. Ik heb het over mensen die *terroristen* zijn. Mensen die ons de Grote Satan vinden. Mensen die ons alleen maar alle slechts toewensen. Die mensen geloven allemaal in dezelfde zaak. En die zaak is om de Amerikanen uit de Arabische wereld te verdrijven.'

Zijn toon was totaal veranderd, zijn stem klonk opeens vervaarlijk en eerlijk gezegd wat beangstigend.

'Buiten bestaat er een omvangrijk netwerk van individuele terroristische cellen,' zei hij. 'Geloof me maar. Drie of vier toegewijde individuen in iedere cel, meer is niet nodig om hier aanzienlijke schade aan te brengen. Anonieme kleine *gangs*, als je het zo wilt zien, die hun orders en geld van bovenaf krijgen en zelf mogen bepalen hoe ze die orders uitvoeren. Wat het enorm moeilijk maakt om hen te neutraliseren, laat staan te stoppen. Waarom denken jullie dat die twee mannen die de *Cole* bombardeerden nog steeds niet op Bin Laden kunnen worden teruggevoerd? Waarom denken jullie...'

'Wat heeft dit allemaal te maken met het feit dat jullie dope kopen en verkopen?' vroeg Ollie.

'Niemand heeft tot nu toe voldoende bewijzen kunnen leveren,' zei Halloway. 'Op het moment dat ik door die deur loop...'

'U loopt door geen enkele deur,' zei Byrnes. 'U gaat linea recta naar de cellen beneden.'

'Dat zou ik jullie niet aanraden.'

'Wie denkt u godverdomme wel niet dat u bent?' vroeg Ollie. 'De CIA?'

Halloway glimlachte.

'Want als u wilt weten wat ik denk, dan *is* er geen CIA. Zo'n idiote, achterlijke ploeg zou een dekmantel voor onze *echte* inlichtingendienst moeten zijn.'

'Die moet ik onthouden,' zei Halloway en moest hardop lachen. 'Geen CIA, die is grappig. Aan de andere kant, *jullie* zouden de mogelijkheid kunnen overwegen dat de CIA, *als* die bestaat, dezelfde technieken toepast als de mensen die ze bestrijdt. Als er een CIA *bestaat* – en misschien heb je gelijk, misschien bestaat die niet – maar neem de *kleine* kans dat ze bestaat, misschien heeft ze zich dan opgedeeld in honderden kleine *antiterroristische* cellen over de hele wereld. Kleine zelfstandige eenheden die orders van bovenaf krijgen en die autonoom uitvoeren. Geautoriseerde bendes zwervende broeders, zou je kunnen zeggen – en zusters, als je politiek correct wil zijn. Gerechtigd tot actie. En als dit allemaal echt zo is, dan staan jullie wellicht...'

'Door wie geautoriseerd?' zei Ollie.

'Nou, *als* er een CIA bestaat, dan moet de autorisatie direct van de president of de Nationale Veiligheidsraad komen, nietwaar?' Hij glimlachte weer. Keek weer op zijn horloge. 'Laten we zeggen dat jullie in de baan zijn gaan staan van een rollende steen op een hellend vlak, jongens. Jullie zijn op iets gestoten dat veel essentiëler is voor de belangen van de Verenigde Staten dan voor een stelletje smerissen, geloof me maar. Jullie wisten genoeg om aan de kant te stappen, jongens. Maar in plaats daarvan stapten jullie midden in de stront. Veeg jullie schoenen schoon en ga naar huis.'

'Iemand anders zei ook al dat we naar huis moesten gaan,' zei Carella.

'Ik zeg jullie dat er anders een kans bestaat om door de leeuwen aan reepjes te worden verscheurd.'

'Hij bedoelt dat we vannacht niet in de leeuwenkuil moeten gaan,' zei Ollie.

'Want de leeuwen zijn woest en ze bijten,' zei Carella.

'Nou, meneer Halloway,' zei Byrnes en drukte op een knop op zijn telefoon. 'Ik waardeer uw advies, echt waar. Maar weet u, we zouden onze plicht verzaken als we u zomaar naar buiten lieten wandelen. Dus met toestemming van de president en de Nationale...'

'Meneer?' zei een stem.

'Ik heb een agent nodig om de gevangene naar beneden te brengen,' zei Byrnes.

'Ik stuur meteen iemand, meneer.'

'Bedankt,' zei Byrnes en liet de knop los.

'Ik moet u ernstig waarschuwen om dit niet te doen,' zei Halloway. 'Maak geen blik erwten open dat in uw gezicht kan ontploffen. Bedreig ons bestaan niet, onze heilige missie, onze...'

'Tjee, heilig,' zei Ollie.

'Want, als jullie het doen, als jullie alles vernietigen wat wij hebben geprobeerd te bereiken, als jullie onze database nauwkeurig nag...'

'Ik dacht dat uw computers ook heilig waren,' zei Ollie.

De deur van het kantoor van Byrnes ging open.

'Meneer?' zei een geüniformeerde agente.

'Maggi, wil je deze heer naar een cel beneden brengen, alsjeblieft?' Hij draaide zich naar Halloway om. 'Moeten we u boeien?' vroeg hij.

'Alleen leeuwen bijten,' zei Halloway met een zuur lachje. 'Je krijgt me echt nooit getemd, geloof me. Denk je nou echt dat we voor een rechercheteam van niks alles in de waagschaal stellen waarvoor we al die tijd gewerkt hebben? Wie houdt die klootzakken *dan* tegen, vertel me dat eens? Wie voorkomt *dan* dat ze onze waterreservoirs vergiftigen of onze metro's opblazen? Wie voorkomt *dan* dat ze onze kinderdagverblijven of sportvelden volstoppen met bommen? Wie voorkomt *dan* dat ze ons land vernietigen? Onze *wereld*? Onze *vrije* wereld? Jullie? Zijn jullie degenen die ons zouden redden? Laat me niet lachen! Jullie zouden op jullie knieën moeten gaan en god danken dat wij bestaan! Want als wij er niet waren, zou niemand het doen! Helemaal niemand! Ze zouden het onmogelijk maken om gewoon over straat te lopen! Ze zouden onze babies opblazen! Als wij er niet waren, wie zou dan proberen hen te stoppen. Ik vraag het je. *Wie?*'

Will Struthers hielp Antonia uit de taxi voor het Clarendon Hotel en keek omhoog naar de vallende sneeuw. De sneeuw gaf de avond een extra feestelijke sfeer. In deze stad van vreemdelingen glimlachte men zelfs naar elkaar bij het betreden van het oude gebouw. Will keek omhoog naar de beeldschermen, die stuk voor stuk het podium binnen toonden. 'Speciaal voor de laatkomers,' zei Antonia, wat Will niet echt begreep, maar hij volgde haar toen ze de kaarten overhandigde aan een van de suppoosten. Ze stapten samen de enorme ruimte binnen; rood met gouden pracht, die hen tegemoet schitterde als een buitenproportioneel kerstcadeau, achtergelaten door de kerstman zelf. Will had nog nooit zoiets grandioos gezien. Zelfs niet in Texas.

De kleine, iele man die uit een Cadillac DeVille stapte, droeg een zwarte jas met kraag van nertsbont. De pantalon van een zwart pak was zichtbaar onder de rand van zijn jas. Hij droeg een zwarte vilthoed en goedgepoetste zwarte schoenen. Om zijn schouder hing een leren herenhandtas. De hoed, de kraag en de schouders van zijn jas zaten direct vol met sneeuw. Het getinte raampje van de limousine gleed geruisloos naar beneden. De man leunde naar binnen en gaf de chauffeur enkele aanwijzingen in het Engels. De chauffeur gaf in het Engels antwoord, het raampje ging weer omhoog en de limousine draaide de weg op.

In de sneeuw, op de stoep voor het Clarendon Hotel, pakte Jassim Saiyed een pakje Marlboro uit zijn handtas, schudde er een sigaret uit en stak 'm op. Hij keek op zijn horloge. Het was kwart voor acht. Rustig nam hij een trek en bekeek de menigte glimlachende Amerikanen, die het gebouw binnenging.

Ze gingen zitten op hun plaatsen in rij G, zeven rijen verwijderd van het podium, op stoel 2 en 4 langs het gangpad.

'Goed, hè?' zei Antonia met een grijns. 'Eén van mijn beste klanten speelt hobo in het orkest. Dit was zijn kerstcadeau aan mij.'

Will bedacht dat als hij en Antonia miljonairs werden, ze alleen maar in dit soort gelegenheden zouden komen, ook zonder de giften van anderen. Er heerste een opgewonden sfeer vol anticipatie in dit weelderige gebouw, dat het geluid weerkaatste van de snaar- en blaasinstrumenten die inmiddels werden gestemd. Terwijl hij het programma doorbladerde, zag hij dat een van de stukken La Gazza Ladra heette, dat werd vertaald met De Stelende Ekster.

Hij liet dit aan Antonia zien, en fluisterde: 'Ik hoop dat dit niets persoonlijks is.'

Antonia lachte.

Er viel een stilte in de zaal.

Het concert begon bijna.

Jassim keek op zijn polshorloge.

Als Akbars berekeningen goed waren, zou de pauze rond negen uur beginnen. Jassim zou via het gangpad en de foyer naar buiten lopen waar Akbar in de Cadillac wachtte. Hij zou het tijdmechanisme van de bom activeren en Jassim zou weer naar binnen, naar zijn plaats lopen. Wat later, als de jood aan het spelen was, zou Jassim opnieuw opstaan alsof hij naar de wc moest. Zijn hoed, zijn jas en de tas met de bom zou hij laten liggen. Precies om half tien zou de bom ontploffen.

Jassim vroeg zich af waarom hij zo kalm was.

Will verveelde zich dood.

De muziek die hij het liefst hoorde, was wat er thuis, in Texas, werd gespeeld. Liedjes over cowboys. Liedjes over vrouwen met gebroken harten. Liedjes over echte jachthonden. Dit orkest op het podium klonk alsof het aan het repeteren was.

Hij verlangde naar de pauze.

Angst was het enige waar Jassim aan dacht.

Ram de angst in hun harten.

Zorg voor fatale aanslagen in de hele wereld.

Op het moment dat de lichten aangingen stond hij op, legde zijn hoed en jas op zijn stoel en liep gehaast naar achteren. Op zijn horloge was het exact drie minuten over negen. Hij wilde om kwart over negen weer op zijn stoel zitten, tegen de tijd dat de pauze afgelopen zou zijn. Het gangpad was vol met concertgangers die naar de foyer of naar buiten wilden. Geduldig mengde Jassim zich onder hen, maar zijn hart bonsde in zijn lichaam. Hij probeerde niet nog een keer op zijn horloge te kijken voor hij in de foyer was.

O, zes over negen.

Hij rende door de foyer naar buiten.

Hij keek de straat door.

De Cadillac stond exact geparkeerd waar Akbar had gezegd dat hij zou staan.

Maar er stond een agent in oliejas naast het portier aan de chauffeurskant.

In de foyer hing de verwachting bijna tastbaar in de lucht. Het eerste gedeelte was ook de moeite waard geweest, maar deze chique menigte was hier niet voor Rossini of Mozart. Ze waren er zelfs niet voor Mendelssohn. Ze waren er voor de man die Mendelssohn zou *spelen*. De gesprekken gingen over de gekregen, en inmiddels geruilde, kerstcadeaus, over de plannen voor het feest van morgen en over het weer en over de markt en over de laatste oorlog in het buitenland, maar de mensen in de foyer en die buiten in de sneeuw een sigaretje rookten probeerden toch voornamelijk hun opwinding over de beroemde Israëlische violist te verbergen. Net als kinderen die geen zon durven wensen omdat het dan juist zal gaan regenen, durfden ze zijn naam niets eens te fluisteren, bang dat hij in rook zou opgaan, hen teleur zou stellen.

De agent leunde tegen het open raampje aan de chauffeurskant van de Cadillac, een massieve man in een zwarte oliejas, en de sneeuw dwarrelde om hem heen naar beneden. Akbar gaf hem papieren. De agent bekeek de papieren. Akbar glimlachte beleefd naar hem. De sneeuw bleef dwarrelen.

Jassim keek op zijn horloge.

De televisiemonitoren in de foyer lieten nu alleen nog maar een leeg podium zien met gedimd licht. Will wenste dat er een voetbalwedstrijd of iets dergelijks op te zien zou zijn.

'Vind je het leuk, tot nu toe?' vroeg Antonia.

'O ja,' zei hij.

Tot nu toe viel hij er bijna van in slaap.

'Wacht maar,' zei ze. 'Het echte vuurwerk begint als die Israëliër gaat spelen.'

De agent wandelde pas om veertien minuten over negen weg. Behendig tussen het drukke verkeer door laverend rende Jassim naar de Cadillac en rukte het achterportier aan de kant van het trottoir open. Terwijl hij de deur dichttrok fluisterde hij: 'Wat was er nou? Wat wilde die vent?'

'Mijn complete doopceel!' gilde Akbar.

'Wat?'

'Mijn complete, *complete*, doopceel, doet er niet toe, geef me die klotetas!'

Jassim gaf hem de tas. Hij keek op zijn horloge en toen onmiddellijk over zijn schouder. Binnen een minuut zou de pauze afgelopen zijn; het trottoir voor Clarendon Hall begon leeg te lopen. Voorin werkte Akbar aan het tijdmechanisme. Jassim hoorde hem zwaar ademhalen, zag de transpiratie op zijn voorhoofd en kon de klok horen tikken toen Akbar het mechanisme activeerde. Hij wachtte. Zijn handpalmen waren nat. Hij keek weer over zijn schouder. Het trottoir was nu leeg. Hij hield zijn adem in. Wachtte. Bleef wachten. De ramen van de auto besloegen van hun adem. Jassim dacht dat hij zijn eigen hart hoorde bonken in de stomende, donkere auto. Eindelijk hoorde hij een zacht klikje. De bom was geactiveerd, de klok en ontsteker zaten stevig aan de twee pijpen vast. Voorzichtig zette Akbar het ding in de tas en klapte die dicht.

Jassim keek op zijn horloge.

Het was tien minuten voor half tien.

De pauze was vijf minuten geleden afgelopen.

Maar hij had nog tien minuten om naar zijn plaats te lopen, de bom te plaatsen en weer naar buiten te lopen voor de bom ontplofte. Hij stapte op het trottoir en rende de straat over naar de foyer. Die was leeg. Op de enorme bronzen klok boven de middelste toegangsdeuren was het negen voor half tien. Van achter de deuren hoorde hij vioolmuziek. Het tweede deel van het concert was al begonnen. Op de televisiemonitoren in de foyer stond een mini-Svi Cohen voor het orkest, viool onder zijn kin, hoofd een beetje scheef alsof hij bad, verzonken in zijn spel. Jassim registreerde dat de jood zijn strijkkastje in zijn onreine hand hield. Hij wilde de deurknop van de dichtstbijzijnde deur pakken toen een man in een grijs uniform tegen hem zei: 'Sorry, meneer.'

Jassim keek hem verstoord aan.

'U mag niet naar binnen voor het eerste stuk afgelopen is.'

Jassim knipperde met zijn ogen.

'Het is drie minuten geleden begonnen, meneer. Sorry, maar het mag niet.'

Het was acht minuten voor half tien.

Het Mendelssohnconcert was om elf minuten voor half tien begonnen en de bom zou om half tien ontploffen.

Will vroeg zich af hoe lang hij daar nog zou moeten zitten. Hij bedacht dat hij en Antonia een hapje konden gaan eten nadat deze fiedelaar zijn werk had gedaan. Er moest wat verderop op de Avenue een goed Italiaans restaurant zitten.

Hij vroeg zich ook af of er ooit iemand geprobeerd had om instrumenten uit de Hall te stelen. Was er een kamer waar ze tuba's en trombones en dat soort spul opsloegen? Of hadden de musici allemaal hun eigen instrumenten. Misschien wel. En hij moest eens ophouden met denken als een dief. Als Antonia met hem wilde meewerken, dan zou hij de rest van zijn leven geen kraak meer hoeven te zetten.

Maar, godallemachtig, wat was dit oersaai!

Jassim keek weer op zijn horloge.

Het was nu zes minuten voor half tien.

Het eerste stuk van dat vervloekte Mendelssohn-vioolconcert zou zo'n twaalfenhalve minuut duren. De jood was om elf minuten voor half tien begonnen, dus hij zou net iets later dan een minuut over half tien klaar zijn. Misschien iets later, drie of vier minuten over half tien, dat hing er vanaf hoeveel artistieke vrijheid hij zichzelf veroorloofde. Voor Jassim was geen van die tijden goed, want de bom zou om half tien ontploffen. Wat betekende dat, tenzij hij naar binnenging, de bom over zes minuten in de foyer zou exploderen.

Hij haalde diep adem.

'Hé,' riep de man in het grijs, maar was te laat.

Jassim had een van de deuren open gegooid en rende over het gangpad aan de rechterkant van de zaal.

* * *

Will keek naar het gangpad toen hij iemand hoorde schreeuwen. Degene die gilde was een kleine, donkere man met een handtas die hij bij het hengsel vasthield en al gillend boven zijn hoofd rond zwaaide. Will wist niet wat hij gilde, want hij riep het in een vreemde taal, maar wat het ook was, de man was razend. Terwijl hij het podium naderde waar de Israëliër speelde, leek hij sprekend op een mini-David die met zijn slinger een steen naar de kolosale Goliath wilde werpen.

Op het moment dat Will zich realiseerde dat dat precies was wat de man waarschijnlijk wilde sprong hij op.

'Hé! Wat krijgen we nou?' riep hij en sprong naar de man om hem te tackelen, maar miste hem op een haar na. Hij struikelde naar voren, uit balans, toen de man ongeveer een meter voor het podium stopte en weer iets in die vreemde taal riep.

Will wist niet precies waarom hij weer naar die man sprong. Misschien om indruk op Antonia te maken, die op de zevende rij zat en hem met open mond en wijdopen ogen aangaapte. Misschien moest hij aan die Rode-Khmersoldaat denken die hem gemarteld had en ook een taal had gesproken die hij niet kende. Maar waarom dan ook, hij sprong net op het moment dat de man het hengsel losliet. De Israeliër probeerde het projectiel dat recht op hem afkwam te ontwijken, trok de viool uit zijn magere nek en stapte tegelijkertijd achterwaarts en naar rechts.

Op dat moment landde Will op de rug van de man.

Op het volgende moment explodeerde de tas.

13

Oudejaarsavond was licht en helder en verdomde koud. Er was 's nachts iets misgegaan met het verwarmingssysteem in het Hoch Memorial en terwijl monteurs met thermostaten, pijpen en ventielen in de weer waren, renden verpleegsters rond met truien en sommigen zelfs met jassen over hun witte uniform.

Een enorme massa mensen liep de hele nacht Wills kamer in en uit. Om zijn temperatuur op te nemen, of zijn bloeddruk, om het verband op zijn gezicht en handen te verwisselen, om hem medicijnen te geven en de verzorgende liefde die een gewonde verdiende. Toen hij weer stemmen buiten op de gang hoorde, dacht hij dat het wel weer zusters zouden zijn die zijn lakens wilden verschonen of het verband of het zakje naast zijn bed. Maar iemand vroeg aan een zuster of het goed was dat hij naar binnen ging en met de patiënt sprak.

De man die binnenkwam leek sprekend op rechercheur Stephen Louis Carella.

'Hé, hallo,' zei Will. 'Wat doet u hier?'

Carella had net het ontslag en overplaatsing geregeld van ene Anna DiPalumbo – dat bleek de enige echte naam van de blonde schutter te zijn – van het Hoch Memorial naar de ziekenvleugel van de vrouwengevangenis in de binnenstad. Maar dat zei hij niet tegen Will. Je sprak niet over een informant met iemand die een bekende misdadiger was. Dat was stom en hij kon het later nog bezuren. Als Halloways bedreigingen realistisch waren dan zou de aanklacht die die ochtend verstuurd zou worden, niet veel uitmaken, maar het deed geen pijn om voorzichtig te zijn, zoals de wijsgeer eens zei.

'Ik moest hier wat afhandelen,' zei Carella. Wat waar was. 'Hoe gaat het?'

'O, wel goed, denk ik,' zei Will. 'In ieder geval een stuk beter dan met een paar anderen.'

De ochtendkranten hadden gemeld dat de Israëlische violist, Svi Cohen, gedood was in wat voorzichtig een 'mogelijk terroristische aanslag' in Clarendon Hall werd genoemd. Zes musici in de strijksectie waren ook gedood. Plus acht concertbezoekers die op de eerste twee rijen hadden gezeten. Plus de nog niet geïdentificeerde bommengooier zelf. Carella dacht niet dat Halloways zaak zou worden geholpen door het feit dat degene die de bommengooier probeerde tegen te houden een professionele inbreker was en niet een van W&D's elitebroeders, zoals hij ze noemde, of -zusters als je Anna DiPalumbo meetelde, die op dit moment in een ambulance onderweg was naar de binnenstad en die Carella nooit meer op een besneeuwde straat waar dan ook in de wereld tegen wilde komen, nee, dank u. Maar waar was u toen we u nodig hadden, meneer Halloway? Afgelopen nacht, toen het er op aankwam? Waar waren toen uw ridders in schitterende wapenuitrusting? De enige held die nacht was kleine Wilbur Struthers, die nu rechtop in zijn bed zat en als een klein kind met Kerstmis grijnsde.

'Je foto staat op de voorpagina van twee kranten, wist je dat?' zei Carella.

'Ja, ik heb het gezien. Ik was ook op tv vanochtend vroeg. Ze kwamen hier in mijn ziekenkamertje, niet te geloven, hè? Ik vermoed dat dat vanwege die afspraak over dat boek is.'

'Welke afspraak over welk boek?' vroeg Carella.

'Iemand van een uitgeverij hier in de stad kwam en bood me een bom duiten voor mijn levensverhaal. Niet zoveel als Hillary heeft gekregen, maar toch een heel bedrag. Ik heb het geaccepteerd.'

'Mag je vertellen *hoeveel* geld?' vroeg Carella.

'Een miljoen vijf,' zei Will.

'Dat is inderdaad een heel bedrag,' zei Carella.

'Ik neem aan dat er uiteindelijk meer dan één manier is om fortuin te maken, hè?'

'Dat neem ik ook aan,' zei Carella.

Hij stopte bij zijn moeders huis op de terugweg.

Het pad aan de voorkant was schoongeveegd; hij vroeg zich af wie dat voor haar gedaan had. Hij drukte op de bel, hoorde die binnen bellen en toen haar stem die riep: 'Momentje, graag'. Hij wachtte.

Toen ze de deur opendeed, barstte hij bijna in tranen uit. Hij had haar twee dagen geleden nog gezien, maar ze leek opeens veel ouder.

Hij trok haar naar zich toe.

Ze knuffelden.

'Gaat het goed, zoon?' vroeg zijn moeder.

'Prima, ma.'

'Ik hou van je, Steve,' zei ze.

'Ik ook van jou, ma.'

Ze zaten aan de keukentafel, net zoals ze vroeger zaten toen hij nog een jongen was en zijn ontbijt at en naar school ging; nu dronken ze koffie, en hij vertelde haar dat hij net van een aanklacht terugkwam van wat er als een moeilijke zaak uit begon te zien, maar ze hadden hoe dan ook de eerste twee hordes genomen. Het was trouwens toch een wonder dat ze die vent aangeklaagd kregen en terwijl zij duimden voor een borgstelling van vele miljoenen, verwierp de rechter de borgstelling helemaal, wat heel goed voor hun kant was. Hij vertelde haar dit allemaal aan de keukentafel, net zoals ze vroeger zaten toen hij nog een jongen was en uit school kwam, zijn melk dronk en haar vertelde wat er die dag gebeurd was.

Ze vroeg wat Teddy en hij die nacht voor plannen hadden, en hij vertelde dat ze met de kinderen thuis waren; voor je het wist waren Mark en April oud genoeg om naar eigen oudejaarsfeestjes te gaan. Ze konden maar beter genieten van de paar jaar die ze nog samen hadden. Zijn moeder vroeg of Teddy nog linzen maakte voor het nieuwe jaar, het bracht geluk als je koude linzen serveerde als het twaalf uur sloeg, en hij vertelde dat hij nog wist dat zij dat ook deed toen hij nog klein was...

'Nou, ik doe het nog steeds,' zei zijn moeder.

'Weet ik, ma. Ik zal het tegen Teddy zeggen.'

'Doe dat,' zei zijn moeder. 'Het brengt geluk. Echt waar.'

Ze zwegen allebei.

Hij hoorde de klok in de woonkamer tikken.

Hij herinnerde zich dat zijn vader die klok iedere zondagavond opwond.

'Nou,' zei hij, en er viel niets meer te zeggen, behalve dat het hem speet.

'Ik hou van je, ma,' zei hij. 'Als je wilt trouwen, breng ik je naar het altaar. Angela ook, ik hou van jullie alletwee, het spijt me dat ik me zo klote gedroeg. Ik denk dat Ange gelijk had, dat die leeuw mijn hersens door elkaar klutste. Maar meer leeuwen zijn er niet, het gaat goed met me, echt waar. Ik vind het prachtig, echt waar. Ik hou van jullie alletwee, het spijt me, het leven is veel te kort, ik hou van je.'

Ze knuffelden weer.

Bij de voordeur vertelde ze nog dat de linzen precies om middernacht geserveerd moesten worden, niet ervoor.

'Voor geluk in het nieuwe jaar,' zei ze.

'Ik zal het niet vergeten,' zei hij.

'Veel geluk met jullie nieuwe zaak,' zei ze.

'Bedankt, ma.'

Hij liep al bijna naar de auto toe toen hij zich omdraaide en zei: 'Ma?'

Ze wilde net de deur dichtdoen.

'Ma,' zei hij nog een keer.

'Ja, zoon?'

'Doe...eh...Luigi de groeten van me, oké?'

'Ja, zoon,' zei ze. 'Zal ik doen.'

'Niet vergeten, hè?'

'Nee, zoon.'

'Gelukkig nieuwjaar, ma.'

'Gelukkig nieuwjaar, Steve.'

Hij zwaaide en knikte en liep toen snel naar zijn auto.

Slecht geld
een roman van
Oliver Wendell Weeks

Het was een donkere, stormachtige nacht.

Rechercheur eerste klas Oswald Wesley Watts hield niet van dit deel van de stad omdat er veel nikkers woonden, en die waren zelden gevaarlijk. Aan de andere kant deed 'Grote Ozzie Watts' zoals hij liefkozend door de inwoners van Rubytown werd genoemd, hier een goede daad.

Een boosaardig persoon gebruikte overheidsgeld om dit onderdrukte volk te knechten, net zoals de Britten in Japan hadden gedaan, van de hele bevolking junkies maken voor de Opiumoorlog een einde maakte aan dat spelletje. Iemand in dit gebouw was betrokken bij de verkoop en doorverkoop van narcotica als cocaïne. In politiejargon heette deze illegale drugs 'vast omschreven partijen'. Het werd verkocht in 'keys', onderwereldjargon voor 'kilogram'. Een kilo was 2,2 pond. 'Grote Ozzie' kende al deze waardevolle informatie omdat hij al vele jaren een hoog gedecoreerde (voor moed) rechtsambtenaar was.

Lang en knap, brede schouders en borstkas, smalle heupen en snel ter been, rechercheur 'Grote Ozzie' Watts, pistool in zijn hand (een 9 mm semi-automatische Glock, overigens), liep moedig via de trap naar de vierde verdieping van het stinkende gebouw en klopte op de deur van appartement 4c. Ergens van binnenuit klonk muziek. De harde beat trilde door de gang. Hij hoorde het geklik van hooggehakte schoenen die naar de voordeur liepen.

De vrouw die opendeed was een schitterende

zevenentwintig jarige blondine, negentig, vijf-
envijftig, vijfentachtig, had een lange groene
japon aan met een hoge split zodat haar prachtige
dijen zichtbaar waren. Ze hing tegen de deurpost, het lage decolleté van de japon onthulde
volle, blanke borsten. Ze glimlachte oogverblin-
dend de gang in.

'Hallo, rechercheur Watts,' riep ze.

'Zo, Moeder,' antwoorddde hij vinnig. 'Ontmoeten we elkaar weer.'

Nawoord

Ik begon met de ruwe schetsen van *Money, Money, Money* in april 2000 en begon begin mei daadwerkelijk te schrijven. Eind juli, toen ik een maand op vakantie in Zuid-Frankrijk zou gaan, had ik 226 pagina's af. Na Labor Day – dit was een jaar *voor* de WTC-aanslag – ging ik door waar ik gebleven was, herschreef de eerste 226 pagina's en schreef die maand door tot pagina 337. (Mocht u het zich afvragen, ik heb een ijzeren werkschema; het is de enige manier die ik ken waarop ik een boek kan *schrijven*.) Eind november was het boek ruwweg klaar met 420 pagina's en 20 december 2000 stuurde ik de laatste versie naar mijn agent.

De officiële publicatiedatum van het boek was 6 september 2001. Die dag zou ik een boekentoernee beginnen in New York City en op de 8ste naar Bryn Mawr, Pennsylvanië, rijden. 9 September was mijn vierde trouwdag. Ik was thuis in Connecticut met mijn vrouw, Dragica, aan wie dit boek is opgedragen. We dineerden rustig in een Frans restaurant – ik bestelde grootmoedig champagne voor alle gasten, wat ook weer niet zo'n groots gebaar was omdat er maar een dozijn anderen dineerden.

10 September vloog ik naar Dayton, Ohio, en op 11 september vloog ik naar Chicago. Mijn begeleider pikte me vroeg in de morgen op het vliegveld op; in Chicago is het een uur vroeger dan in New York. In de auto, op weg naar het hotel, ging zijn telefoon over. Iemand belde hem om te vertellen wat er zo-even bij het World Trade Centrum was gebeurd. We zetten de radio aan. Het tweede vliegtuig had net toegeslagen. Ik dacht: *god, het gaat nu gebeuren!* Ik was geschokt, maar niet verbaasd; onderzoek dat ik naar terrorisme had gedaan, had al aangetoond dat Amerika zelf het belangrijkste doelwit van Bin Laden was.

Diezelfde dag werd mijn boekentoernee afgelast. Ik huurde een auto met de journalist Rick Bragg – wiens boekentoernee ook die dag werd afgelast – en samen reden we terug naar een opeens doodstil New York City.

Terwijl ik de aanslagen volgde, leerde ik meer over terrorisme dan ik me ooit had kunnen voorstellen toen ik mijn boek schreef. Maar de woorden 'Volg het geld' doken iedere keer op als ik een krant opensloeg of televisiekeek, en zelfs nu nog – nu Afganistan de grootste opiumoogst sinds decennia heeft – word ik herinnerd aan de enorme Geld-Dope-Terroristische-samenzwering op deze pagina's. En ik bid dat kleinere terroristische aanslagen, zoals ik er hier een heb beschreven, nooit onze kusten zullen bereiken.

Ed McBain
Weston, Connecticut

Ed McBain en Evan Hunter

Candyland

Schokkend en brutaal

Benjamin Thorpe is een eerzame huisvader en een geslaagd architect, maar een man met een obsessie. Als hij voor zaken in New York is, brengt hij de nacht door met een dwangmatige zoektocht naar vrouwelijk gezelschap.

Cathy Frese – alias Heidi, een tienerhoertje – is klaar met 'werk' en loopt terug naar haar appartement. Daar komt ze echter nooit aan. Haar gewurgde, seksueel misbruikte en verminkte lichaam wordt de volgende morgen in een steegje aangetroffen.

Heidi blijkt Benjamin die nacht te hebben ontmoet...

Evan Hunter en **Ed McBain** zijn dezelfde persoon. Voor het eerst hebben ze nu 'samen' een boek geschreven; een detective die je in één ruk uitleest.

De pers:
'De dialogen flitsen als een pas geblonken stiletto.'
HUMO's Misdaadgids

'Het eerste deel is een boeiend psychologisch portret van een bezeten man, het tweede deel een knappe en spannende politieroman.' Weekend Knack

'Meesterlijk zijn de dialogen. Candyland is een vlot leesbare thriller waarin de spanning erg mooi opgebouwd wordt.'
Standaard der Letteren

ISBN 90 5695 126 2
320 pagina's
€ 17,50